KB190145

전설의 기록

엄 인 호

1판 1쇄	2024년 6월 28일
펴낸곳	도서출판 답
기획	손현욱
촬영	이충우
인터뷰어	박준흠
인터뷰이	엄인호
사진	구본희
디자인	나인본 스튜디오(NINEVON STUDIO)
출판등록	2010년 12월 8일 / 제 312-2010-000055호
전화	02. 324. 8220
팩스	02. 6944. 9077
ISBN	979-11-87229-81-0

이 도서는 도서출판 답이 저작권자와의 계약에 따라 발행한 것이므로
도서의 내용을 이용하시려면 반드시 저자와 본사의 서면동의를 받아야 합니다.

이 도서의 국립중앙도서관 출판예정도서목록(CIP)은 서지정보 유통지원시스템 홈페이지(http://seoji.nl. go.kr)과
국가자료 종합목록 시스템 (http://www.nl.go.kr/kolisnet)에서 이용하실 수 있습니다.

Copyright © 2024 by DAB

All rights reserved. No part of this book may be used or reproduced without the written permission of the publisher.

REC○RD of a
LEGEND

시즌 BLUES

허밍인하

답

C O N T E N T S

머리말   8

Ⅰ. 서문

01. 1980-1990년, 한국 언더그라운드 음악씬과
   엄인호, 김현식   14

02. 엄인호에 대한 개인적인 기억들   24

Ⅱ. 엄인호 인터뷰

01. 어린 시절   46

1) 아버지 엄명석, 미군 장교클럽 Bandmaster
2) 깡패들과 혈투를 벌인 아버지
3) 어머니에게 배운 글과 그림

02. 음악과 문학 그리고 기타를 사랑한 소년   82

1) 추천서를 써주지 않았던 초등학교 담임
2) 1968년 신중현 콘서트, '뼈 없는 오징어' 스타일
3) 3인조 록밴드 결성
4) 분노와 우울증 그리고 자살 시도
5) 크로스비, 스틸스, 내시 & 영의 통기타 주법 연습
6) 하드록 Hard Rock, 서든록 Southern Rock 그리고 로이 뷰캐넌 Roy Buchanan

03. 20대 초반 시절   140

1) 음악과 기타, 술과 장미의 나날

2) 신촌 화실 생활

3) 기타에 대한 재능 발견

4) 김영배와의 만남

5) 마이너 블루스 **Minor Blues**, 어반 블루스 **Urban Blues**

04. 부산에서의 DJ 생활   184

1) 1973년 8월 송도해수욕장. 뜨거운 여름

2) DJ 홍수진과의 만남

3) 김민기, 한대수… 정태춘과의 만남

4) 부산에서 만난 여인, 엄인호 창작의 원천 소스

5) 이정선과의 만남

6) 사랑의 고백과 실패

05. 풍선, 장끼들 그리고 사운드랩 스튜디오   228

1) 이정선, 이광조 그리고 '풍선'

2) 결혼

3) 군대, 사운드랩 스튜디오 그리고 이영훈과의 만남

4) 오리엔트 나현구 사장, 카바레와 MBC 영 일레븐

5) 장끼들 결성과 녹음

6) 이영훈을 이문세에게 소개해 줌

CONTENTS

06. 김현식, 박동률, 한영애 등과의 만남. 그리고   284

1) 김현식과의 만남 그리고 신촌의 경주집
2) 김현식의 건강 악화 - 술과 마약
3) 김현식의 결혼과 이혼
4) 김현식의 백밴드 봄.여름.가을.겨울 결성
5) 김현식, 그리고 마지막 〈이별의 종착역〉
6) 1990년 마지막 여름, 김현식
7) 김현식 영화, 음악영화
8) 빅동률, 이중산, 한영애 등과의 만남
9) 노준명, 김석규, 김양일, 최우섭 그리고 김태화

07. 신촌블루스 1986-1989년   396

1) 1986년 4월 카페 레드제플린, 신촌블루스 결성
2) 1988년 신촌블루스 1집, 엄인호의 완성된 창작과 기타
3) 이정선의 신촌블루스 탈퇴
4) 엄인호의 독보적인 기타 톤
5) '완성된 기타 연주'에 대한 생각

08. 신촌블루스 1990년-현재   456

1) 엄인호의 신촌블루스
2) '가요화된 블루스'와 '뽕 블루스'의 차이점
3) 엄인호의 가사와 대표작 [신촌 Blues 4]

4) 신중현의 영향, 기타 연주와 작사

5) 보컬리스트 선택 관점

6) 조준형 등 참여한 기타리스트들

09. 2000년대   528

1) 엄인호 솔로 앨범

2) 박보와 [Rainbow Bridge]

3) 2008년 미국 블루스 클럽에서의 연주

4) 엄인호, 최이철, 주찬권의 프로젝트 [Super Session]

5) 다시 젊어진 기타 연주

6) 2021년 [Return of the Legends Vol.5 신촌블루스]

10. 엄인호에 관하여 궁금한 점들   570

1) '막기타' 표현의 오류

2) 셋째 형 엄인환

3) 술과 연주의 상관관계

4) 판권 문제

5) 향후 엄인호의 연주

6) 엄인호가 하려고 했던 음악은 무엇인지?

Ⅲ. 연보 / 디스코그래피   606

'박준흠이 만난 아티스트 vol.1 엄인호'는 전체 시리즈의 시작이기 때문에, 이번 머리말에서는 먼저 도서출판 답과 온 테이블(영화기획사)에서 제작. 진행하는 '전설의 기록' 시리즈 프로젝트에 관해 설명하려고 합니다.

 본 '전설의 기록' 시리즈 프로젝트 ('Record of a Legend' Series Project)는 대중음악 아카이브를 위해 아티스트 인터뷰 단행본, 다큐멘터리, 공연, 음반이 묶이는 '다원 아트 프로젝트' 성격입니다. (※ 단행본 외에 다큐 등은 아티스트와의 협의 사항입니다) 저는 이 프로젝트에서 도서출판 답과 저자 계약 하에 인터뷰 단행본 진행을 맡고 있습니다.

 아시다시피 해외에는 대통령이나, 정 재계 인사들뿐만이 아니라 밥 딜런, 비틀즈, 롤링 스톤즈, 마이클 잭슨, 마돈나, 브루스 스프링스틴, U2 등 유명 대중음악 아티스트의 자전적 도서와 인터뷰 단행본들이 무척 많습니다. 많은 경우는 한 아티스트에 대해서도 10권 이상 나온 경우도 적지 않을 것입니다.

하지만 국내에도 세계에 자랑할 만한 소중한 아티스트가 많이 있지만, 그들 개개인을 다루는 전문 서적은 전무全無한 실정입니다. 심지어 故 조동진, 김현식, 김광석, 신해철, 유재하 등 한 시대를 풍미한 대중음악 아티스트들의 전문적인 기록조차 없는 실정입니다.

생전에 행한 그들에 대한 단행본 수준의 육성 기록이 없다 보니, 아티스트 사후死後 주변 인물들 또는 연예계 종사자들이 쓴 여러 소문이나 명확하지 않은 이야기들이 팩트fact처럼, 혹은 부풀려져 만들어집니다. 그래서 더 늦기 전에 아티스트의 육성을 담은 글을 모아 각각 한 권의 단행본으로 제작하는 일은 누군가는 해야 할 일이었습니다.

그래서 도서출판 답과 온 테이블에서는 총 30명의 아티스트 인터뷰를 진행하려고 하고, 시리즈 1차로 10명의 인터뷰를 담은 단행본 발간을 계획하고 있습니다. 현재 엄인호(신촌블루스), 안치환, 김민규(델리스파이스), 김창기(동물원) 네 분의 인터뷰를 마친 상태입니다.

인터뷰 단행본 시리즈 필자로서 어떻게 이 작업을 하게 되었고, 앞으로 어떻게 할 것인지에 관한 이야기는 장문의 글이라 단행본에는 수록하지 않습니다. 관련 글은 사운드네트워크의 '박준흠이 만난 아티스트 기획' 코너(https://soundnetwork.kr/xe/artist)를 보시면 됩니다.

‘전설의 기록’ 시리즈 프로젝트를 기획한 도서출판 답에도 감사드립니다. 이 엄혹한 시절에 이런 프로젝트를 기획한다는 것은 쉽지 않은 결정이었을 것입니다. 또한, 단행본 작업을 하는 데 있어서 여러모로 도움을 준 maniadb.com이 앞으로도 잘 운영되기를 바랍니다. 그리고 동글이 작가의 건강과 건승을 기원합니다. 아울러 본 작업에 참여하시고, 도와주신 모든 분들에게 감사를 드립니다.

2024. 4. 17 박준흠

Ⅰ 서문

1980-1990년, 한국 언더그라운드 음악씬과 엄인호, 김현식

1) 한국 언더그라운드 음악씬 태동 전

 1979년 조동진 1집과 1980년 조동진 2집 사이에는 박정희 전 대통령의 죽음이 있었고, 1980년 '서울의 봄' 시기에 김현식 1집(1980년 4월)이 발매된다.

 엄인호는 당시 방위로 근무하고 있으면서 밤무대 활동도 종종 하는데, 남는 시간에 신촌의 막걸릿집 '경주집'에서 김현식, 박동률 등을 자주 만났다고 한다. 그 후 방위 근무가 끝난 1981년 무렵에는 김현식과 본격적인 술친구가 된다. 이때는 엄인호가 아직 장끼들 활동을 하기 전이었고, 김현식은 솔로 1집을 발표하고 나서 막 밤무대의 스타로 발돋움하려는 시기였다.

　그리고 김수철이 작은거인 2집(1981년)이라는 돌출적으로 뛰어난 앨범을 발표하기는 했지만, 따로또같이나 들국화와 같은 한국 언더그라운드 음악의 서막을 알린 밴드 멤버들이 아직은 수면 아래에서 조용히 활동하던 시기였다. 엄인호도 1982년에 장끼들 1집을 발표하지만, 큰 반응은 없었고 MBC 영 일레븐 하우스밴드와 스튜디오 세션 정도를 하던 시기였다.

1984년은 특이한 해이다. 김현식이 〈아무 말도 하지 말아요〉와 같은 블루스 록 노래를 담은 2집을 발표하면서 일취월장한 성장을 보여주었고, 따로또같이가 1979년 1집과는 전혀 다른 진보적인 창작과 세션, 녹음을 보여준 2집을 발표했고, 동아기획의 출발을 알린 컴필레이션 앨범 [우리 노래 전시회]를 통해서 전인권, 하덕규, 조동익이라는 1980년대 거장들이 등장했고, 종로3가 파고다 연극관에서는 신대철, 신윤철, 김태원, 오태호와 같은 헤비메탈 뮤지션들이 활동을 시작했다. 다양한 장르의 언더그라운드 음악씬이 태동한 것이다.

그중 음악사적으로 가장 주목할 뮤지션은 따로또같이였다. 이주원

을 주축으로 나동민, 강인원이 참여한 따로또같이 2집은 창작과 세션, 녹음에서 이전과는 다른 완성도를 보여준 첫 번째 사례였는데, 여기서부터 한국 대중음악은 1970년대와 결별했다고도 볼 수 있다. 이후 이를 상업적으로도 성공시켜서 언더그라운드를 하나의 씬으로 정착시킨 경우가 1985년 들국화 1집이다. 한국 대중음악에 움튼 '새로운 창작 에너지'는 많은 뮤지션들에게 영향을 주었고, 서로가 서로에게 영향을 주기도 하고, 그 결과 나온 음악은 음악소비자들을 매료시켰다. 레코드 업계도 이런 스타일의 음악이 돈이 된다는 것을 동아기획의 매출을 통해서 알게 되면서 새로운 뮤지션들에게 투자하는 선순환 구조가 만들어졌다.

엄인호와 김현식도 그 당시 분위기에 고무된 뮤지션들일 것이고, 새로 생겨난 언더그라운드 음악 소비자층으로 인해서 본인들이 하고 싶

었던 음악을 하는 게 가능했을 것이다. 그래서 김현식의 경우는 1986년에 백밴드 봄.여름.가을.겨울을 만들 수 있었고, 엄인호도 그때 신촌블루스를 만들어서 활동하는 것이 가능했을 것이다. 사실 현재 시점에서 보면 신촌블루스는 음반을 내는 것이 불가능한 밴드였다. 1988년에 이정선은 39살, 엄인호는 37살에 '블루스'를 연주하는 동호회 성격의 밴드였는데, 당시 1집을 30만 장 팔았다는 소문은 지금으로서는 믿기지 않는다.

3) 1986-1990년,
한국 언더그라운드 음악씬의 절정기

김현식은 1988년에 솔로 4집을 준비하면서 신촌블루스 1집에서는 빠진다. 그러다가 1989년 신촌블루스 2집에서 한영애가 빠지게 되자 김현식이 참여하는데, 그는 엄인호의 〈골목길〉, 〈환상〉을 부르면서 대단한 존재감을 과시한다. 그리고 엄인호가 만든 〈바람인가〉와 이영훈이 남기고 간 〈빗속에서〉가 접속곡 형태로 묶이면서 〈바람인가/빗속에서〉가 탄생하는데, 여기서는 엄인호가 부르는 〈바람인가〉에 이어서 김현식은 〈빗속에서〉 부분을 부른다. 하지만 건강이 극도로 나빠진 김현식은 1990년에 솔로 5집을 만들면서 신촌블루스 3집에서는 〈이별의 종착역〉 한 곡만 부른다. 그리고 이 두 음반이 김현식의 실질적인 유작遺作이 된다.

4) 1991년 이후,
한국 언더그라운드 음악씬의 쇠퇴

1991년이 되면 1984-1990년까지 한국 언더그라운드 음악씬에서 활동했던 많은 뮤지션들이 이전과 같은 모습을 더는 보여주지 않는다. 그래서 김현식 사후인 1991년에 나온 김현식 6집이 100만 장 넘게 팔린 것은 사람들의 김현식에 대한 애도의 마음이 담긴 것일 뿐만 아니라 1980년대 한국 언더그라운드 음악을 애도하는 마음 같다는 생각이 든다.

1992년에 엄인호는 신촌블루스 최고작인 4집(4월)을 발표하는데, 서태지와 아이들 1집(3월) 여파 때문인지 이전과 같은 호응을 얻지 못한다.

엄인호에 대한
개인적인 기억들

1) 1986년 6월 샘터 파랑새극장 콘서트

1985년에 엄인호는 〈환상〉, 〈골목길〉 등이 수록된 비공식 1집을 서라벌 레코드에서 발표한다. 이후 신보를 준비 중이던 이문세와 이광조가 거의 동시에 찾아와서 신곡 제공을 요청하는데, 엄인호는 이들에게 신곡을 주는 대신 일주일 더 빨리 그를 찾아온 이문세에게 엄인호 밴드에서 키보드 연주자로 있었던 창작자 이영훈을 소개해준다. 이후 이문세는 영혼의 파트너가 된 이영훈과 함께 솔로 3집을 발표하면서 큰 성공을 거두었고, 연달아서 이문세 4집, 5집과 같은 불멸의 명반名盤을 탄생시킨다.

간발의 차이로 이영훈을 놓친 이광조는 그해 11월에 성음에서 〈가까이하기엔 너무 먼 당신〉이 수록된 메가히트 앨범을 발표하고, 그즈

음에 엄인호도 성음에 음악 프로듀서로 스카우트된다. (이광조는 이영훈과의 작업이 못내 아쉬웠던지 1987년에 이영훈이 만든 노래들로 채워진 [세월 가면 / 무정] 앨범을 발표하는데, 이영훈의 전성기 당시여서 이 앨범 또한 명반이다.)

 하지만 엄인호의 성음 음악 프로듀서 시절은 오래가지 못하고, 1986년 초에 그만두게 된다. 이후 엄인호는 이정선을 찾아가서 "우리가 진짜 하고 싶은 음악을 해보자, 블루스도 좋고"라고 제안했다고 하고, 이에 이정선이 흔쾌히 동의하면서 4월부터 신촌블루스 초기 멤버들(이정선, 엄인호, 이광조, 김현식, 한영애)이 신촌의 카페 '레드제플린'에서 블루스 잼을 시작하면서 '신촌블루스'가 탄생하게 된다. 이 소식은 입소문을 타고 많은 사람에게 금방 알려졌고, 얼마 지나지 않아 신촌블루스 공연 때만 되면 사람들이 엄청 많이 와서 카페에 다 들어가지 못하고 밖에서 음악을 들어야 할 정도였다고 한다.

 이를 본 카페 주인은 공연장에서 정식 콘서트를 해도 장사가 될 것 같은 직감에 자신이 공연 프로모터를 맡아서 6월

에 대학로 샘터 파랑새극장에서 첫 번째 신촌블루스 콘서트를 '김현식과 봄.여름.가을.겨울'과 함께 진행한다. 당시 김현식은 3집(1986년 12월) 발매 전이었고, 공연에서는 1-3집 노래들을 불렀다.

필자는 당시 대학교 2학년이었는데, 김현식 2집(1984년)과 이정선 7집(1985년), 한영애 1집(1986년)을 매우 좋아해서 신촌블루스의 샘터 파랑새극장 콘서트를 봤다. 당시는 엄인호를 잘 몰랐기 때문에 그 콘서트에서 엄인호에 대한 기억은 그리 없다. 기억에 가장 많이 남는 장면은, 김현식이 등장하기 전에 백밴드 봄.여름.가을.겨울 (김종진, 전태관, 장기호, 박성식)이 사운드 체크 겸 잼을 하는데, 김종진의 기타 멜빵이 헐거워서 김종진은 연주도 못 하고 당황해서 허둥대는데 옆에 있던 장기호는 의연하게 베이스 솔로로 그 상황을 커버하던 모습이다. 어찌어찌 수습되어서 김현식이 등장하면서부터는 멋진 연주를 들려주었고, 매우 신선한 밴드 연주였다.

지금 생각해보니, 이광조는 없었고 한영애도 나오지 않은 것 같기는 한데 이정선과 엄인호의 연주는 최상이었다. 당시 이정선은 블루스 록 앨범 7집 [30대]를 발표하고 나서 펄펄 끓는 시기여서 〈한밤중에〉, 〈바닷가에 선들〉 같은 곡들에서 절정의 연주를 보여줄 때였다.

이 콘서트는 대성공을 거두었다. 당시 현장 모습이 어땠냐면, 의자에 앉지 못하는 사람들은 공연장 통로와 뒷공간에 끼어서 매달리듯이 서서 간신히 공연을 봤고, 필자도 그중 1인이었다. 지금 생각하면 말도 안 되는 공연 진행이었는데, 만약 불이라도 났으면 대형참사가 났을 것이다.

그리고 또 하나 생각나는 것은, 필자는 뒷공간에 서 있었는데 옆에 김현식의 여성 팬이 꽃다발을 들고 와서는 꽃다발을 전달할 방법이 없어서 발을 동동 구르고 있는 모습이었다. 그런데 김현식이 첫 곡을 끝내고 잠시 휴지기를 갖는데, 그 여성 팬이 〈너를 기다리며〉를 크게 외치면서 꽃다발을 흔드니까 김현식이 그 모습을 본 것이다. 결국, 그 여성 팬이 앞 사람에게 꽃다발을 전달하니 사람들 머리 위로 둥둥 떠서 김현식한테까지 전달이 되었다. 김현식은 고맙다고 말했는데, 그가 〈너를 기다리며〉를 불렀는지는 기억이 나지 않는다. 단, 김현식의 인기를 실감하는 순간이었다.

샘터 파랑새극장 공연의 대성공으로 신촌블루스는 부산 등 전국투어를 시작했고, 엄인호는 본인의 '신촌블루스' 기획이 성공한 것에 만족해한다. 그렇지만 돈을 벌지는 못했는데, 관련된 이야기는 인터뷰를 보면 있다.

2) 신촌블루스 1집 -
엄인호의 재발견

엄인호는 1952년생이기 때문에 신촌블루스 1집이 나온 1988년은 37세였다. 굉장히 늦은 나이에 대중적인 인정을 받은 것이다. 물론 이전에 이정선, 이광조와 같이 한 포그록 그룹 풍선 1집(1979년)과 레게 록 밴드 장끼들 1집(1982년)이 있었지만, 대중적으로는 존재감이 미미했었기 때문에 신촌블루스 1집은 엄인호의 데뷔앨범이나 마찬가지이다. 수록곡을 보더라도 한영애의 카리스마가 빛나는 〈그대 없는 거리〉로 시작하여 역시 그녀의 〈바람인가〉로 대미를 장식하고 (이정선의 연주곡 〈Overnight Blues〉가 마지막 곡이기는 하지만), 정서용이 부른 〈아쉬움〉이 가장 인기를 얻는데 이 곡들은 모두 엄인호의 창작곡들이었다. 그리고 이 곡들에서 엄인호의 기타 연주나 〈한밤중에〉 후반부에서 이정선과 엄인호의 기타 배틀은 기타리스트로서 그의 역량을 분출하는 순간이었다. 결과적으로 이 앨범은 엄인호의 '재발견'이라고 해도 좋을 만큼 엄인호를 위한 앨범이 되었다.

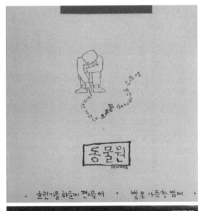

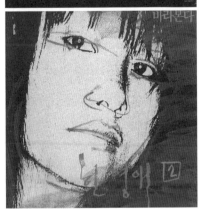

그런데 그의 창작 재능은 장끼들 1집에서부터 뮤지션들 사이에서는 인정 받았지만, 대중들에게는 인지되지 않았고 신촌블루스 1집의 〈그대 없는 거리〉 같은 노래도 1986년에 한영애 1집에서 〈도시의 밤〉(원제)으로 수록되면서 비로소 알려지기 시작했다.

필자는 대학교 4학년 때인 1988년에 신촌블루스 1집을 사서 들었다. 그리고 매우 흥미로운 음악이라고 생각했다. 그 해에는 김현식 4집, 동물원 1집/2집, 봄.여름.가을.겨울 1집, 시인과 촌장 3집, 이문세 5집, 이종만 1집, 전인권 1집, 카리스마 1집, 한영애 2집과 같은 엄청난 앨범들이 나왔고,

공중전화 1집, 길은정 1집, 김두수 2집, 동서남북 1집, 박춘삼 2집, 오석준 1집, 외인부대 1집, 정태춘. 박은옥 [무진 새 노래], 주찬권 1집, V.A. [Friday Afternoon]과 같은 주목할 앨범들이 나왔다. 당시는 한국에서 스튜디오 세션이나 녹음이 정상급 궤도에 올랐던 시기인데, 김현식 4집이나 한영애 2집을 들으면 알 수 있다.

그리고 신촌블루스는 '블루스 밴드'로서 얼맨 브라더스, 닐 영, BB 킹 등을 좋아하는 사람들이라면 같이 좋아할 수 있는 밴드였고, 특이하게도 엄인호의 가요적인 감성이 결합하면서 독보적인 'K 블루스' 밴드로 탄생한다. 엄인호는 고등학생 시절부터 미국의 소울 음악에 심취하면서도 당시 시민회관 등에서 연주하던 신중현의 사이키델릭 록 음악에도 빠졌다. 정확하게 말하면 신중현의 'K-사이키델릭 록'인데, 알다시피 신중현의 연주는 영미권의 사이키델릭 록하고는 차이가 있고, 신중현 또한 펄시스터즈, 김추자, 김정미, 장현 등의 노래에서 보여주는 자신만의 감성이 있었다. 어찌 보면 신중현과 엄인호는 기타리스트로서 또한 창작자로서 장르는 다르지만, 비슷한 측면이 있다. 심지어 두 분의 작사를 보더라도 사람의 심금을 울리는 '예쁜 글쓰기'라는 점에서는 각기 독보적이다.

신촌블루스 음악은 신중현에게서 영향받은 엄인호가 1970년대 들어 블라인드 페이스, 데렉 앤 도미노스, 닐 영, CSN&Y, 얼맨 브라더스, 스택스 사운드 등의 영미권 음악에 심취하면서 형성된 음악 스타일이라고도 볼 수 있다. 그래서 연주의 기본 토대는 영미권의 블루스록이지만 감성은 신중현으로부터 시작되어 엄인호가 완성한 그 무엇이다. 그래서 '가요화된 블루스' 또는 '신중현 사운드의 엄인호 버전'이고, 지구상에서 그 유래를 찾을 수 없다는 점이 엄인호 음악의 가장 큰 장점일 것이다.

3) 신촌블루스 3집 - 엄인호의 기타 톤 / 신촌블루스 4집 - 'K-블루스'의 최고작

한국 대중음악 100대 명반 선정(1998년, 2007년)에서는 신촌블루스 1집과 2집이 선정되었지만, 엄인호나 신촌블루스 측면에서 보면 오히려 더 주목해야 할 음반들은 신촌블루스 3집과 4집이다.

신촌블루스 2집(1989년)을 마지막으로 이정선이 탈퇴한 뒤 엄인호는 실질적으로 밴드의 리더가 되었고, 그는 자신의 색채로 신촌블루스를 변화시킨다. 평소에 '가요화된 블루스'를 하고 싶었던 그는 3집(1990년)에 담긴 〈향수〉 같은 곡으로 이를 완성했다. 그의 기타 연주와 기타 톤은 블루스라는 장르를 뛰어넘어서 독보적인 부분이 있고 그래서 그냥 음악만 들어도 엄인호의 기타 연주라는 것을 대체로 알 수가 있는데, 3집이 그 시작이었다. 특히 〈향수〉에서 보여주는 엄인호의 묘한 기타 톤은 그가 열심히 찾아 헤맨 후 정립한 결과일 것이고, 이는 향후 엄인호의 시그니처 사운드가 되었다.

사실 나는 이정선을 좋아했었기 때문에, 그리고 2집에서 〈산 위에 올라〉가 이정선의 새로운 음악적 가능성으로 생각했었기 때문에 3집에서 이정선이 하차한다는 얘기를 듣고 실망했었다. 하지만 LP B면의 첫 번째 곡 〈향수〉를 듣고서는 생각을 달리했다. "이 음반이 진정한 신촌블루스의 앨범일 수 있겠구나." 대략 이런 생각을 했었던 것 같다. 3집은 〈향수〉 하나만으로도 여러 가지 평가를 할 수 있는 앨범이기는 하지만 전체적으로는 완결성이 다소 떨어지는 앨범이다. 그래서 솔로 1집(1990년)을 거쳐서 신촌블루스 4집(1992년)에 들어서 엄인호의 신촌블루스는 음악적 결실을 보게 된다.

4집에서는 처음으로 등장하는 신곡들이 무척 많고, 엄인호 창작의

밀도나 곡의 완성도는 최상이다. '엄인호의 신촌블루스'가 본궤도에 올랐다고도 할 수 있다. 이전과 달리 여성 보컬리스트 없이 김형철, 정희남, 엄인호 셋이 노래하는데, 세 명 다 노래를 잘한다. 엄인호가 부르는 〈잊어야 한다면〉(신중현 작사/작곡)과 〈비 오는 날의 해후〉도 엄인호 디스코그래피에서 보컬로는 최상이 아닐까 한다. 또한, 이 음반에서 짚어줄 것은 블루스 록 연주로는 최상이란 점이다. 한때(1985년 말-1986년 초) 음악 프로듀서로 잠시 있었던 성음 스튜디오에서의 녹음 상태도 좋다. 1990년대 스튜디오 세션 앨범 중에는 손꼽히는 명작이 아닌가 한다. 밴드 '11월'의 기디리스드 조준형이 참여하여 엄인호와 쌍벽을 이루는 연주도 보여준다. 지금 생각하면, 노래들만 놓고 보면, 앨범 프로듀싱 측면에서 생각하면 이 앨범은 신촌블루스의 최고작으로 볼 수 있다.

4) [신촌Blues 엄인호 Anthology / 엄인호&박보 Rainbow Bridge] - 장인들의 음악

엄인호는 2000년에 박보와 만든 [Rainbow Bridge]에서 〈환상〉을 빼고, 〈내 맘속에 내리는 비는〉, 〈달빛 아래 춤을〉, 〈Angie〉, 〈비오는 어느 저녁〉, 〈(네 마음은) 바람인가〉, 〈밤마다〉, 〈빨간 스웨터〉, 〈당신이 떠난 뒤에도〉, 〈女子의 男子〉를 다시 불러서 [엄인호 Anthology]와 [Rainbow Bridge] 합본을 만들었다. 새로 녹음한 노래들은 엄인호가 주도적으로 노래를 불렀고, 세션은 뛰어나다. 특히 기타리스트 조응수가 〈달빛 아래 춤을〉 간주에서 엄인호와 벌이는 기타 배틀은 최상이다.

2002년에 만든 앨범인데, 차에서 CDP로 음악을 들으면서 '장인들의 음악'이란 생각을 했었던 것 같다. 그런데 대중들의 반응이 없었고, 실망한 엄인호는 2006년에 신촌블루스를 해체한다고 선언한다. 그리고 미국으로 잠시 떠났다.

5) 2011년 올림픽홀 뮤즈라이브 개관 기획공연에서
이정선 & 엄인호 공연 성사

2011년 5월에 올림픽홀 뮤즈라이브 개관 기획공연 '한국 대중음악 라이브홀릭'(6월말에 7개의 공연 진행) 디렉터를 맡게 되면서 이정선과 엄인호 선생을 다시 떠올렸다. 두 분 다 내가 공연기획을 한 적이 없어서 두 분이 같이 출연하는 "이정선 & 엄인호 - The Band of Blues Brothers" 공연을 기획했다. 6월 25일(토) 오후 4시 공연이었고, 이정선밴드에 엄인호 선생이 같이 나오는 방식이었다.

기획취지는 다음과 같았다. "1984년 김현식 2집, 1985년 이정선의 [30대]를 통해 블루스가 본격 도입되었지만 이정선, 엄인호가 중심이 되어 결성한 신촌블루스는 최초의 블루스밴드라 할만하다. 이후 엄인호를 중심으로 밴드는 운영되고 정서용, 정경화, 김형철 등 많은 보컬리스트가 거쳐 갔다. 초기 신촌블루스를 이끌어간 한국의 대표적인 블루스록 뮤지션인 이정선과 엄인호의 특별한 프로젝트 공연을 기획함"

6) 2021년 '리턴 오브 더 레전드' 프로젝트 - 엄인호(신촌블루스) 출연

2014년에 신촌블루스는 6집 [신촌Blues Revival]을 발표하고, 이후 신촌블루스 30주년 앨범과 콘서트, 엄인호 40주년 앨범과 콘서트를 진행한다. 하지만 내가 엄인호 선생에 대해서 새롭게 관심을 갖기 시작한 것은 2021년에 버키 나인(Bucky nine)이 진행하는 리턴 오브 더 레전드(Return of the legends) 프로젝트에 엄인호(신촌블루스)가 출연하면서다. 누들섬 라이브하우스에서 10곡을 라이브로 연주하는 모습을 촬영하고 유튜브에 공개했는데, 나는 좀 늦게 2022년 8월 초인가에 영상을 봤다. 그리고 사실 좀 놀랐다.

엄인호 선생 공연을 2011년에 마지막으로 보고, 가끔 블루스 소사이어티 공연 영상 같은 것을 보기는 했지만 제대로 다시 본 것은 11년 만이었다. 그때 유튜브로 '리턴 오브 더 레전드' 연주 모습을 보는데, 70살이 되신 뮤지션임에도 전혀 그런 느낌이 들지 않았고 〈거리에 서서〉, 〈비의 블루스〉에서의 기타 연주는 전성기 때(1988-2002년)의 모습이었다. 그리고 〈거리에 서서〉 기타 연주 시 '손맛'은 독특했다. 이후 2010년 이후 발표한 앨범들을 다시 들었는데, 2016년 신촌블루스 30주년 앨범은 명반이란 생각이 들었다. 엄인호의 기타 연주가 다시 살아났고, 이전과는 다른 공격적인 톤이 매력적이었다.

　결국, 10일쯤 뒤에 엄인호 선생에게 '인터뷰 단행본' 제안을 했고, 9-10월에 4번의 인터뷰를 거쳐서 본 시리즈의 첫 번째로 '엄인호 인터뷰'가 나오게 된 것이다. 엄인호의 음악을 제대로 들은 지 36년(1986년-)만에 인터뷰 단행본을 만들게 되었으니, 이번 인터뷰 단행본은 엄인호 선생과 나 사이의 서사도 담았다고 얘기할 수 있다.

Ⅱ　엄인호 인터뷰

01

어린 시절

"그 당시 얘기를 들어보니까, 미군 장교클럽이 있었나 봐요.

아버지가 미군 장교클럽의 밴드 마스터이셨고, 색소폰을 부셨어요.

나도 신기했어요. 어떻게 우리 아버지가 그런 음악을 하셨을까?

그런데 아버지가 일본에 유학을 가 있는 동안에 구세군에서 음악을

하셨대요. 거기서 아버지가 외국의 재즈라든가 이런 것을 많이 접했

던 모양이에요."

1) 아버지 엄명석,
미군 장교클럽 Bandmaster

박준흠 : 먼저 인터뷰에 응해주셔서 감사하다는 말씀부터 드리고 시작하겠습니다. 이 인터뷰에서는 올해 고희를 맞으시고, 1979년 그룹 '풍선'(이정선, 엄인호, 이광조) 1집부터 시작해서 데뷔 43주년을 맞은 엄인호 선생님의 음악과 삶을 심도 있게 다루고자 합니다. 엄인호 선생님은 '한국 음악창작자의 역사'에서 중요한 위치를 차지하고 있고, 블루스 기타리스트로서 매우 특별한 분이라고 생각합니다.

 그리고 '20세기 대중음악'에 대해서 거침없이 생각을 드러내고 각자의 의견을 나눴으면 합니다. 구체적으로 뮤지션, 앨범, 노래에 대해서도 서로 간에 평가하는 작업도 마다하지 않았으면 합니다. 물론 이 글을 읽는 분들은 순전히 선생님과 저의 개인적인 의견으로 이해해 줄 것으로 생각합니다. 사실 위대한 비비 킹(B.B. King)에 대해서도 "어떤 시기 음악이나 음반은 별로다."라고 얘기할 수도 있지 않겠습니까? 그거는 선생님이나 저의 관점이지 그게 옳고 그름의 문제는 아니니까요. 그래서 그냥 자유롭게 편하게 얘기하셨으면 좋겠습니다.

임인호 : 뭐… 기억력을 총동원해야겠네요. (웃음)

박준흠 : 선생님 출생부터 확인하겠습니다. 1952년도 11월 26일, 서울 출생으로 되어있습니다.

엄인호 : 날짜는 맞고요, 양력입니다. 고향이 서울이니까 서울 출생이라고 그러지만, 제가 태어난 곳은 전쟁 때 피난 중에 마산에서 태어났대요. 그렇지만 서울 출생이라고 해야죠. 아버지도 할아버지도 서울에서 사셨으니.

박준흠 : 가족 얘기부터 해야 할 것 같아서, 아버님하고 어머님 얘기를 먼저 좀 해주셨으면 좋겠습니다.

엄인호 : 제 얼굴 보시면 아시겠지만 (웃음), 그 당시에 두 분 다 굉장히 잘 생기신 분들이에요. 눈이라든가 전체적인 윤곽은 아버지도 많이 닮았지만, 미모 쪽으로 얘기하면 엄마를 많이 닮았어요. 키는 불행하게도 엄마를 닮아서 좀 작고요.

아버지 존함은 엄명석이고요, 1922년생 정도인 것으로 알고 있고, 서울 출생입니다. 키도 거의 190cm로 크고 종로에서 유명한 장사였고, 씨름 선수였는데요. 그런 거로 좀 날리고 그랬던 분이라고 하더라고요.

지금 저도 기억이 가물가물한 게 아주 어렸을 때 기억밖에 없어요. 아버지, 어머니가 초등학교 1학년 때 돌아가셨으니까, 1959년입니다. 아버지하고 엄마하고 불과 3개월 사이에 돌아가셨어요. 그 3개월 사이에 상복을 두 번 입었던 기억이 나요. 그때 무지하게 추웠어요. 그래서 지금도 그 트라우마가 있는데, 그 삼베옷, 상복에 굉장히 거부 반응이 있어요. 어렸을 때 얼마나 입기 싫었겠어요. 지금도 기억나는데, 어떻게 어린애한테까지도 그런 옷을 입혔을까? 대나무 지팡이에다가, 또 문상객 들어오면 '곡哭"을 하라고 억지로 시키잖아요? 그게 너무 싫었어요. 지금은 삼베가 고급스러워져서 그런지 몰라도 상복에서 냄새도 별로 안 나는 것 같은데, 옛날에는 아주 이상한 냄새가 났었어요. 나무 뭐, 풀뿌리 썩는 냄새 같은 거, 이상한 냄새가 나서 그게 아직도 잊히지 않아요.

박준흠 : 어렸을 때 사신 곳은 어딘가요?

엄인호 : 종로입니다. 우리 동네 뒤에 낙산駱山이라는 곳이 있어요. 지금 종로 5가부터 동대문, 창신동을 거쳐 신설동까지 가죠. 내 기억에 그 밑에서 사는데, 한 두세 번 옮겼던 것 같아요. 창신국민학교가 있는데, 어렸을 때 기억은 개천이 있었거든요. 그 개천이 기억나는데, 난 거기가 원래 우리 집인 줄 알았디니 형들 얘기 들어보니까 전쟁 때 피난

갔을 때 우리 집은 폭격을 맞았대요. 그래서 임시로 거기서 살았고, 그 폭격 맞은 집은 아마 수리를 한동안 안 했겠죠? 그런데, 내가 나중에 고모한테 얘기 들었는데 그 집에 누가 살았냐면, 〈산장의 여인〉을 불렀던 권혜경 남매가 살았데요. "아무도 날 찾는 이 없는…" 그 노래.

남매가 피난을 내려왔는지 하여튼 그랬는데, 갈 데가 없어서 그 폭격 맞은 우리 집에서 살았데요. 그 오빠분이 최… 누구였던 것 같은데, 오빠분은 결핵 걸려서 먼저 돌아가시고. 동생분도 나중에 병으로 돌아가신 거로 알고 있어요.

그래서 친척들이 아마 그런 얘기를 했나 봐요. 좀 속된 말로 재수 없는 집이다, 고치지 말고 팔고 새로 집을 사든가 해야 한다. 그런데 아버지가 자기가 어렸을 때 컸던 집이니까, 고집스럽게 그거를 고치는 동안에 제가 이화동에 살았던 거죠. 친척들이 낙산 밑 일대에 살았어요. 동대문, 종로 5가에 저희 친척들이 거의 다 살았어요. 몰려 산 거죠. 하여튼 내 기억에는 이화동에도 잠깐 살았다가 다시 우리 집을 고치고서 집으로 들어간 거죠.

그런데 친척들이 염려했던 것처럼 된 건지 모르겠지만 엄마, 아버지가 일찍 요절한 거예요. 우리 아버지가 서른여덟에 돌아가셨으니. 아버지 선후배들한테 들은 얘기인데, 현인(玄仁. 1919.12.14.-2002.04.13. 대한민국 최초의 대중가수. 해방과 더불어 가요계에 선풍을 일으킨 대한민국 가요계에 한 획을 그은 가수. 도쿄 우에노 음악학교(現 도쿄 예술대학) 성악과 출신. 대표곡으로 〈신라의 달밤〉, 〈굳세어라 금순아〉 등이 있다.) 씨라든가 이런 분들한테 얘기 들어보면 그 당시에 아버지가 굉장히 돈도 많이 벌고 그랬대요. 현인 씨는 일본에 유학해서 성악을 전공하셨대요. 해방 후 한국에 왔는데, 이제 사는 게 힘드니까 미군 부대에서 가수를 뽑는다고 그래서 현인 씨가 오디션을 보러 갔대요. 그때 우리 아버지가 거기서 오디션을 주관했다고 그러더라고요. 얘기 들어보니까 아버지가 색소폰 연주자인데, 한국 사람들이 오디션 보러 오니까 당연히 밴드 마스터가 오디션을 주관할 거 아니에요.

박준흠 : 아버님이 미군 클럽 밴드 마스터였나요? 그리고 현인 씨 면접을 봤다는 얘기인가요?

엄인호 : 네, 그렇다고 하더라고요. 그래서 저도 굉장히 신기했죠. 그 당시 얘기를 들어보니까, 미군 장교클럽이 있었나 봐요. 해방되고 나서 미군들이 한국에 들어왔을 때, 고문관이나 뭐 이런 사람들이 많이 들어왔을 거 아니에요. 그때 그 장교들이 거의 다 유럽에서 전투 경험이 있었던 장교들이래요. 그러니까 샹송이나 칸초네나 이런 거에 굉

장히 향수가 있었나 봐요. 2차 세계대전 영화 보면 파리의 바나 이런 데서 장교들이 휴가 내서 거기서 음악 듣고 그러잖아요. 에디트 피아프(Edith Piaf)나 뭐 이런 분들 음악.

박준흠 : 아버님이 그런 연주를 하셨던 건가요?

엄인호 : 예. 나도 신기했어요. 어떻게 우리 아버지가 그런 음악을 했을까? 그런데 아버지가 일본에 유학 가 있는 동안에 징용, 징집으로, 그 당시가 전쟁 말기니까 조선인 청년이면 무조건 끌고 갔대요. 학교에 다니든 뭐든 상관없이. 그런데 아버지가 머리가 좋으셨던 게 구세군은 외국인들이 관리하고 있었으니까, 구세군에서 아버지가 음악을 하고 있었대요. 그래서 일본인들도 함부로 못 끌고 간 거예요. 그러니까 아버지하고 가깝게 지냈던 유학생들이 대학교 다니다가 그만두고 다 구세군으로 들어가서 합류하고 있었던 모양이에요. 거기서 아버지가 외국의 재즈라든가 이런 거를 많이 접했던 모양이에요.

아버지 친구들 면면을 보면 MBC 악단장 했던 김호길 씨라는 분도 있었고… 원래 미 8군 무대에서 아버지하고 같이할 때는 아코디언을 켠 것으로 알고 있어요. 그리고 노갑동 씨라고 트럼펫 부는 분도 어렸을 때 기억나요. 그 이름을 기억하는 건, 이름이 노갑동, 너무 재밌잖아요. 그런 분들이 기억나고 또 김호길, 박춘석 씨한테 얘기 들어보면 아버지가 굉장히 풍채도 좋고….

박준흠 : 음악도 잘하신다고 하시고요.

엄인호 : 해방되고 미군 맥아더 사령부가 들어오면서 일본에서 아버지도 같이 들어온 거예요. 그러니까 미군 무대에서 음악을 할 수 있는 사람이 없잖아요. 미국 장교들이 좋아할 만한 음악을 할 수 있는 사람들이 없었는데, 아버님은 그런 음악을 할 수 있었던 거죠. 당시 아버지를 건드릴 사람이 없었대요. 명동 깡패들도.

박준흠 : 미군이 1945년에 한국에 들어왔을 때, 미군 상대의 클럽들이 만들어지면서 한국인 악사들이 거기서 연주했는데, 아버님이 거기서 밴드 마스터를 하셨던 거네요?

엄인호 : 내가 알기로는 1기로 알고 있어요. 그 당시 사진을 보면 '토니

밴드'라고 해서 거의 풀 밴드에 가까운 연주를….

박준흠 : 엄토미 밴드? (엄토미(嚴吐美), 본명(本名)은 엄재욱(嚴載旭), 1922.03.16-2002.05.22. 한국의 재즈음악가로, 주로 연주했던 악기는 클라리넷이며 드물게 재즈 즉흥연주까지도 가능했다. 한국전쟁으로 인한 납북 등으로 대한민국 재즈 1세대와 김해송 등 만요족(漫謠族)들과의 연결고리가 없지만, 거의 유일하게 선배 만요족들의 생전 재즈송 공연 장면을 기억하던 세대이다. 참고로 배우 엄앵란의 작은아버지이다.)

엄인호 : 엄토미 씨는 저하고는 할아버지가 다른 친척이고요. 엄토미 아저씨한테도 얘기를 많이 들었어요. 다 서울 가까운데 살았으니까.

박준흠 : 아버님에 대해서 또 기억나는 것이 있나요?

엄인호 : 아버지가 굉장히 풍채도 좋고, 또 오토바이 사이드카가 있었어요. 아마 내 생각에 그것도 미군들이 갖고 있던 걸 불하받아서 갖고 있지 않았나.

박준흠 : 오토바이 사이드카라면?

엄인호 : 오토바이 옆에 사람 앉는 거 달린 거 있잖아요. 옛날 전쟁 때 거기다가 기관총도 달고… 독일군 영화에 많이 나오죠.

박준흠 : 그렇다면 예전에 사셨던 원래 집도 형편이 괜찮았겠네요?

엄인호 : 잘 살았던 거죠. 내 생각에 아버지가 미군 부대에 있으니까 당연히 미국 물건들이 많았죠. 내 기억에는 모터 전축도 있었고, 뭐 이런 거 저런 거 하여튼 먹을 거는 항상 풍성했고요. 동네 친구들이 날 맨날 졸졸 따라다니고. 초콜릿이나 미국 과자, 크래커 같은 거 이런 것들이 집에 항상 있었어요. 어렸을 때 코코아 같은 거 먹으면 굉장히 맛있었죠.

박준흠 : 일반 시중에서는 구할 수 없는 미군 군수 물자가 많았다는 거네요.

엄인호 : 햄, 소시지 같은 거… 내 기억에 양담배도 엄청나게 많았었던 것 같아요. 그래서 어렸을 때 몰래 한번 다락에서 양담배 꺼내서 펴본 적도 있죠. 그리고 기절했죠. (웃음)

박준흠 : 혹시 술은 언제부터 드신 거예요? 일찍 드셨을 것 같은데.

엄인호 : 술을 처음 마신 건 중학교 3학년 때 선배들 때문에. 소주죠, 막소주. 뒷산에 올라갔다가 선배들한테 잡혀서 술 심부름하니까 몇 잔 마셔보라고.

박준흠 : 아버님은 어떻게 돌아가셨나요?

엄인호 : 아버지가 그렇게 일찍 돌아가실 줄 몰랐어요. 아버지가 각혈하고 그러셨어요.

박준흠 : 혹시 색소폰을 연주한 영향이 있었던 건가요?

엄인호 : 아니요. 그 당시에는 간염이라는 게 일반적이지 않았잖아요? 그 인식이 없었던 때라 아버지가 간염이었던 걸 몰랐던 거죠. 덩치가 그렇게 좋고 그러니까. 그런데 친척들에게서 나중에 들은 얘기인데, 앞에 계신 두 분 다 결핵으로 돌아가셨대요. 그러니까 아버지도 그럴 거다, 그런 얘기를 친척들이 했다고 그러더라고요. 내 기억에 아버지가 급격히 안 좋아지셨던 거 같아요. 맨 처음에는 결핵인 줄 알았죠. 아버지가 돌아가시고 난 다음에 아버지가 드시던 약들이 많이 남아 있었는데, 그걸 내가 나중에 보니까 결핵약이었던 것 같아요. 그러니까 오진을 했던 거죠.

박준흠 : 간염인데 결핵으로 오진?

엄인호 : 간경화인데 피를 토하니까 결핵인 줄 알고 결핵약만 계속 드신 거죠. 그리고 얼마 못 사시고 그냥 돌아가신 거 같아요. 그 당시에는 아버지 있는 방에 아무도 못 들어간 거예요. 무서워서. 간경화나 이런 거로 돌아가시게 되면 얼굴도 엄청나게 마르고 온몸이 다 시큼해지고 그러니까 형들도 거기로 안 들어갔던 거 같아요. 그런데 제가 막내였으니까, 남자로서 부르니까 나는 들어간 거죠.

박준흠 : 당시 아버님 얼굴 보시면 무섭거나 좀 그러셨나요?

엄인호 : 물론 무서웠죠. 맨 처음에 들어갔을 때는… 그래도 어쨌든 아버지니까, 아버지가 좋았던 거니까. 내가 어렸을 때 병치레를 많이 했어요. 폐렴이라든가 이런 거 걸려서 안방에 이불 쓰고 드러누워 있고, 그러면 아버지가 옆에서 색소폰 연습을 하셨거든요. 그런 기억은 나요. 무슨 곡들이었는지는 정확하게 기억 안 나지만 분명히 〈Danny Boy〉는 기억나요.

박준흠 : 또 다른 연주 모습 기억나는 것은 있나요?

엄인호 : 그 당시에 연주자들이 우리 동네에 몇 분이 살았던 거 같아요. 그래서 우리 집 대청마루에서 연습했던 기억이 나요. 언뜻 보면 어떤 분은 콩가 같은 것을 두드리고.

박준흠 : 아버님은 주로 어디서 일하셨나요?

엄인호 : 미군 장교클럽이죠. 미 8군에 있었던. 거기 있다가 신세계백화점 5층에 있던 미군 장교클럽에서 아버지가 일하셨고, 현인 씨도 거기서 일을 했고.

박준흠 : 그러면 신중현 씨 같은 분들도….

엄인호 : 한참 뒤죠. 그때는 미군이 관리할 때죠. 이제 그룹이 막 생기기 시작하는 거고, 그전에는 그냥 빅밴드였겠죠. 이인성 밴드 이런 팀들이 있었어요.

박준흠 : 신중현 씨 자서전을 보면 거기 공연을 보러 갔었다고 한 거 같은데.

엄인호 : 미도파백화점 카바레도 5층에 있었던 것으로 기억나는데,

엄명석(1955년쯤, 리듬 킹 악단 밴드 마스터 시절)

아버지를 따라갔어요. 신세계백화점은 옛날에 동화백화점이라고 그
랬죠. 일본식 이름이죠. 거기에 아버지가 계셨고, 그 당시에 박춘석
(본명 박의병(朴義秉) 1930.05.08-2010.03.14. 대한민국의 대중음악의
천재 작곡가이자 피아노 연주자였다. 국내 대중가요 개인 최다인 2,700여
곡을 작곡하였으며 한국음악저작권협회에 개인 최다인 1,152곡이 등록되
어 있다.)씨가 학생 신분으로 왔다고 하네요. 그 클럽 아버지 밴드에
굉장히 좋은 피아노가 있었대요. 나중에 얘기 들어보니까 박춘석 씨
가 그 피아노를 그렇게 치고 싶어서… 아마 외제 피아노였겠죠, 우리
나라에서는 그 당시에 피아노 생산 안 했을 테니까. 박춘석 씨가 그걸
치다가 아버지한테 걸렸다고 하더라고요. 그래서 어떻게 하셨어요?
물었더니 아버지가 피아노를 치고 있는 걸 몰래 보고 있었대요. 아버지도 클래식을 전공하셨으니까. 박춘석 씨는 너무 놀라서 죄송하다고 그러니까 "괜찮아, 피아노 잘 친다."라고 말씀하셨다고 합니다. 그래서 박춘석 씨가 자기가 와서 낮에 조금만 연습해도 되겠냐고 그랬고, 아버지는 그렇게 하라고 그러더래요. 결국은 아버지 밴드로 들어오게 되고 뭐 그런 얘기를 들었어요.

박준흠 : 박춘석 씨는 나중에 트로트 작곡가로 활동하시기 전에 아버님 밴드에 있으셨네요?

엄인호 : 그렇죠. 그러니까 그 당시에는 주로 샹송, 칸초네 뭐 이런 거 할 때잖아요.

박준흠 : 아버님은 당시 대중음악계 중심이라고도 할 수 있는 미군 클럽에서 밴드 마스터를 하셨던 분이셨군요.

엄인호 : 그런데 내가 이렇게 보니까, 그 당시에 음악 했던 분들이 우리 아버지를 쏙 뺐더라고요. 이것도 꽤 웃긴 일인데.

박준흠 : 어렸을 때, 혹시 아버님이 음악을 가르쳐주거나 노래를 불러주거나 그런 적이 있나요?

엄인호 : 아니요. 그냥 제가 골골할 때, 안방에서 아랫목에 누워 있으면 아버지가 저쪽에서 색소폰 불고, 그리고 악보 가져다가 연주하시고… 미국에서 나오는 악보가 대단히 많았어요. 엄청나게 쌓여 있는데 아버지가 직접 그린 것도 있었고요. 그 당시에 보니까 인쇄된 악보도 많더라고요.

박준흠 : 밴드 마스터를 하셨으니까 편곡도 하셨겠네요?

엄인호 : 예. 악보가 엄청나게 많았는데 이사 다니면서 내가 그걸 다 엿장수한테 팔아먹었어요. 그 당시에는 그런 게 귀한 건지 몰랐어요. 이사 갈 때마다 귀찮으니까 나는 그냥 종이라고 생각하고 팔아버렸는지, 하여튼 잘 기억이 안 나요.

박준흠 : 선생님이 아프셔서 안방에 누워 계실 때 옆에서 색소폰을 연주했다는 게 그냥 일하셨다는 의미인가요? 아니면 아픈 아들한테 뭔가 연주를 해주거나 한 의미일까요?

엄인호 : 모르죠. 제가 뭐 따라 부르기도 하고 막 그러니까. 하여튼 아버지가 유독 저를 굉장히 좋아했던 거 같아요.

2) 깡패들과 혈투를 벌인 아버지

박준흠 : 5남매의 막내라고 들었습니다.

엄인호 : 형제로는 4형제이고, 제 밑에 여동생이 하나 있어요. 그런데 형제 중에서 제일 막내였기 때문에 아버지가 유독 저를 예뻐했어요. 그 당시에 창경궁이라던가 또 아버지가 연예인들을 만나러 갈 때, 그러니까 장동휘, 황해 이런 선생님들 만나러 갈 때 저를 꼭 데리고 갔던 기억이 나요. 그리고 그런 분들한테 세뱃돈도 많이 받고 그랬어요. 그리고 그분들이 우리 집에 자주 찾아오셨고요. 왜냐하면, 나중에 아버지가 일반 카바레에서도 일하셨나 봐요. 명동에 제일 먼저 생겼다고 하더라고요.

박준흠 : 그게 1950년대 일이죠?

엄인호 : 예. 하여튼 그 당시에 명동 깡패 두목 이화룡이나 이런 분들이 아버지를 찾아가서 손 좀 봐주라고 그랬던 모양이에요.

박준흠 : 드라마 '야인시대(野人時代)' 이야기 아닌가요? (웃음)

엄인호 : 우리 아버지가 동대문의 이정재 씨나 이런 분들하고 굉장히 친분이 있었고, 둘이 씨름도 했었다는 소문도 듣고 그랬어요.

박준흠 : 이정재 씨가 이천 출신의 씨름 선수였었죠.

엄인호 : 뭐 서로 호형호제(呼兄呼弟)했다고 그러더라고요.

박준흠 : 그래서 명동의 이화룡 씨가 못 건드린 건가요?

엄인호 : 글쎄요. 현인 씨 얘기 들어보니까, 아니 박춘석 씨한테 얘기 들었나? 그 카바레에 이화룡파의 부두목급이 수하 몇 명 데리고 왔대요. 아버지를 손 좀 봐주라고 그랬던 모양이죠? 그런데 그 당시에도 룸(Room)이 있었대요. 내 기억에 수수깡으로 만든 룸인데 회벽 바르고. 거기에 들어가서 아버지와 싸움이 딱 붙었는데, 와장창하더니 벽이 막 넘어가. 밖에 있었던 사람들은 엄명석이 이제 죽었다고, 생각했는데 막상 서 있는 사람이 우리 아버지였데요. 그 정도로 힘이 좋았대요. 그래서 그 뒤로는 편하게 지냈던 것 같아요.

　나중에 얘기 들은 건데, 그 당시에 최무룡 씨나 여러분들이 찾아와서 도움을 요청했다고 합니다. 당시 김희갑 씨 등이 임화수한데 괴롭

힘을 많이 받았던 모양이에요. 그 당시 연예계 최고의 깡패라던 임화수. 그래서 아버지가 임화수에게 충고했다고 그러더라고요. 까불지 말라고.

박준흠 : 김희갑 씨가 임화수에게 폭행당했다고 하죠.

엄인호 : 그러니까 이제 아버지한테 와서 하소연했던 모양이에요. 내가 친척들한테 얘기 들은 거예요.

박준흠 : 드라마 '야인시대' 얘기, 점점 더 흥미진진해집니다. (웃음)

아버지 엄명석과 엄인호(1955년쯤)

엄인호 : 그리고 또 기억나는 건, 아버지 생신 때인가, 아마 내가 다섯 살, 여섯 살 때 같은데. 음식상이 차려져 있고, 내가 아버지 무릎에 앉아 있었던 거예요. 사람들과 같이 잔치하고 있었는데 갑자기 쇠갈고리, 도끼 이런 거 들고 깡패들이 들이닥친 거예요. 그래서 아버지하고 싸움이 붙었는데….

박준흠 : 그래서 어떻게 됐나요?

엄인호 : 아버지는 제가 다칠까 봐 커다란 교자상 밑으로 집어넣고 못 나오게 나를 처박은 거죠. 나는 이제 싸움이 붙었으니까 무서워서 못 나온 거고, 아버지가 굉장히 많이 다쳤다고 해요. 여기저기 찔리기도 하고. 그때 엄마는 우시고 난리가 났죠. 아버지 온몸이 피투성이니까. 그런데 아버지가 그 당시에도 대단했던 게… 우리 집에 진돗개가 있었어요. 아버지가 개를 굉장히 좋아했어요. 저도 지금도 개를 좋아하고. 아버지가 진돗개 털을 잘라 오라고 우리 엄마 보고 얘기했다고 하네요. 그리고 옛날에 동정 다리는 화롯불 인두가 있었어요. 화살촉처럼 생긴 것. 그거를 달궈서 상처 난 부위에 개털을 갖다 대고 거기를 지졌던 거가 기억나요.

박준흠 : 상처 아물게 하려고요? 화롯불 인두는 조선 시대에 고문 기

구로도 쓰였는데.

엄인호 : 예. 우리 엄마보고 직접 살에 지지라고 그러니까 우리 엄마는 막 펑펑 울고. 그게 무서우니까.

박준흠 : 결국 어머님이 하신 거예요?

엄인호 : 예. 그걸 창상創傷이라 그러나? 옛날부터 칼에 찔리거나 뭐 그럴 데는 그게 최고라고 그러더라고요. 개털은 왜 발랐는지 모르겠지만.

박준흠 : 민간요법인가 보죠. 그런데 옆에 큰 병원도 있었는데, 왜 집에서 그러셨을까요?

엄인호 : 병원에 가기 싫었나 보죠. 피투성이 돼서 병원 가거나 그러지 않고 아버지 딴에는 그랬어요.

박준흠 : 제 추측으로는, 아버님이 흔히 말해서 남자들 사이에서의 '가오かお'를 굉장히 중시하셨던 분인가 봐요. (웃음)

엄인호 : 아마 남자답게.

박준흠 : 그렇게 소문나게끔 하려고 했던 의도도 있으셨던 것은 아닌지….

엄인호 : 모르죠. 그 당시 임화수 그 양반도 우리 집에도 왔었던 기억이 나요. 이정재 씨나 이런 분들도.

　그리고 어렸을 때니까 이제 기억이 가물가물하지만, 그 5.16쿠데타가 나고서 그 사람들이 잡혀서 종로 길거리에서 행진했던 것으로 기억나요. 몸에 이름 쓴 종이를 붙이고서 수갑 차고 포승줄에 묶여서… 동네 사람들하고 가서 구경했는데 거기에 아는 얼굴들이 여러 명 있더라고요. 어렸을 때인데 솔직히 충격받았어요. 나는 어디 가서 봤냐 하면 지금의 흥인지문(동대문)이죠. 동네 형들하고 어렸을 때 거기가 본부였어요. 우리끼리 거기 가서 맨날 장난치고 놀고… 대장 노릇 한 형도 있고 나는 이제 꼬마니까 졸병이었고. 그래서 동대문 안에서 4.19 시민혁명도 봤고. 그 위에 누각을 보면 이렇게 태극선 마크가 있어요. 그걸 열고 4.19도 보고.

5.16군사 정변후 이정재 등이 혁명군에게 이끌려 거리를 걷는 모습

박준흠 : 4.19 당시 사람들이 거리에서 시위하는 모습요?

엄인호 : 네, 경찰이 막 총 쏘고 그런 거. 그러니까 친척들이 나보고 죽으려고 그러냐고 했죠.

박준흠 : 초등학교 1학년 때 부모님이 돌아가셨는데, 당시 상황을 얘기 좀 해주세요.

엄인호 : 상갓집에 보면 무슨 등燈 같은 거 켰잖아요. 기가 막힌 이상한 얘기인데, 우리 집에 들어가면서 등이 켜있길래 난 우리 집이 '중국

집' 차린 줄 알았어요. 마당에서 멍석이나 가마니 깔아놓고 동네 사람들 다 와서 먹는데, 음식이 모자라고 그러면 근처에서 짜장면 시켜다가 먹고 그랬어요. 내가 대문 열고 딱 들어갔더니 동네 사람들이, 그당시에는 가난한 거지들도 있고 그랬는데, 짜장면을 먹고 있어서 "엄마, 우리 집 짜장면집 차렸어?" 하고서 뛰어 들어갔던 기억이 나요. 그러니까 우리 엄마나 친척들이 기가 막혔겠죠. 누가 돌아가시면 방 안에 병풍치고 그 앞에 상을 차려놓잖아요. 나는 방에 들어가서 배고파서 그걸 먹었다고. 사람들이 봤을 때 진짜 기가 막힌 얘기지. 그러니까 친척들이 생각하기에, 아버지가 나를 엄청나게 좋아했으니까… 아마내가 그랬을 것이다. 그리고 난 거기서 잠들었어요. 정신이 없으니까.

박준흠 : 그때만 하더라도 아버님의 죽음이라든지 그런 느낌이 없으셨나 보네요?

엄인호 : 그런 걸 전혀 못 느꼈는데, 화장할 때 비로소 아….

박준흠 : 아버님에 대한 기억이 나중에 음악으로 나온 게 있나요?

엄인호 : 아니요. 그런 건 없어요.

박준흠 : 아주 어린 나이에 부모님이 돌아가셨는데.

엄인호 : 근처에 고모들이 살았어요. 고모들이 저를 굉장히 예뻐했거든요. 유독 제가 똑똑했던 모양이죠. 국민학교 다닐 때는 고모들이 저를 데려다 키우다시피 했죠.

박준흠 : 형님들은 어땠나요?

엄인호 : 큰 형이 공부는 잘했는데, 철이 없어서 그랬는지 모르지만 좀 이기적이고 자기밖에 몰랐다고, 그래서 친척들한테 야단을 많이 맞았다고 하네요.

박준흠 : 둘째 형님이 드럼 치시고, 셋째 엄인환 선생님은 색소폰 연주를 하셨는데.

엄인호 : 국민학교 다닐 때부터 큰 형 빼놓고는 공부를 못했대요. 저는 잘했고. 그래서 내가 얘기 듣기로는 아버지한테도 많이 맞았다고 하네요.

박준흠 : 혹시 엄인환 선생님은 색소폰을 연주한 이유가 아버님하고

관련된 건가요?

엄인호 : 아마 아버지한테 영향을 많이 받은 것 같아요.

박준흠 : 아버지 색소폰도 집에 있었겠네요?

엄인호 : 아니요. 그건 친척들이 갖다 팔아버렸고. 왠지 모르겠지만 셋째 형이 아버지에게 그렇게 맞았으면서도 그 색소폰에 대해서 동경을 했나 봐요.

박준흠 : 엄인환 선생님이 2살 위이신 거죠?

엄인호 : 예. 아버지가 볼 때 둘째 형이나 셋째 형은 음악적인 소질은 있는 거 같으니까 한번 해보라고 얘기했을 수는 있어요. 친척들 얘기 들어보면 둘이 맨날 학교에서 오면서 가죽으로 만든 책가방을 두들기면서 온대요. 무슨 행진곡 비슷하게 하면서. 그러니까 아버지도 그걸 봤겠죠. 또 내가 기억나는 건, 엄마 있는 데서 "인호는 그림에 소질이 있는 것 같아"라고 한 얘기. 그래서 얘는 그림 그리라고.

3) 어머니에게 배운 글과 그림

박준흠 : 어머니(이정숙)는 어떤 얘기를 해주셨어요?

엄인호 : 우리 집에 꽃밭이 아주 크게 있었는데, 조그맣게 연못도 있고. 아무도 그 꽃에 관해서 관심을 두는 사람이 없었던 거예요. 그런데 유독 나만 그 꽃들에 대한 관심이 많았어요. 기억나는 게, 엄마한테 "저 꽃은 무슨 꽃이야?" 이렇게 물어보고. 뭐 옛날에 크레용 있으니까 꽃밭에서 그림도 그리고 했던 기억나요. 엄마가 여기도 무슨 색깔 칠해야지 그러면 막 칠하고. 이미 엄마한테 국민학교 들어가기 전에 글 쓰는 법이나 산수 어지간한 건 다 배운 것 같아요.

박준흠 : 당시 유치원이 동네에 있었던가요?

엄인호 : 종로 4가인가에 조양유치원이라는 데가 있었어요. 아주 역사가 깊더라고요. 진짜 어지간한 부잣집 아이 아니면 거기 못 들어갔고. 그리고 한참 걸어가야 하니까, 위험하니까 안 보냈을 수도 있고. 분명히 거기를 다닐 수 있는 형편이 돼도 안 보냈을 것 같아요.

박준흠 : 아버님과 어머님은 어떻게 만나신 건가요? 얘기 들으셨나요?

엄인호 : 엄마가 아버지랑 가까운 친척 집에서 학교에 다녔다는 것 같아요. 그러니까 수양딸 비슷하게. 그래서 아버지가 그때 보고 반한 거죠. 해방되고서 아버지가 한국에 돌아와서, 아버지가 엄마한테 완전히 간(?) 거죠.

박준흠 : 어머니는 친척 집에 계시고, 아버님은 왔다 갔다 했다는 이야기네요.

엄인호 : 예, 자주.

박준흠 : 두 분이 나이 차이는 어떻게 되시나요?

엄인호 : 다섯 살 차이예요.

박준흠 : 혹시 어머님이 고등학생일 때 결혼하겠다고 한 건가요?

엄인호 : 아마 그랬을 것 같아요. 엄마가 예뻤으니까. 그런데 처음에는 집안에서 반대가 심했는데요. 그래서 아버지가 화가 나서, 술을 드시고 그 집에 가서 나무로 만든 통 대문을 뽑아서 마당에 던졌다고 그러더라고요. 그 당시 친척들이 술들을 엄청나게 마셨어요. 집안에서 그

집이 제일 큰 집이고 아마 족보상으로도 제일 위에 있던 것으로 기억나요. 거기 그 할아버지가 술꾼이거든. 그러니까 맨날 보면 그 집은 잔치야. 맨날 빈대떡 굽고 뭐하고. 나는 맨날 노인네들 술 마시는 것만 본 거예요. 그러다 막걸리 술 좀 받아서 오라고 그러면 주전자 갖고 가서 동네 양조장 가고. 심부름 값 주니까. 술 받아서 오다가 흐르면 조금 먹고. 그런데 아버지가 대문을 던졌으니 너무 놀랐겠죠. 지금 생각해도 어마어마하게 큰 대문이거든. 그래서 결혼했다고 그러더라고요.

박준흠 : 혹시 어머니도 병으로 일찍 돌아가신 건가요?

엄인호 : 엄마는 굉장히 몸이 약했는데 그 젊은 나이에 대여섯 명을 낳으니, 그리고 내가 알기로 임신 중에 돌아가셨어요. 원래 아버지가 돌아가시고 그러면 친척들이 괴롭히잖아요. 아버지가 가진 거, 그거 어떻게 하면 자기네들이 가질까 해서. 그러니까 엄마가 엄청나게 스트레스를 받았다고 그러더라고.

내가 기억나는 건, 엄마 돌아가시고 나서 어떤 친척이 나를 데리고 걸어서 멀리까지 갔어요. 엄마가 남겨놓은 기록이 있었거든요. 그게 누구네 엄마 얼마 빌려줬던 거, 그걸 확인하려고. 옛날에 돈놀이들 하잖아요, 큰돈은 아니지만. 엄마가 나를 데리고 다녔으니까, 그런 집에 돈 받으러 가고, 이자 받으러 가거나 이러면 나를 데리고 갔어요. 그러니까 내가 어느 집 갔던 걸 기억을 많이 하거든. 내가 기억력이 좋았나 봐. 그런데 나중에는 그게 싫었던 거예요. 맨날 친척이나 이런 사람들이 가서 싸움하거든요. 돈 빌려준 사람은 돌아가셨는데 왜 엉뚱한 사람이 뒤에 나타나 가지고 돈 내놓으라고 그러니까, 누가 좋아하겠어? 있어도 없다고 그러지. 그래서 나도 가기 싫었다고.

박준흠 : 부모님이 돌아가신 후 어떻게 생활하신 건가요?

엄인호 : 당시에 그래도 재산은 많이 남아 있었죠.

박준흠 : 재산 관리를 누가 했나요?

엄인호 : 친척들이 한 거죠. 그래서 내 추측으로는 선산이나 이런 것도 친척들이 가지려고, 좀 심한 얘기로 우리 엄마, 아버지를 화장시킨 거로 생각해요. 좋게 표현해서는 얘네들이 어린데, 얘네들이 나중에 관리를 어떻게 하겠냐? 라고 했지만, 사실은 다른 이유가 있지 않았나. 그래서 결국은 선산이 남의 손으로 다 넘어가고, 내가 알기로는 그 동네에 집이 우리 집 말고 또 한 채가 더 있었는데… 그것도 없어졌고. 그러니까 엄마가 엄청나게 스트레스를 받은 거예요.

박준흠 : 거의 화병으로 돌아가신 거네요.

엄인호 : 그러다가 심장마비로 돌아가셨죠. 우리 고모 얘기 들어보면 갑자기 쓰러져서 돌아가셨다고 그러니까. 누가 와서 아버지 악기를 갖고 가서 팔고 안 오고, 훔쳐 가는 것도 많았겠죠.

박준흠 : 상심이 크셨겠네요.

엄인호 : 음… 그런데 내가 기억나는 거는, 아무도 몰랐는데 내가 금고 번호 돌리는 걸 알았다니까. 아마 엄마도 몰랐을 거예요.

박준흠 : 뭐가 있었나요?

엄인호 : 라이카 카메라 같은 거, 시계. 내가 알기로 굉장히 비싼 시계들이 있었대요. 롤렉스 시계나 라이카 카메라가 그 당시에 굉장히 비쌌다고 그러는데. 그런 것들 외에 무슨 문서 같은 것들이 있었겠죠. 그런데 이전에 아버지가 나보고 그거를 열라고 그런 적 있어요. 내가 장난으로 그걸 여러 번 열었거든.

박준흠 : 아버님이 번호를 알려주신 건가요?

엄인호 : 아니요. 내가 봤죠.

박준흠 : 그걸 기억하신 거예요?

엄인호 : 그게 다이얼로 돼 있잖아요. 몇 번 이렇게 돌리면 휙 열리는 걸 여러 번 보다 보니까 내가 그걸 외웠던 것 같아. 좌로 몇 번 우로 몇 번. 이렇게 득득, 그러니까 그 당시 머리도 좋고 기억력도 좋고. 그래서 친척들이 이걸 좀 열어보라고 했던 거지.

박준흠 : 친척분들이 거기 있는 것도 가져갔나요?

엄인호 : 모르죠. 그러니까 엄마는 이제 그런 데서 엄청나게 스트레스를 받는 거지. 엄마도 뭐가 있는지 몰랐으니까. 그 안에 뭐가 엄청나게 많았겠지. 아버지 전 재산이 있었겠지.

박준흠 : 아버님이 음악 생활을 하시면서도 돈을 많이 버신 거네요?

엄인호 : 그 당시에 돈을 엄청나게 번 거지. 부족함이 없이 살았던 건 확실해요.

박준흠 : 아버님에 이어서 어머님까지 돌아가시니까 어떠셨어요?

엄인호 : 외로웠죠. 아무래도 부모님이 있는 친구들이 부럽고. 그다음에 가장 피부로 느낀 건 뭐냐 하면 학교에서 선생님들이 나를 완전히 찬밥 대우한다는 거. 엄마 아버지 딱 돌아가시니까 그때부터 분위기가 완전히 달라진 거예요. 학교에 가면은 뭔가 친구들도 그렇고, 그 당시에 나를 대하는 태도가 굉장히 웃기기 시작하는 거지. 좀 슬프게 만드는 거지. 선생님도 굉장히 차갑고. 그러다가 5학년 때 담임이 굉장히 멋진 분이었는데 영화배우처럼 생겼었어요. 그분은 나한테 굉장히 잘해주셨고, 왜 그랬는지 모르지만….

그런데 6학년 때 담임이 나를 엄청나게 괴롭혔지. 피곤하게 하고 아주 그냥 그 고리타분한, 그분은 좀 심하게 얘기해서 비열한 사람이었어요. 툭하면 애들 보고 엄마 모셔 오라, 그러고. 당시에 애들 보면 굉장히 가난했잖아요. 피난민들이 많이 왔을 때인데 육성회비나 뭐 이런 거 안 갖고 왔다, 그러면 막 집으로 돌려보내고. 5학년 때 담임은 사람이 무섭지만 잘생겼고 애들을 인간적으로 대해줬고요. 그런데 6학년 때의 담임을 만나서 이제 부모 없는 서러움을 느꼈던 거죠.

02

음악과 문학
그리고 기타를 사랑한 소년

"1968년에 시민회관에서 신중현 밴드 콘서트를 보는데, 그때 신중현 씨가 굉장히 대단한 분으로 갑자기 눈에 확 들어온 거죠.

다른 밴드들은 외국곡이나 하고 그럴 때인데 신중현 씨가 자기 자작곡 가지고 나온 것 아니에요. 그때 내가 충격을 받았고, 또 연주하는 것도 굉장히 충격적이었고. 그 조그만 분이 팔과 손가락도 길고 특유의 연주 주법이 있잖아요. 목 이상하게 비틀면서 이렇게 하는데 굉장히 강렬했던 것 같아요. 다른 밴드들에 비해서 독특했죠.

내 기억에 '뼈 없는 오징어' 같은 그런 스타일로 막 연주하시고, 표정도 막 이상하게 일그러뜨리고. 신중현 씨는 연주하는 그 특유의 기타 주법이 있거든요. 그 제스처도 있고. 몸을 이상하게 비틀면서 얼굴도 막 이렇게 묘하게, 입도 이렇게 막 이상하게 벌리면서."

1) 추천서를 써주지 않았던 초등학교 담임

박준흠 : 창신초등학교, 이대 부속 중. 고등학교를 나오셨습니다. 창신은 동대문에 있고, 이대 부속은 신촌에 있는 학교죠?

엄인호 : 나는 사실 이대 부속이라는 학교를 몰랐어요.

박준흠 : 집하고 많이 떨어져 있는데, 왜 그 학교로 가신 건가요?

엄인호 : 초등학교 6학년 때 담임이 너무 못 돼서, 원하는 학교 입학 원서를 안 써주는 거예요. 내가 경복중학교 가려고 그랬거든. 그 정도로 공부를 잘했어요.

박준흠 : 경복에 중학교도 있었나요?

엄인호 : 그럼요. 서울 경기 경복 다 그 당시에는 중학교가 있었어요. 그때 우리 고모가 얘기한 게, 서울 경기보다는 경복을 가라고, 나도 경복이 좋았어요. 왜냐면 미술관이 대단했거든요. 친구 형이 황창배 씨라고 굉장히 유명한 화가예요. 일찍 돌아가셨는데, 그분한테 내가 굉장히 영향을 많이 받았어요. 그 형이 만화 그림을 재밌게 잘 그렸어요.

그래서 난 옆에서 맨날 먹 갈고, 그림 따라 그리고 그랬거든. 그래서 그 형이 그림도 잘 그린다고 경복으로 들어와서 미술관에 들어와라. 그런데 국민학교 담임이 입학 원서를 안 써주는 거예요. 우리 때는 그 세 학교에 가려면 학교장 추천이 있어야 했어요. 전국에서 다 몰리니까.

박준흠 : 결국 추천서를 안 써줘서 경복중학교에 못 가신 거예요?

엄인호 : 그래서 울면서 집에 갔는데, 고모가 가서 선생한테 난리를 쳤죠. 왜 안 되냐, 내가 볼 때 우리 조카가 거의 전교에서 일 등 수준인데. 그때 내가 다시 엄마 없는 서러움을 느낀 거예요. 너무 화가 나는데 그게 말이 안 되는 얘기거든요.

박준흠 : 혹시 경복중학교에 들어갔으면 음악을 안 하셨을 수도 있었겠네요?

엄인호 : 모르죠. 그런 공부 잘하는 학교에 있을수록 유복한 가정들이 많아서… 우리 선배 중에서 성공한 사람들 보면 명문 학교 출신들이 많아요. 김도향 선배가 경기고등학교, 이장희 씨도 서울고등학교. 다 부잣집 아들들이었던 거예요. 그러니까 일찍 악기도 살 수 있었고, 집에서 음악도 많이 듣고. 내가 그쪽 경복고등학교, 휘문고등학교 애들

하고 어렸을 때 연습도 많이 했던 거 같아요. 그쪽 애들이 나를 스카우트해서 같이 하자고. 학교는 달라도 난 그게 또 재밌었거든.

박준흠 : 어렸을 때부터 비틀스(Beatles), 롤링 스톤즈(Rolling Stones) 음악 듣고 좋아하셨다고 했는데.

엄인호 : 우리 고모가 USO라는 데 근무했어요. 아버지가 거기에 취직을 시켜줬던 거 같아요.

박준흠 : USO가 뭐죠? (USO. 미군 및 미군 가족들을 위한 편의 시설 운용, 위문공연단 순회 등을 하는 군 장병 복지를 위한 조직.)

엄인호 : 용산에 있었는데, 그러니까 미군들의 모든 사무나 그런 걸 거기서 총괄한 거 같아요. PX 같은 거 관리도 거기서 했고. 그러니까 군무원들 뽑을 때도 USO가 관리했고.

박준흠 : 고모님이 음악에 관련된 걸 전달한 게 있었나요?

엄인호 : 고모가 미군들하고 친하게 지내다 보니까 고모가 도넛 앨범 같은 거를 가져왔어요.

박준흠 : 그걸 집에서 들으셨단 이야기인가요?

엄인호 : 그렇죠. 고모 집에서도 듣고 어떨 때는 내가 갖고.

박준흠 : 집에 전축이 있었네요?

엄인호 : 예. 그걸 들어보면 그 당시에 컨트리 음악이 대단히 많았던 것 같은데 조금은 재미없다고 생각했어요. 그런데 그것 때문에 내가 영어 발음은 굉장히 좋아졌던 것 같아요.

박준흠 : 그럼 라디오 듣기 전에 음반을 먼저 들은 건가요?

엄인호 : 그렇죠. 그 당시에는 AFKN을 들을 생각도 못 했죠.

박준흠 : 고모님에게 도넛 음반 받아서 들은 게 언제 정도인가요?

엄인호 : 내 기억에 국민학교 6학년?

박준흠 : 고모님에게 음반을 받기 시작한 것은 1964년 정도이네요. 대략 어떤 음악을 들었나요?

엄인호 : 주로 악단 음악이었고, 그다음에 클래식도 있었고. 들어보면 행크 윌리엄스(Hank Williams)와 같은 컨트리 음악이었어요. 그 당시에 백인들은 다 컨트리 음악을 들었으니까. 그러다가 어느 순간에 갑자기 이상한 음악이 오더라고요. 비틀스 전인데, 스키플(Skiffle. 블루스, 포크, 재즈의 영향을 받은 음악 장르) 종류? 그러다가 한참 뒤에 둘째 형이 다른 음반들을 가져왔어요.

박준흠 : 둘째 형님은 미 8군 무대에서 언제부터 드럼을 치신 건가요?

엄인호 : 한 1968년도. 둘째 형이 갖고 온 그 도넛 앨범에서 비틀스, 롤링 스톤즈도 있었고. 그 당시에 미 8군 무대 뮤지션들은 굉장히 빨리 음악을 들었거든요. 1966년 정도에는 미군들이 가진 LP를 들었고.

박준흠 : 비틀스나 롤링 스톤즈 음악을 좋아하신 건 중학교 2학년 때(1966년) 즈음인가요?

엄인호 : 네, 그래서 학교에서 장기자랑 같은 거 할 때 비틀스 노

래를 내가 불렀던 것 같아요.

박준흠 : AFKN은 언제부터 들으신 건가요?

엄인호 : 드럼 치는 형이 AFKN을 많이 들었어요. 또 큰 형도 공부를 잘했지만, 팝을 굉장히 좋아했었으니까. 형들이 AFKN 듣는 걸 계속 보면서 나도 자연스럽게 엄청나게 많이 들었죠.

박준흠 : 어떠셨어요? 당시는 미국에서 히피(hippie) 음악이 쏟아져 나올 때였잖아요.

엄인호 : 1968년쯤 큰 형이 갖고 다니는 '라이프(LIFE)'라는 잡지가 있었거든요. 거기에 보면 히피, 플라워 무브먼트(Flower Movement), 무슨 레볼루션 해서 반전 데모 같은 거 나오고.

박준흠 : 큰 형님이 '라이프' 잡지 같은 걸 보셨다면, 빠르게 보신 것 같은데요. 한국에서는 보는 사람들이 많지 않았을 텐데.

엄인호 : 그 당시에 대학생이었으니까 폼으로 갖고 다녔는지도 모르지만… 형 보고 난 다음에 내가 봤어요. 그리고 예전에 있던 전축은 어

느 순간에 없어지고, 그다음에 '쌍나팔'이라는 천축이 있었어요. 스테레오라는 거 그게 집에 있었어요. 그래서 형이 미군 부대에서 갖고 온 LP를 듣기 시작했어요. 우리나라에서 나왔던 해적판들도 들었고. 그 당시에 보면 무슨 컴필레이션으로 라디오 방송처럼 구성된 음반도 들었고요.

박준흠 : 혹 미국에서 공수된 음반 아닌가요? 매주 미국에서 그런 컴필레이션 음반을 만들어서, '빌보드 100' 같은 거, 전 세계 미군 부대 쪽으로 보냈다고 했거든요.

엄인호 : 그럴 수도 있어요. 나도 그런 판을 본 적이 있어요. 그런데 형이 밴드부에 다녔으니까 공부를 좀 못했을 거 아니에요. 그러니까 지금 생각하면 너무 웃기는 얘기인데… 형이 드럼도 치고 어떨 때는 세컨드 기타 치면서 노래해야 하는데, 가사를 외워야 했던 거예요. LP를 보면 가사가 적혀 있기도 하지만 어떤 건 가사가 없어요. 그러면 형이 그거를 한국말로 좀 적어달라고 그랬던 기억이 나요.

박준흠 : 이때는 형이 LP들을 가져왔단 얘기죠?

엄인호 : 그렇죠. 둘째 형이 저보다 네 살 위니까. 그런데 그 형이 학교

다니면서 밴드부였으면서도 미 8군 무대 같은데도 갔어요.

박준흠 : 그때 둘째 형님이 가져오셨던 음반들은 어떤 음반이었습니까?

엄인호 : 그때 한참 유행한 게 박스 탑스(Box Tops), CCR… 소울도 있었죠. 벤 E. 킹(Ben E. King), 윌슨 피켓(Wilson Pickett)도 형이 많이 들었으니까. 8군에서 많이 했으니까.

박준흠 : 그러고 보니, 옛날에는 고등학생일 때 미 8군 무대에서 활동했던 뮤지션들이 있더군요.

엄인호 : 예, 많아요. 사랑과 평화의 최이철 같은 경우는 중학교 다닐 때부터 했으니까 학교는 거의 안 간 거죠. 그리고 밴드부 같은 경우는 수업 시간에 거의 안 들어가요.

박준흠 : 아, LP 들으면서 한국말로 좀 적어달라고 한 얘기….

엄인호 : 그러니까 그 당시 판에 보면 영어 가사들이 나오는데, 그걸 형이 한국말로 발음 나는 대로 써달라고 해서 내가 많이 했어요. 그러니까

자연스럽게 음악을 들을 수밖에 없었죠. 박스 탑스의 〈Cry like a Baby〉 뭐 이런 거, 그 당시에 박스 탑스 음악이 굉장히 좋았던 것 같아요.

박준흠 : 1968년도 얘기죠?

엄인호 : 아마 그때쯤이죠. 그다음에 비틀스의 〈Hey Jude〉 같은 노래가 막 우리나라에서 나오기 시작할 때예요.

박준흠 : 이전 초등학교 때는 어떤 노래 좋아하셨어요?

엄인호 : 초등학교 다닐 때는 폴 앵카(Paul Anka)의 〈Oh Carol〉 같은 거 좋아했고. 고모가 가져온 도넛 앨범에 있었어요.

박준흠 : 초등학교 때 폴 앵카의 〈Oh! Carol〉 같은 노래를 들은 사람은 학생 중에서 거의 선생님밖에 없었겠네요?

엄인호 : 예, 그럴 거예요. 그리고 우리가 장난으로 막 돌아다니면서 했던 노래들이 〈아리조나 카우보이〉(명국환, 1959년) 같은 것도 있고요. 가요는 그 당시에도 안 들었어요. 내 기억에 팝송을 많이 들었어요. 어렸을 때 고모이 영향일 수도 있겠죠.

2) 1968년 신중현 콘서트, '뼈 없는 오징어' 스타일

박준흠 : 가요는 잘 안 들으셨다고 하는데, '신중현과 에드훠' 1집이 1964년에 나왔는데, 들으셨나요?

엄인호 : 형이 나중에 음반을 갖고 와서 그 '에드훠' 음악을 들었어요. 중학교 들어가면서 비틀스, 롤링 스톤즈를 알게 되고 난 후.

박준흠 : '신중현과 에드훠' 음악을 처음 들었을 때 느낌이 어떠셨어요? 당시 선생님이 주로 들었던 음악은 흔히 말해서 영미권의 메인스트림, 매끈한 음악들이었잖아요?

엄인호 : 그렇죠. 그런데 내가 에드훠 음반을 들은 거는 신중현 밴드를 알고서 조금 더 뒤죠. 신중현 씨를 고1 때인가 처음 봤어요, 시민회관에서. 그때 친구가 시민회관 구경 가자고 그래서.

박준흠 : 고1 때면 1968년인데, 그때 펄시스터즈 1집이 나왔을 때네요?

엄인호 : 그때 드럼에 김대환 씨가 계시고, 그럴 때예요. 박인수 씨도 그때 있었으니까. 그때 완전히 충격을 받은 거죠.

박준흠 : 신중현 밴드의 1968년 공연 보셨을 때는 어떠셨어요? 그때 는 레퍼토리가 뭐였었나요?

엄인호 : 사이키델릭을 했던 것 같기도 하고 소울도 했던 것 같아요. 박 인수 씨가 들어가면서부터 아마 〈In A Gadda Da Vida(인어가다다비 다)〉 같은 것도 하고 〈You Keep Me Hangin' On〉 같은 노래도 하고.

박준흠 : 공연에서 펄시스터즈도 보셨어요?

엄인호 : 예, 나팔바지 같은 거 이렇게 입고.

박준흠 : 〈님아〉, 〈커피 한잔〉 부르고요?

엄인호 : 예. 그때 신중현 씨가 굉장히 대단한 분으로 갑자기 확 눈에 들어온 거죠. 다른 밴드들은 외국곡이나 하고 그럴 때인데 신중현 씨가 자기 자작곡 가지고 나온 거 아니에요. 그때 내가 충격을 받았고, 또 연주하는 것도 굉장히 쇼킹했고.

박준흠 : 어떤 점에서요?

엄인호 : 그 조그만 분이 팔은 길고 손가락도 길고 특유의 연주 주법이 있잖아요. 목 이상하게 비틀면서 이렇게 하는데 굉장히 강렬했던 것 같아요. 그러니까 다른 밴드들에 비해서 독특했죠. 그 당시에 키보이스나 여타 밴드들이 다 있었는데.

박준흠 : 신중현 씨는 무대에서 어떻게 연주하셨나요?

엄인호 : 내 기억에 '뼈 없는 오징어' 같은 그런 스타일로 막 연주하시고, 표정도 막 이상하게 일그러뜨리고.

박준흠 : 막춤 비슷한 것도 추고요?

엄인호 : 그렇죠. '뼈 없는 오징어'처럼 막 몸 비틀면서 연주하시고.

박준흠 : 신중현 씨가 그런 쇼맨십이 있었네요?

엄인호 : 오, 그 당시에는 굉장했죠. 다른 밴드들은 좀 밋밋했었는데. 신중현 씨는 연주하는 그 특유의 기타 주법이 있거든요. 그 제스쳐도 있고. 몸을 이상하게 비틀면서 얼굴도 막 이렇게 묘하게, 입도 이렇게 막 이상하게 벌리면서….

박준흠 : 혹시 선생님한테만 멋있게 보인 건가요, 아니면 일반적으로 그렇게 생각했나요?

엄인호 : 다른 사람들도 신기했겠죠. 거기다가 더 화려했던 게 뭐냐 하면, 사이키델릭 조명을 미군 부대에서 가져와서 미군들이 그 조작을 했던 것 같아요. 내가 그게 너무 궁금해서 보러 갔었거든. 이상한 무슨 박스 같은 거 만들어 놓고, 그 안에서 조작하는데 미군들이 해줬던 것 같아요. 어떻게 저렇게 물방울이 보이나….

박준흠 : 그 당시에도 공연 프로모터가 있고 기획자, 음향 엔지니어, 조명 엔지니어 등이 있었다는 얘기잖아요. 그 당시에는 어떤 분들이

그런 걸 했었나요?

엄인호 : 쇼단이라는 게 있었던 것 같아요. '쓰리에이 쇼단' 해서 그런 공연을 만드는 사람들이 있었고, 그 당시에도 무슨 대학생밴드 경연대회 같은 것도 했고. 어쨌든 히식스, 라스트찬스, 데블스 이런 밴드들이 막 나오기 시작했어요. 그때 그걸 동경하기 시작했죠. 생각지도 않았던 건데, 갑자기 "나도 저렇게 한번 해보고 싶어"라는 생각이 들었어요.

박준흠 : 그러면 신중현 공연 보고 나서 기타를 치기 시작한 건가요?

엄인호 : 물론 그전에도 치긴 쳤는데, 그때 처음 기타라는 거를 제대로 알게 된 거죠. 그전에는 둘째 형이 기타 연습하는 거 어깨너머로 보면서 연습한 정도고요.

박준흠 : 둘째 형님은 드럼 말고 기타도 잘 치셨나요?

엄인호 : 그렇죠. 리듬 치면서 노래했으니까. 형 때문에 록 음악을 듣기 시작한 거죠. 가사 써주면서 여러 번 반복해서 들어야 했거든요.

박준흠 : 1960년대 말-1970년대 초 당시 포크 공연도 보셨나요?

엄인호 : 당시에 포크 음악은 나한테 큰 감동을 주지 못했어요. 나중에, 부산에서 DJ 하면서 김민기, 한대수의 가사를 보면서 이게 엄청나게 좋다는 걸 느꼈죠. 아마 김민기 씨가 서울대 미대 다닐 때 본 것 같아요. 그날 내가 서울대 미대에 왜 갔는지 기억이 안 나는데, 아마 여자 친구 만나러 갔던 거 같아요.

박준흠 : 처음 기타를 쳐 본 게 언제인가요?

엄인호 : 중학교 3학년 때. 이후 형이 '가사 따 달라고' 그래서 형이 기타 치는 거 보고 가장 기본적인 코드를 내가 혼자 배운 거예요. 그러고 나니까 트윈폴리오 음악이나 이런 것들은 너무 쉬운 것 같고. 그 당시에 미 8군에서도 무슨 음악을 했냐 하면, 에블리 브라더스(Everly Brothers) 부류의 좀 가벼운 포크록 같은 거죠.

박준흠 : 영어로 나오는 가사를 그냥 한글로 받아서 썼다는 얘기죠?

엄인호 : 예. 그리고 얘기 들어보니까 미군들이 가사를 적어주는 일도 있었대요. 그런데 뮤지션들이 잘 못 읽으니까 한국말 가사로 다 직어

서 했다고 하네요.

박준흠 : 가사 뜻을 잘 모르고 그냥 부르는 일도 있었겠네요?

엄인호 : 앵무새처럼 하는 거죠. TV를 보니까 옛날에 김시스터즈나 이런 분들도 그렇게 했다고 그러더라고요.

박준흠 : 중학교 3학년, 고등학교 1학년 때 그런 작업을 하셨다는 거죠?

엄인호 : 그렇죠. 그래서 자연스럽게 내가 그런 음악을 듣기 시작한 거예요. 록 음악이라는 거를. 그러다가 신중현 밴드 공연하는 것을 보고 그때서부터 완전히 충격을 받기 시작하고….

박준흠 : 그러면 신중현 밴드가 카피했던 외국곡들도 좋아했겠네요?

엄인호 : 공연 때는 외국곡을 많이 했어요. 정확하게 다 기억은 안 나는데 박인수 씨가 〈You Keep Me Hangin' On〉 같은 노래 불렀어요.

박준흠 : 바닐라 퍼지(Vanilla Fudge)의 1967년도 리메이크 히트곡

100

이고요, 국내의 많은 밴드가 커버했죠.

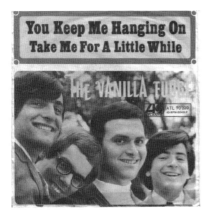

엄인호 : 당시 미 8군에서 최고의 유행곡이었던 모양이에요. 박인수 씨 같은 경우는 소울을 많이 했어요. 〈Stand by Me〉(Ben E. King) 같은 노래. 신중현 씨도 그 당시에, 소울에서는 일가견이 있었어요. 다른 밴드들은 별로 소울을 한 적은 없었던 것 같아요.

박준흠 : 그러면 선생님은 신중현의 영향을 받아서 소울하고 사이키델릭 록을 좋아하셨나요?

엄인호 : 사이키델릭 록은 한참 뒤고, 소울을 굉장히 많이 들은 거죠.

박준흠 : 예전 인터뷰를 보니까 고등학교 2학년 때 3인조 록밴드를 만들어서 특히나 소울 쪽 연주를 많이 했다고 하셨는데. 윌슨 피켓 등 카피를 했다고 하셨는데, 특히 그를 좋아했던 이유가 있나요?

엄인호 : 신중현 씨 영향을 많이 받아서 그런지 모르겠네요. 〈Mustang Sally〉 같은 노래 좋아했어요. 우리 형이 미 8군에서 음악을 하면서 그런 걸 많이 연주했으니까. 그 당시부터 CCR 노래도 많이 들었어요. 소울 음악은 미 8군에서 엄청나게 많이 했던 것 같아요. 퍼시 슬레지(Percy Sledge) 음악이라든가 벤 E. 킹 이런 음악들.

박준흠 : 한국 주둔 미군들이 흑인들이 많았나요?

엄인호 : 당연히 많았죠. 그 당시에 한국은 오지였거든요. 일반 사병 클럽 같은 데 가면 흑인들이 많았던 것 같아요. 그러니까 소울이 먹혔던 거고. 그래서 내가 친구들하고 3인조 밴드 만들었을 때 제일 많이 했던 게 소울하고 CCR 음악이었어요. CCR은 코드가 어려운 게 없었어요. 〈Proud Mary〉, 〈Down On The Corner〉, 〈Bad Moon Rising〉 이런 노래들은 코드가 서너 개밖에 없거든요. 세 개, 네 개. 그렇게 우습게 봤다가, 어느 날 〈I Put A Spell On You〉, 〈I Heard It Through The Grapevine〉 이런 노래를 들으면서 이 밴드 보통이 아니라고 생각했어요. 사이키델릭한 음악으로 이제 가기 시작한 거예요. 어렸을 때부터 봤던 그 '라이프'지에 미국 서부 해안(샌프란시스코 등)에서 활동하던 제퍼슨 에어플레인(Jefferson Airplane)과 같은 사이키델릭 록 밴드들 영향도 내게 있었어요.

박준흠 : 제퍼슨 에어플레인의 히트곡 〈Somebody to Love〉는 그 이전에 그레이스 슬릭 & 그레이트 소사이어티(Grace Slick & the Great Society) 시절부터 불렀잖아요. 제퍼슨 에어플레인은 이를 대중적으로 다시 불렀고. 선생님은 어느 쪽이 더 좋으세요?

엄인호 : 옛날 오리지널 그레이트 소사이어티는 음악이 굉장히 신비롭잖아요. 굉장히 동양적이고. 〈White Rabbit〉 같은 노래는 나중에 제퍼슨 에어플레인도 했었지만 그레이트 소사이어티 당시에는 인도, 동양적인 라인을 많이 썼어요. 그때부터 굉장히 좋아하기 시작했던 거죠.

3) 3인조 록밴드 결성

박준흠 : 선생님은 3인조 록밴드를 고등학교 2학년 때 결성했다고 했는데, 그때만 하신 건가요?

엄인호 : 잠깐 하다가 못했죠.

박준흠 : 저한테 주신 사진도 보면 그때인 거 같은데.

엄인호 : 그때가 무슨 빵집 사진인데⋯ 이대 입구에 있는 빵집에서 우리가 모여서 연주했던 기억이 나거든요. 그때는 겨울이었어요. 적어도 몇 곡이라도 연습을 어느 정도 끝낸 상태였고.

박준흠 : 신중현 공연을 보고서 3인조 록밴드 만드신 건가요?

엄인호 : 그렇죠. 신중현 씨한테 상당한 전율을 느껴서 친구들한테 뭐라 그랬냐면, 야 통기타 치면 아니다. 이제 일렉트릭 기타를 사자 그랬죠.

박준흠 : 신중현 공연 보기 전에는 그 친구들하고 통기타 갖고 연습했던 건가요?

엄인호 : 거의 나만 기타를 쳤던 것 같아요.

박준흠 : 다른 분들은 노래만 부르고요?

엄인호 : 베이스 쳤던 친구도 통기타를 어느 정도 쳤어요. 나는 트윈폴리오 음악 정도는 할 수 있는 실력이었고요.

박준흠 : 일렉트릭 기타는 어떻게 마련했나요?

엄인호 : 이것저것 팔고, 영어사전 같은 거 두꺼운 거 팔고. 학교에서 돈 좀 필요하다고 거짓말해서 이렇게 모으고 저렇게 모으고, 친구한테 빌리고… 그렇게 해서 일렉트릭 기타를 샀던 것 같아요.

박준흠 : 고등학교 2학년 때 3인조 록밴드를 할 때라면 레퍼토리가 비틀스 노래 같은 대중적인 스타일을 택하지 않은 게 이채롭네요.

엄인호 : 당시 비틀스는 이미 졸업했을 때예요. 물론 〈Get Back〉 같은 노래는 했지만.

박준흠 : 그 또래의 다른 밴드들은 그런 쪽 음악으로 하지 않았나요?

엄인호 : 별로 안 했던 것 같아요. 그 당시에 유명한 프로 밴드들은 했죠.

박준흠 : 당시 청소년들이 오히려 소울, 사이키델릭 록을 좋아했다는 얘기네요?

엄인호 : 굉장히 앞서갔던 거죠. 우리 팀 이름에 '레볼루션'(혁명)이 들어가요. 야, 이거 살벌한데…. (웃음)

박준흠 : 비틀스 음악 중에서 어느 시기 음악을 좋아하세요?

엄인호 : 네 명 멤버 사진 나왔던 거, 〈Let it Be〉 음반. 그전에는 약간

좀 고리타분하더라고요. 〈I Wanna Hold Your Hand〉 같은 거 들으면 너무 재미없고. 비틀스 중에서도 그들이 헤어지기 바로 직전 음악이 〈Let it Be〉 음반인데, 많이 좋아했어요.

박준흠 : 롤링 스톤즈 음악은요?

엄인호 : 롤링 스톤즈도 흑인들 음악 영향을 많이 받았잖아요. 〈Paint it Black〉 같은 거는 너무 어렵고, 〈(I Can't Get No) Satisfaction〉 같은 노래는 장난으로 했던 것 같고. 나중에 [Sticky Fingers](1971년) 앨범 많이 좋아했어요.

박준흠 : 사람들은 라디오를 통해서 CCR을 듣고 좋아하고 했던 건가요?

엄인호 : 그 당시에 DJ들이었던 최동욱(DBS, TBC), 피세영(TBC), 이종환(MBC) 씨 등이 인기가 있었죠. 또 기억에 남는 게 부커 티 앤 더 엠지스(Booker T & the MG's)의 시그널 음악. 소울 앨범들 세션에 부커 티 앤 더 엠지스, 바키스(the Bar-Keys)가 많이 참여했었죠. 또 엘비스 프레슬리(Elvis Presley) 반주도 부커 티 멤버들이 많이 했어요. 멤피스 쪽 음악이니까.

박준흠 : 부커 티와 오르간 연주로 비교되는 알 쿠퍼(Al Kooper) 같은 경우는 밥 딜런(Bob Dylan) 앨범 세션도 했었죠. 2010년에 최이철, 주찬권 씨와 같이 만든 [Super Session] 앨범이 알 쿠퍼가 마이크 블룸필드(Mike Bloomfield), 스테픈 스틸스(Stephen Stills)와 같이 만든 1968년 프로젝트 앨범 [Super Session]을 떠올리며 제작한 것이죠? 다른 점은 알 쿠퍼는 오르간 연주를 하는데, 주찬권은 드럼 연주를 한다는 점이고요.

엄인호 : 그렇죠, 그런데 그건 실패한 거고. '슈퍼세션'은 내가 지은 게 아니에요. 앨범 제작한 후배가 '슈퍼세션'이라고 시었는데, 니는 타이틀이 너무 거창하다고 생각해서 좀….

박준흠 : 후배 제작자는 어쨌든 알 쿠퍼의 [Super Session] 때문에 그렇게 했다는 거죠?

엄인호 : 그렇죠. 내가 하몬드 오르간을 굉장히 좋아해요. 마이크 블룸필드 기타도 엄청나게 좋아했어요. 지금 들으면 굉장히 난해한데...

박준흠 : 그게 고등학교 때이죠?

엄인호 : 예, 그래서 음악 한다고 형들한테 맞고. 같이 밴드 한 친구는 베이스 치면서 노래를 엄청나게 잘했어요. CCR의 존 포거티(John Fogerty) 하고 목소리가 굉장히 비슷한 데다 음도 많이 올라가고. 내가 봐도 깜짝 놀랐죠. 다만 영어 발음이 별로 안 좋았어요.

박준흠 : 선생님은 알 쿠퍼나 그런 쪽 스타일을 좋아하시는 거 보니까, 에릭 클랩튼(Eric Clapton)이나 크림(Cream) 스타일은 좀 덜 좋아하실 것 같네요.

엄인호 : 아니요. 크림의 〈White Room〉(1968년 [Wheels Of Fire] 앨범 수록곡)은 고등학교 2학년 때인가 듣고 충격을 받았어요. 그 노래를 라디오에서 딱 듣는데, 우와 이거 죽인다. 그 전에 영국 밴드는 애니멀즈(Animals)라는 밴드도 있었고 그랬지만 뭐 그냥 그랬잖아요. 애니멀즈는 〈House of the Rising Sun〉 외에는 특별하게 없었고. 오히려 롤링 스톤즈가 한참 잘 나갔죠. 〈Satisfaction〉, 〈Paint it Black〉 이런 거 들으면서 음악 듣는 건 좋아했는데 연주는 별로… 그런데 크림 들으면서 "누구 기타가 이렇게 죽이는 거야?" 생각하면서 에릭 클랩튼을 알게 되었죠.

4) 분노와 우울증 그리고 자살 시도

박준흠 : 선생님이 원래 어렸을 때 미성(美聲)이셨고, KBS 어린이합창단에서도 와서 노래 좀 한번 해봐라, 그랬다고 하셨는데. 스카우트 제의가 같은 거였나요?

엄인호 : 아뇨. 그 당시 남산에서 KBS 어린이 노래자랑인가 있었어요. 거기서 내가 장원을 했던 것 같아요.

박준흠 : 방송국 노래자랑에서요?

엄인호 : 몇 주씩 이어지잖아요. 그러면서 합창단 실무자들한테서 제의가 들어온 거예요. 나보고 KBS 어린이합창단으로 들어올 생각이 없냐고. 그건 뭐냐 하면, 부모님을 모셔 오라는 얘기거든요. 그렇게 자기들도 돈도 좀 먹고… 그 당시에 그랬으니까. 치맛바람이 엄청나게 셌을 때예요. 그러니까 얘는 노래를 잘하기는 하는데, 그냥 들여보내 줄 수는 없고… 이런 거죠. 당시에 KBS 어린이합창단에 들어가는 걸 원하는 사람들이 무지하게 많았어요.

그런데 부모님을 모셔 오라고 그랬을 때 내가 뭐라고 그랬냐면, 엄마 아버지는 돌아가셨다고 했어요. 올 수 있는 사람은 고모라고 해서 고모가 아마 다녀왔을 거예요. 어쨌든 방송에 나가려면 옷도 좀 잘 입고 갔을 거 아니에요. 그래서 나는 안 가고 고모가 가서 얘기를 들어봤겠죠. 그런데 저한테 하지 말라고 그러더라고요. 뭐 (손가락으로 '돈' 제스처) 이거 바라니까. 남들은 이거 먹이고 억지로 들어가는 데인데, 굳이 그렇게까지 할 정도는 아니라는 식으로 얘기했죠. 고모가 별로 신통치 않게 얘기하더라고. 나는 그냥 아무렇지도 않았어요. 나도 살짝 눈치챘거든. 웬 엄마들이 그렇게 많이 와서 막 난리가 난 거야. 걔네들 이렇게 하는 거 보니까 뭐 난리가 났더라고. 옷도 여러 벌 준비해 갖고 오고… 그래서 이건 내가 놀 자리가 아니구나, 이런 생각을 했어요. 보니까 다들 부잣집 자식들이고, 자가용 타고 오고. 뭐 대단치도 않았던 거 같아요.

박준흠: 그게 초등학교 4-5학년 때인가요?

엄인호: 아마 그때쯤 될 거예요.

박준흠: 어렸을 때 선생님 목소리가 미성이셨는지 물어본 거는, 이전 인터뷰를 보니까 고등학교 2학년 때, 세상을 굉장히 염세적으로 생각하고 비관적으로 생각해서 약을 드시고 자살하려 했다는 얘기가 있이

서요. 약 이름도 쓰여 있던데요?

엄인호 : 세코날(Seconal).

박준흠 : 수면제 종류인가요?

엄인호 : 예. 보통 일반적으로 세코날이라고 했어요. 수면제 종류에는 여러 가지가 있는데, 대체로 얘기할 때 수면제를 세코날이라고 했어요.

박준흠 : 그러면 고등학교 2학년 때 세코날 40알을 드셨다고 했는데, 그러고도 살아나신 거예요? 그 이후 목소리가 변했다고 하던데.

엄인호 : 내가 볼 때는, 그 약 때문에 그런 건 아닌 것 같고 병원에 실려 갔는데 목에 관을 삽입해서 살리려고 칼로 절개를 하잖아요? 그래서 그것 때문에 그런지 모르지만, 그다음부터는 노래가 안 되고 그랬죠.

박준흠 : 왜 자살을 생각할 정도로 비관적이었는지요?

엄인호 : 그냥 그때 그런 생각을 많이 했어요. 나는 이 상태로 음악을 하고 싶고 그런 마음이었는데, 그때 이미 분위기를 알았거든요. 형들

한테 매 맞고, 음악 하지 말라는 얘기 들었으니까. 그리고 어린 마음에 과연 내가 형이나 주위 사람들이 생각하는 제대로 된 인간이 될 수 있을까, 라는 그런 생각도 했고.

박준흠 : '제대로 된 인간'이라는 건 어떤 의미인가요?

엄인호 : 공부 잘하고 뭐 그런 거죠. 그래서 집안 친척들이나 형이든 간에 나에 대해서 분명히 실망할 거로 생각했죠. 나는 음악을 하고 싶은데 못하게 하고, 여러 가지 복합적이었어요. 그때 친구들하고 어울려서 몰래 종로 어디 돌아다니면서 술도 무지하게 먹었고 그랬을 때니까.

박준흠 : 밴드 하실 때인가요?

엄인호 : 예. 친구네 집에서 자기도 하고 어떨 때는 여관 가서 자고 그랬어요. 그때 친구들하고 인생에 대해서 한참 막 얘기하고 그랬을 거예요. 베이스 치던 친구도 집에서 엄청나게 반대했거든요. 그래서 개랑 둘이 가출해서 이태원에 가서 선배들 밴드 연습실에 가서 자고 그랬거든요. 개들도 집 나오고 나도 잠깐 잠깐씩 집 나오고 그러다 잡혀 가고 그랬으니까.

박준흠 : 당시 상황이 선생님께는 대단히 큰 고민거리였었나요?

엄인호 : 어린 마음이지. 지금 생각하면 그렇게 약까지 먹을 정도는 아니었어요. 그런데 그냥 어느 순간에 친구랑 술을 마시고 갑자기 세상이 확 싫어지더라고. 베이스 치던 친구하고 술 마시다가 아예 그냥 죽어버릴까? 물론 며칠 전부터 생각하고 있었던 건데 이런 생각 하다가 약국에 갔어요. 그 당시에 큰 규제 같은 것도 없었으니까. 이 약 이름(세코날)이 아니었었어요. 그 당시에 무슨 약인데 그것도 수면제예요. 달라고 그랬더니 열 개 이상은 안 주는 거 같더라고. 누가 사 오라냐고 묻길래 뭐, 둘러댔죠. 그랬더니 몇 개 이상은 안 된다고 하고⋯ 그래서 친구들 시켜서 사 오게 한 후 모아보니까 한 40알 되더라고요. 그래서 가서 먹은 거예요. 소주 한 병 사서 삼청공원에 가서⋯

박준흠 : 혼자서 가셨나요?

엄인호 : 예. 거기서 나는 죽을 줄 알았는데, 거기서 또 비몽사몽간에 내가 걸어 내려왔던 모양이에요. 지금 그 동십자각(東十字閣)이라고 있죠, 경복궁 앞 바로 거기. 눈이 펑펑 오는 날이었거든요. 우리 집은 그때 우이동에 있었고, 그때가 거의 막차였을 거예요. 그런데 나는 버스 탈 생각도 없고 그냥 무작정 걸어간 거지. 그러다가 혜화동 로터리

바로 가기 전, 성균관대학교 앞에 육교가 있었어요. 그 육교를 건너야 버스 정류장이 있는데, 나는 정신없이 그냥 그 밑으로 걸어간 거죠. 눈이 막 오고 그랬는데 거기 우선멈춤 표시판이 있었던 것 같아요. 내가 나중에 얘기 들어보니까, 버스가 그냥 나를 덮친 거지. 눈 오는 날.

박준흠 : 많이 다치셨나요?

엄인호 : 뇌진탕. 나중에 얘기 들은 거죠. 나는 생각 안 나니까. 그런데 학생들이 버스 운전사하고 나를 들고 바로 옆 우석대학 병원 응급실로 갔는데, 의사는 가망 없다는 얘기를 한 거지. 뭐 오죽했겠어요? 버스하고 부딪쳤으니까. 그런데 운이 참 좋았던 게, 버스 밑으로 그냥 깔린 거야. 나는 의식이 없는 상태고. 의사가 그랬대요. 이 친구는 틀렸다. 눈 동공 같은 것도 다 열어보잖아요. 나중에 알았는데 마약도 그렇고, 그때는 동공이 다 열린다고 그러더라고. 그러니까 모든 게 기능이 마비되는 거지.

  그런데 웃기는 게 뭐냐면, 아까 나하고 같이 술 마셨던 친구의 고모가 그 대학병원 수간호사였어요. 마침 그날 응급실 담당이었는데 나를 알아본 거예요. 쟤를 어디서 많이 봤는데? 옷차림이나 이런 거 봤을 때 어디서 많이 봤는데? 그래서 친구네 집으로 연락을 한 거지. 그러니까 친구 아버지가 자고 있던 친구 놈을 깨운 거예요. 발로 차서. 너 누구랑 술 마셨지? 내 친구한테도 술 냄새가 나니까. 그리고 걔네 아버지도 나하고 가장 친한 놈이라는 걸 알거든. 같이 음악 한다고 깝죽대고 다니고 그랬으니까. 내 친구를 발로 차서 일어나 보라고 그러고서 너 오늘 엄인호하고 같이 술 마셨냐고, 마셨다고. 그러니까 이놈아, 걔 지금 병원에 실려 가 있어, 이렇게 된 거야. 운이 참 좋지.

박준흠 : 어쨌든 거의 기적처럼 살아나신 건데, 그 이후로 세상을 보는 눈이나 그런 게 좀 달라진 게 있나요?

엄인호 : 며칠 만에 깨어난 거였는데, 일단은 형한테 미안했고… 나는 뭐 할 말이 없더라고요. 그런데 형이 그때부터는 나한테 일절 음악 하지 말라는 얘기를 안 했어요. 어떻게 보면 나도 눈치 보고, 큰형도 이거 또 잘못하면 한 인생 일찍 가니까… 그 뒤부터는 별로 얘기가 없더라고요. 그래서 한편으로는 부담도 됐지만, 그다음부터는 그래도 끝까지 나는 음악을 할 거야, 라는 생각을 했죠.

박준흠 : 베이스 치던 친구분은 그 뒤 음악을 하셨나요?

엄인호 : 그쪽 집안에서도 그 친구가 음악 한다고 난리 나고… 그래서

걔는 연극영화과를 간 거예요. 드럼 치는 애도. 둘 다 집안이 부유했고, 음악을 계속하려고 했어요. 그 당시에 연극영화과는 예비고사 안 보고 갈 수 있는 때였어요.

사실 나도 예비고사를 안 봤어요. 형이 연대 다닐 땐데, 나하고 같이 버스를 타고 연대 가는 길에 나를 예비 고사장에 내려준 거예요. 그런데 나는 앞문으로 들어가서 뒷문으로 도망쳤거든. 어떻게 보면 계획적이었죠. 우리 연극영화과 가자, 이런 식이었어요.

박준흠 : 친구 두 분은 연극영화과에 가셨네요. 선생님은 안 가신 거고?

엄인호 : 나는 못 갔죠. 내가 예비고사 안 봤다는 거, 형한테 걸려서, 그날 무지하게 맞았어요. 그런데 왜 시험 안 봤냐고 묻길래 나는 연극영화과 갈 거다, 해서 또 엄청나게 맞았지. 결국 그 뒤로 재수의 길로 갔어요.

박준흠 : 고등학교 때 록밴드 활동하면서도 신촌에 있는 음악 카페에 계속 가셨다고 했죠?

엄인호 : 음악을 들어야 하니까. 연대 앞의 독수리 다방이나 이대 입구의 빅토리아 다방… 이런 데가 음악을 잘 틀었거든요. 그리고 애들은 한참 당구를 많이 칠 때라 몰래 당구장 가서….

박준흠 : 선생님도 당구 치셨나요?

엄인호 : 나는 당구를 안 쳤어요. 그런 취미가 없었고, 당구 치는 것 자체부터가 되게 웃긴다고 생각했거든.

박준흠 : 술은 좋아하셨죠?

엄인호 : 그때부터 담배, 술을 본격적으로 했었죠.

박준흠 : 고등학교 3학년 때는 어떻게 보냈나요?

엄인호 : 그냥 한량(閑良)이었고. 하라는 공부 안 하고 가라는 학원도 안 가고. 막 땡땡이칠 때니까.

박준흠 : 당시엔 가수들이 음반에 번안곡도 많이 넣었는데, 한국에서 록밴드들이 그래도 적어도 앨범 만들 때 창작곡을 해야지, 이런 분위

기가 형성된 게 언제쯤일까요?

엄인호 : 당시엔 카피를 많이 했죠. 그런데 창작 앨범은 엉뚱한 데서 나온 거죠. 아마추어 밴드에서. 산울림부터 시작해서 대학가요제에 참가한 학교 스쿨 밴드들이 창작곡으로 나오기 시작하는 거예요. 기성 가수들이 깜짝 놀란 거죠.

박준흠 : 대학가요제를 보니까 1977년도 그해만 기성곡으로 참가해도 됐고, 1978년도부터는 다 창작곡 경연대회로 바뀌더라고요.

엄인호 : 네, 그때 기성 밴드들이 주도권을 뺏긴 거예요. 그쪽 애들한테. 노력을 별로 안 했고, 이미 밴드들 자체가 솔로 가수 위주의 백밴드 형식으로 바뀌었어요. 김훈과 트리퍼스 등. 사실 어떻게 보면 세미 뽕(?)이죠. 쉽게 얘기하면 그냥 한국 팝. 그러니까 어떤 신선한 맛보다는 솔로 가수의 백밴드 같은. 그리고 자기네들 곡도 거의 없고. 기성 작곡가들의 곡을 받아서 했잖아요. 그러니까 젊은 친구들이 볼 때 신선한 맛은 없고. 그레시 대힉가

요제나 강변가요제가 굉장히 선풍적인 인기를 끌지 않았나? 하는 생각을 한 거죠. 산울림도 그래서 인기를 얻었고. 그런데 대학가요제가 먼저인가요? 산울림이 먼저인가요?

박준흠: 둘 다 1977년에 시작되었습니다.

엄인호: 내가 부산에서 있을 때, 산울림 음악이나 대학가 밴드들의 음악을 들었을 때 다른 사람들은 신선하고 굉장히 좋게 들었을지 모르지만, 나는 그렇게 썩 마음에 들지 않았어요. 일단은 기타 실력이 별로였고, 녹음 때문에 그럴 수도 있고 아니면 대학생 신분이니까 한계가 있을 수도 있고.

5) 크로스비, 스틸스, 내시 & 영의(CSN & Y)
통기타 주법 연습

박준흠 : 선생님은 옛날 블루스보다는 좀 록킹(Rocking)한 블루스 쪽
을 좋아하시죠?

엄인호 : 그러니까 소울 음악 들었을 때는 블루스라고 그러지 않았잖
아요. 그런데 그 블루스라는 걸 사실은 나중에 DJ 하면서 제대로 듣기
시작한 거죠.

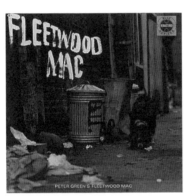 

박준흠 : 음악 취향이 저랑 좀 비슷할 것 같네요. 지난번에 기타리스
트 피터 그린(Peter Green) 얘기도 하셨는데, 피터 그린이 재적했던
1960년대 말 당시의 플리트우드 맥(Fleetwood Mac)은 블루스에 좀
더 가깝게 연주하려고 했던 밴드잖아요. 저는 초기 저니(Journey)의

헤비록 스타일의 블루스가 더 좋습니다.

엄인호 : 나도 맨 처음에 들었을 때는 이거 계속 들어야 하는 거야? 라고 생각했어요. 롤링 스톤즈는 블루지한 음악을 좀 많이 했거든요. 흑인 취향 쪽으로. 그런데 존 메이올(John Mayall & the Bluesbreakers) 같은 거 들으면서, 뭔가 자꾸 끌리더라고요. 연주가 굉장히 세련됐거든. 오리지널 시카고 블루스나 비비 킹(B.B. King) 이런 사람들 음악을 맨 처음에 들었을 때는 뭐 그냥 그렇네, 라고 생각했어요.

박준흠 : 존 메이올 등을 처음 들었을 때 느낌이 어떠셨어요?

엄인호 : 굉장히 쇼킹했죠. 흑인들에 비해서 세련됐고. 그 당시에 흑인들은 이펙터를 안 썼거든요. 롤링 스톤즈도 이제 막 이펙터를 쓰기 시작했고 그랬을 때니까. 그러다가 크림 음악 들으면서 우와… 사실은 영국 블루스라기보다는 그냥 록이라고 생각한 거예요. 그러면서도 이들이 블루스의 영향을 많이 받았다는 걸 그때부터 알기 시작했죠. 레퍼토리가 블루스적인 오리지널 음악을 많이 갖다 썼거든요.

그러다가 나중에 레드 제플린(Led Zeppelin)도 오 이거 봐라, 블루스에 영향을 많이 받았구나, 라는 생각을 했어요. 그래서 내가 여기저기서 음반 구해가면서 듣기 시작한 게 비비 킹이나 앨버트 킹(Albert King), 또 뭐 여러 가지. 시카고 블루스 했던 사람이 영국에 가서 그 당시에 에릭 클랩튼, 제프 벡(Jeff Beck), 피터 그린 이런 사람들을 불러 세션으로 같이 한 앨범들이 많았어요. 그걸 이제 막 구하기 시작한 거지.

그러니까 내가 기타 영향을 많이 받은 거는 영국 블루스 쪽. 미국 오리지널 블루스는 굉장히 재미없었고. 좀 지루했는데, 영국 쪽 사람들하고 같이하면서 앨범서부터 뭔가 좀 달라지기 시작하더라고요. 그리고 통기타 가지고 연주할 때는 크로스비, 스틸스, 내시 & 영(Crosby, Stills, Nash And Young, CSN&Y) 들으면서 와… 스티븐 스틸스가 기타 치는 게 너무 세련된 거예요. 지금도 내 통기타 주법에서는 스티븐 스틸스 기타 주법이 많이 나와요. 그 영향을 굉장히 많이 받았으니까. 그러니까 처음 내가 서울에 올라와서 이정선 씨하고 같이 세션하고 그럴 때….

박준흠 : 이정선 씨도 똑같이 크로스비, 스틸스, 내시 & 영 영향을 받

았다고 합니다.

엄인호 : 이미 풍선 때도 내가 그런 연주를 했거든요. 뭐 그야말로 마구리이지만. 그때 내가 그 스티븐 스틸스, 닐 영 이런 기타 주법을 썼거든요.

박준흠 : 이정선 씨는 1970년대 초반 커버 곡 리스트에 닐 영의 〈Cowgirl in the Sand〉 같은 노래들이 있더군요.

엄인호 : 아마 그랬겠죠. 듣기 좋았으니까. 닐 영은 〈Heart of Gold〉 같은 노래 나오면서 우리나라에 알려지기 시작했어요.

박준흠 : 스티븐 스틸스에 대해서 조금 더 얘기해주실래요? 어떤 점이 특히 매력적이었는지 그리고 그게 선생님의 어쿠스틱 기타 쪽으로 어떤 영향을 미쳤는지 구체적으로 좀 얘기를 해주세요.

엄인호 : 그 당시에 어쿠스틱 기타 그러면 단순 포크 기타였어요. 그리고 포크록의 밥 딜런 음악에 세션을 한 사람은 마이크 블룸필드처럼 거의 일렉트릭 기타를 쳤어요. 그런데 CSN & Y을 듣는데, 물론 버펄로 스프링필드(Buffalo Springfield)도 있었지만, 우드스톡 페스티벌

(Woodstock Festival)에서 스티븐 스틸스 등 네 명이 통기타 가지고 연주하는데 너무 기가 막혔던 거죠. 통기타 가지고 어떻게 저런 소리를 낼까, 애드리브가, 주법이.

 애드리브를 굉장히 타악기처럼 치는 것 같은, 물론 닐 영도 리듬은 그렇게 쳤지만. 닐 영의 퍼커션적인 리듬도 내가 굉장히 좋아했었지만, 굉장히 독특한 리듬이거든요. 스티븐 스틸스 같은 경우는 기타를 마치 컨트리 음악에서 '치킨 주법'처럼 쳤어요. 피크 가지고 이렇게 뜯듯이. 강렬한 멜로디 라인에 그 주법을 썼던 거예요. 묘한 주법이죠. 이렇게 때리면서 이쪽 손하고 동시에 같이 스타카토로 하니까 굉장히 강렬하게 들리는 게예요. 그리고 기타 통을 때리니, 약간 쿵쿵 울리는 소리가 나면서 저음이나 이런 것들이 괜히 쓸데없이 '붕' 나오는 게 아니고, 그야말로 통기타의 통소리가 정확하게 나오는 거죠. 약간 퍼커션 같은 그런 소리가 나왔거든요.

 그런데 그걸 내가 굉장히 배우고 싶었어요. 그래서 완벽한 건 아니지만, 내가 연습해서 거의 비슷하게 그 주법을 쳤어요. 그러니까 아마 이정선 씨도 살짝 놀랐을걸요. 통기타로 솔로를 하더라도 굉장히 강렬한 거죠. 그래서 일반 대중들한테 내가 인정받기 시작한 거는 정확하게 기억나는데요, 이정선 씨 공연에서요. 공연 세션을 일주일 동안 했어요.

박준흠 : 그게 언제죠?

엄인호 : 〈풍선〉 끝나고 나서예요.

박준흠 : 이정선 씨 기록 보니까, 1970년대에는 단독 콘서트를 안 하다가, 1981년도인가 6집 내고 했더라고요.

엄인호 : 그때 내가 세션을 했어요. 내가 나중에 얘기를 들었는데 관객들이 굉장히 짙은 인상을 받았다고 그러더라고요. 그러니까 〈풍선〉할 때는 그냥 이정선 씨의 곡 위주로 많이 하고 솔로를 이정선 씨가 다했는데, 나는 코러스나 가끔 넣고. 그리고 이광조가 주도적으로 노래를 했고요. 기타도 그 당시에는 어느 정도는 보여주고 있었는데, 이정선 씨 콘서트에서는 내가 솔로를 하기 시작한 거죠.

박준흠 : 선생님이 그런 연주에 관심을 두고 연습을 한 시기가 언제인가요?

엄인호 : 부산에서 DJ 할 때. 그때 그 주법을 거의 완성했었어요.

박준흠 : 부산에서 DJ 할 때는 음악 활동은 특별히 안 하셨잖아요. 그럼, 혼자서 연습하셨나요?

엄인호 : 예, 판 들으면서. 그냥 밤늦게 집에 안 가고 술 마시고 판 틀어 놓고. 거기 가수들이 통기타 치고 노래하고 떠나면 그 무대에 불 켜놓고 몰래 혼자서 통기타 가지고 연습한 거죠. 판 틀어놓고. 거기서 나도 모르게 연습을 굉장히 많이 한 거죠.

박준흠 : 그때 음악을 하실 생각을 갖고 연습을 하신 건가요?

엄인호 : 그럴 수도 있죠. DJ를 하면서도 항상 느낌에, 나는 음악을 해야겠다고 생각을 했어요. 그리고 신촌에 있는 가까운 친구들이 통기타 가지고 음악을 할 때니까, DJ 하는 와중에도 서울에 올라와서 조금씩 교류했어요. 자기네들도 비슷비슷한 레퍼토리 가지고 연습을 많이 했고… 닐 영, 밥 딜런 같은 거죠.

6) 하드록(Hard Rock), 서든록(Southern Rock) 그리고 로이 뷰캐넌(Roy Buchanan)

박준흠 : 선생님은 영국 록 음악을 많이 좋아하시는 것 같은데, 1970 년대 미국 하드 록은 좋아하셨나요? 일례로 제임스 갱(James Gang), 그랜드 펑크 레일로드(Grand Funk Railroad) 같은 밴드들.

엄인호 : 그 당시만 해도 미국 밴드들에 대해서 큰 흥미를 못 느끼고 있었어요. 그런데 제퍼슨 에어플레인은 제퍼슨 스타십(Jefferson Starship)으로 바뀌면서 너무 재미없어졌고. 또 퀵 실버 메신저 서비스 (Quicksilver Messenger Service)는 1974년까지 활동을 하긴 했지만, 멤버가 막 들쑥날쑥하고. 그 유명한 디노 발렌티(Dino Valenti)가 노래할 때가 최고였거든요. 그런데 그 사람이 마약 소지로 잡혔던가 하여튼 그래서 한동안 없었어요.

박준흠 : 제임스 갱 당시 조 월시(Joe Walsh)는 기타를 정말 세게 치잖

아요. 〈Walk Away〉 같은 노래 진짜 세게 치고, 되게 이상한 표정으로 연주하고.

엄인호 : 표정도 정말 이상했죠. (웃음)

박준흠 : 이를 막 악물고 치잖아요.

엄인호 : 그런데 매력이 있었죠. 〈Funk #49〉도 그렇고. 기타 리프도 독특하고. 굉장히 미국적인 기타를 쳤던 것 같아요.

박준흠 : 조 월시는 나중에 이글스(Eagles)로 이적했는데.

엄인호 : 좀 의외였었어요.

박준흠 : 돈 벌려고 한 거 아닐까요? 〈Hotel California〉로 돈 많이 벌었잖아요. 재미있는 건, 당시 그 노래 라이브 영상(1977년) 보면 후반부 기타 솔로에서 돈 펠더(Don Felder)와 조 월시가 기타 연주 경합을 하는데, 솔로 전반부를 돈 펠더가 치다가 조 월시가 연주하는 파트로 넘어가면 사람들이 환호해요. 사람들도 아는 거죠, 조 월시가 연주를 더 잘한다는 것을. 선생님 표현대로면 '맛있게' 연주한다고나 할까. 테

크닉은 비슷한 것 같은데, 조 월시 연주는 짧지만 '전율감'이 있어요. 그런데 조 월시가 솔로 연주할 때 보면 돈 펠더를 비웃는 듯한 표정을 지어요. (웃음)

엄인호 : 조 월시가 좀 괴짜 같아요. 에릭 클랩튼과 같이 나왔던 크로스 로드 라이브 같은 데서도 보면 굉장히 장난기가 많더라고요. 블루스 연주할 때도 좀 장난스럽게.

박준흠 : 제 기억에 원래 1977년 라이브 영상에서 조 월시 솔로 파트 음량이 작지 않았는데, 그런데 나중에 보니까 누군가가 조 월시 파트 소리를 줄여놨더라고요. 그러고 보니, 예전에 CSN&Y 당시 스티븐 스틸스와 닐 영이 공연 중에 서로 자기 기타 볼륨을 키우느라고 신경전을 폈다는 후문도 있더라고요. (웃음)

엄인호 : 그 밴드도 그런 게 있었겠죠. 그러다가 이제 미국 음악을 좋아하기 시작한 게 서던 록이죠. 레너드 스키너드(Lynyrd Skynyrd) 등.

박준흠 : 서던 록은 어느 밴드까지 좋아하셨어요?

엄인호 : 원래 포코(Poco)니 이런 밴드들을 좋아하다가, 대단히 아름

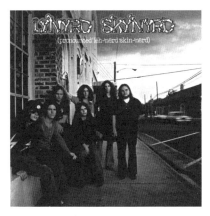

다우니까. 거기다 이글스 듣다가, 어느 날 보니까, 어 이게 약간 좀 뭔가 엉성하듯 한데 의외로 기타가 여러 명이 같이 치니까 멋있더라고요. 오, 이 밴드는 또 뭐야? 그랬더니 레너드 스키너드라고. 에릭 클

랩튼이나 블라인드 페이스(Blind Faith) 이런 거 듣다가 그걸 들으니까 굉장히 아마추어틱한데 뭔가 좀 끈적거리는 게 있더라고요. 텍사스 쪽 특유의 기타 주법 같은 거나 기타 톤, 그런 게 있더라고요. 아마추어틱한데도 굉장히 세련됐고, 〈Freebird〉 같은 노래.

박준흠 : 선생님께도 영향을 준 부분이 있나요?

엄인호 : 그렇지는 않은데 듣는 거는 좋아했죠. 하여튼 묘한 게, 이펙터를 안 쓰고도 이런 기타 톤을 낼 수 있다는 게, 오 이것도 매력 있네.

박준흠 : 그리고 어떤 노래 좋아하세요?

엄인호 : 올맨 브라더스(Allman Brothers) 건 다 좋아해요. 〈Done

Somebody Wrong〉, 〈In Me-mory Of Elizabeth Reed〉, 〈Jessica〉 이런 거 들으면 지금도 막 날아갈 것 같고.

박준흠 : 〈In Memory Of Eliz-abeth Reed〉는 한국에서 누가 커버한 분이 있나요?

엄인호 : 그 당시에 밴드 몇 팀이 했어요. 최이철도 했었고, 사랑과 평화가 올맨 브라더스 거를 몇 개 했었죠.

박준흠 : 그런데 올맨 브라더스는 드럼이 둘이잖아요. 왜 드럼을 둘을 썼을까요?

엄인호 : 드러머 부치 트럭스(Butch Trucks)가 있고, 두 번째 드러머 제이 조니 조핸슨(Jai Johanny Johanson)은 흑인인데 리듬을 계속 쪼개서 물고 가는 거고. 똑같이 치면 의미가 없으니. 퍼커션 느낌으로.

박준흠 : 보통 그런 경우 드럼 하나 있고 퍼커션을 따로 놓고 하잖아

요. 그런데 이 밴드는 굳이 왜 드럼 두 세트를 놓고 연주했을까요?

엄인호 : 그림 상으로도 멋있고 굉장히 독특하잖아요. 그런데 올맨 브라더스가 그걸 제일 먼저 시도한 건 아니에요. 그런데 성공했다고 봐요.

박준흠 : 선생님은 기타리스트 로이 뷰캐넌(Roy Buchanan)도 좋아하시잖아요. 좋아하는 곡으로 〈Hot Cha〉를 꼽으셨는데, 이 곡을 특별히 좋아하는 이유가 있으신가요?

엄인호 : 아주 단순한 멜로디를 가지고 그렇게 멋지게 연주했다는 게 놀라워요. 기본적인 멜로디 라인은 굉장히 간단해요. 그리고 로이 뷰캐넌 라이브를 보는데, 와 저 사람은 대단한 테크닉의 소유자구나. 로이 뷰캐넌을 롤링 스톤즈에서 픽업하려고도 했다고 하네요.

 초창기 때가 좋아요. 나중에 로이 뷰캐넌이 사용하던 펜더 텔레캐스터도 몇 대를 샀다가 그런 소리를 내가 못 내겠더라고. 그래서 포기.

박준흠 : 그리고 이펙터를 잘 안 쓰려고 하는 기타리스트들의 생각은 무엇인가요?

엄인호 : 이펙터도 중독이 되거든요. 한번 쓰고 나면 안 쓰면 안 되니까. 꼭 필요할 때 써야 하는데, 이제는 이거를 안 쓰면 연주를 못 하는 거예요. 뭔가 공간도 못 채워주고, 자기 생각한 대로 연주가 안 되고. 나도 나중에는 코러스 등 몇 개는 썼어요. 단, 블루스 할 때만큼은 안 쓰는 게 정석이라고 봐요.

박준흠 : 그렇게 생각하시는 이유가 있나요?

엄인호 · 블루스는 순수함을 보여줘야 하거든요. 옛날 블루스 밴드들이 소리를 자연스럽게 찌그러뜨리는 방법은 앰프에서 볼륨을 많이 올리는 거죠. 오버 게인(Over Gain)이라고. 그때 자연스럽게 피드백(Feedback)이 나와요. 그런데 공간이 한정된 클럽 같은 데서는 앰프를 그렇게 올릴 수가 없거든. 또 우리나라 같은 경우는 특히 엔지니어의 인식이 잘못돼서 내가 원하는 소리를 낼 수가 없어요. 그렇게 했다가는 다른 데 다 타고 들어간다고 못 하게 하거든. 그러니까 앰프가 50W짜리인데 그거를 삼분의 일밖에 못 올리는 거지. 그런데 그 피드백을 얻기 위해서는, 적어도 50% 이상은 올라가야 해. 진공관 앰프라는 게. 그래서 나도 〈루씰〉 할 때는 오버 드라이브(Overdrive)를 사용해요. 오버 드라이브가 뭐냐면, 앰프에서 충분한 소리를 얻지 못할 때 쓰는 이펙트거든요.

그래서 로이 뷰캐넌이 연주할 때 보면 앰프를 뒤로 돌려요. 뒤쪽에서 마이크를 대는 거야. 그렇게 충분히 볼륨을 올려놓고 쓴단 말이죠. 아니면 엔지니어가 리미터를 걸든 뭐를 걸든, 하여튼 최대한도로 내가 편하게 연주할 수 있게끔 해줘야 하는 거예요. 그런데 우리나라에서는 그냥 엔지니어가 아 기타 볼륨 좀 줄여주세요, 이렇게 얘기해요. 그럼 내가 나중에 무대에서 야, 올라와 봐, 너 이 앰프가 50W야, 응? 그러면 진공관 앰프 갖고 오는 의미가 하나도 없어요. 그래서 나도 이펙터를 어쩔 수 없이 쓰는 거예요. 예전에 신촌블루스 1집 할 때는 안 쓸 수가 없는 게, 코러스(Chorus) 정도를 썼는데, 그걸 안 쓰면 다른 밴드들 하고 안 붙어. 그래서 어쩔 수 없이 그걸 쓴 거고, 그때는 오버 드라이브도 안 썼던 것 같아요.

그리고 녹음할 때 엔지니어가 이미 이펙터를 걸기도 해요. 자기가 봤을 때 내 기타가 답답하니까. 〈골목길〉 할 때 난 단지 와우(Wah Pedal) 하나밖에 안 썼거든요. 그리고 마샬 톤 내기 위해서 마샬에서 나온 오버 드라이브가 있었어요. 그거 조금 올리고. 그런데 나중에 믹싱할 때 보면 다 올리더라고. 코러스던 딜레이(Delay)던.

그런데 내가 며칠 전에 공연할 때 딱 오버 드라이브 하나 갖고 갔어요. 그거 가지고 하는 게 제일 속 편해요. 게다가 술까지 한 잔 마시고 그러면 이게 조명 때문에 이펙터가 불이 들어왔는지 안 들어왔는지도 보이지도 않아요. 그러니까 실수하기 딱 좋지. 빡 하고 쳤는데 너무 헤비하게 뭐가 확 나오면 노래 부르는 사람도 깜짝 놀라지만 나도 깜짝 놀라고. 그러니까 간단하게 하나만 갖고 가자.

박준흠 : 선생님은 그냥 간단하게 갖고 다니시겠네요?

엄인호 : 기타는 두 개 갖고 다녀도 이펙터는 간단하게. 코러스, 오버드라이브, 부스터 3개.

박준흠 : 저는 1966년생이고 대중음악을 본격적으로 들은 게 1980년대 들어와서입니다. 제가 1960년대, 1970년대 영미권 음악을 굉장히 좋아하지만, 동시대에 들은 게 아니잖아요. 나중에 음반으로 들은 거죠. 아까 거론한 1968년 크림의 〈White Room〉이나 1969년 블라인드 페이스의 〈Sea of Joy〉, 1970년 데릭 앤 더 도미노스(Derek and The Dominos)의 〈Layla〉 같은 노래들은 영미권 블루스 록이 전성기 당시에, 에릭 클랩튼도 전성기였던 시기에 나온 노래들입니다. 동시대에 그런 음악들을 들었다는 것이 가장 부럽습니다.

엄인호 : 신촌에 있는 카페 같은 데서 많이 들었어요. 내가 음악을 틀

고 싶으면 주인한테 가서 얘기하면 돼요. 선배니까. 그리고 내가 트는 음악이 좋았거든.

박준흠 : 그때 그런 데에는 음반들이 다 있었다는 얘기인가요?

엄인호 : 그렇죠. 해적판이든 원판이든. 스테픈울프(Steppenwolf)라든가 블랙 사바스(Black Sabbath), 프리(Free), 스몰 페이시스(Small Faces)… 그때부터 제대로 록을 듣기 시작한 거예요. 특히 영국 록을. 미국 쪽에야 뭐 별로 없었죠. 그랜드 펑크(Grand Funk)가 있었지만.

박준흠 : 그 당시엔 미국 쪽에는 블루스 취향의 록이 많지 않았죠. 그런데 선생님은 왜 그쪽으로 취향이 형성되었을까요?

엄인호 : 듣다 보면 그렇게 돼요. AFKN 듣다가 보면, 어 이 밴드는 뭐

야. 그때는 영국 밴드들이 완전히 미국도 휩쓸었으니까. 나중에 앨범을 사서 들어보니까, 대세는 지미 헨드릭스(Jimi Hendrix) 빼놓고는 다 영국 밴드다 이거지. 조 카커(Joe Cocker) 등.

박준흠 : 지미 헨드릭스는 미국에서 영국 갔다가 다시 미국으로 또 왔죠.

엄인호 : 성공은 영국에서 먼저 했더라고요. 블랙 사바스도 있었고.

박준흠 : 블랙 사바스가 1970년에 데뷔했죠.

엄인호 : 좀 살벌한 음악이 있었어요.

박준흠 : 블랙 사바스 같은 헤비메탈 종류도 좋아하셨어요?

엄인호 : 그냥 신기하니까 들어본 거지 내 취향은 아니에요. 로드 스튜어트(Rod Stewart), 스몰 페이시스, 후(Who), 텐 이어스 애프터

(Ten Years After), 그게 보니까 다 필모어 이스트 웨스트(Fillmore East/West)에서 공연했고, 우드스톡(Woodstock Festival)에 나왔고 그래요. 내가 굉장히 일찍 음악을 들은 거죠. 그 당시에 밤일하던 선배 밴드 중에서 그런 레퍼토리를 한 밴드가 거의 없었어요. 그때만 해도 나이트클럽이나 이런 데서 영국 밴드 록을 한 적은 없었어요.

박준흠 : 주로 어떤 레퍼토리로 연주했나요?

엄인호 : 가요도 많이 했고. 잘 기억이 안 나는데, 그냥 대중적인 음악.

03

20대 초반 시절

"메이저 블루스는 곡에 한국말 가사를 붙일 때 어떤 한계 같은 걸 내가 많이 느꼈거든요. 그리고 우리가 흔히 얘기하는 '열두 소절'에서는 해결이 안 된다, 그럼 해결하는 방법은 뭐냐? 비비 킹이나 이런 사람들처럼 도시적인 블루스로 가야 한다고 생각한 거예요.

내가 볼 때는 〈Stormy Monday〉 같은 도시적인 블루스에서 코드가 좀 달라지기 시작하는 거죠. 거기에는 한국말로 가사를 붙여도 굉장히 편해요. 어떤 흐름이 있어서. 내가 쓴 곡 중에 〈마지막 블루스〉나 이런 것들이 다 마이너 블루스거든요. 마이너 블루스로 하면 내가 다양한 멜로디를 또 할 수도 있고."

1) 음악과 기타,
술과 장미의 나날

박준흠 : 1970년대 당시 닐 영(Neil Young)이 한국에서 기타리스트들에게 선망의 대상이었나요?

엄인호 : 그렇죠. 곡이 좋죠. 멜로디 라인도 좋고.

박준흠 : 선생님도 닐 영 노래 카피하셨나요?

엄인호 : 예. 친구랑 둘이 같이 연주하면서 마치 스티브 스틸스하고 닐 영이 같이 합주하듯이. 중간에 솔로도 서로 주거니 받거니 하고.

박준흠 : 그때가 언제인가요?

엄인호 : 고등학교 졸업하고 나서, 신촌에서 뱅글뱅글 돌다 보니까 이 친구도 만나고 저 친구도 만나고.

박준흠 : 선생님 이전 인터뷰를 보면 고등학교 졸업하고 나서 재수하라고 해서 가출을 했다고 하는데 부산으로 간 것은 한참 뒤고요?

엄인호 : 1973년도 여름에 갔어요. 집에서 도망 나와서 선배 화실에서 한참 있다가 부산으로 갔어요.

박준흠 : 처음 가출한 게 언제인가요?

엄인호 : 고등학교 다닐 때도 몇 번 가출하고 잡혀 들어가고 그랬죠. 그때는 본격적인 가출은 아니고.

박준흠 : 완전히 집을 나간 거는 1973년도 여름 부산이었네요.

엄인호 : 그렇죠. 그냥 도주한 거죠.

박준흠 : 부산으로 가기 전 신촌에서의 생활은 어땠나요?

엄인호 : 그 당시에 여자 친구들이 있잖아요. 내가 기타 잘 친다는 소문을 듣고 여기저기 가서 내 얘기를 한 모양이에요. 그러면 내 얘기를 들은 친구들이 그 친구를 좀 한번 보고 싶다, 그래서 신촌에서 만나는 거예요. 그래서 서로 기타 한 대씩 갖고 서로 잼(Jam)을 하는 거죠.

박준흠 : 당시 레퍼토리가 닐 영 곡이었나요?

엄인호 : 예. 많이 했던 게 닐 영 같아요. 그리고 밥 딜런 거. 누가 노래 부르면 기타 옆에서 쳐주고 그러다 보면 자연스럽게 같이 연습하게 되는 거죠.

박준흠 : 닐 영은 통기타로도 연주를 많이 했지만, 기본적으로 록 세션 이잖아요. 그래서 좋아하신 건가요?

엄인호 : 그렇죠. CSN & Y의 [4 Way Street](1971년), 그전에는 [Deja Vu](1970년) 앨범을 들으면서 역시 통기타도 좋지만, 일렉기타도 죽인다. 뭐 〈Almost Cut My Hair〉 같은 노래 들어봤을 때 기타를 이렇게 매력 있게 치는 밴드가 있었나, 그런 생각을 했었죠.

박준흠 : 이정선 씨하고 공통으로 좋아하는 뮤지션이네요.

엄인호 : 그 당시에 다 쇼크였으니까. 당시 자기 딴에는 뭐 자기가 '통기타의 왕'이라고 그러는 나보다 한 살 위인 사람이 있었어요. 속으로 가소로웠어요. 그런데 내 앞에선 기타를 안 쳐. 웃기는 거지.

박준흠 : 혹시 나중에 그분이 음반 내셨나요?

엄인호 : 그럼요. 그 당시에, 통기타에도 팬이 있었어요. 그게 다 공유가 되거든요. 어디 가서 신촌에 갔더니 엄인호가 있는데 기타 참 잘 친다. 또 어디 갔더니 누가 있는데 기타를 잘 친다. 그러니까 서로 이렇게 만나는 거예요. 그 여자 친구들 때문에.

박준흠 : 그리고 만나서 기타 실력 경쟁도 하고요?

엄인호 : 경쟁이라기보다는 약간 잼 비슷한 거 하는 거죠. 누가 노래 부르면 옆에서 기타도 같이 쳐주고 그러면 서로 기분 좋고. 뭐 솔직히 얘기해서 그 당시엔 대마초가 불법이 아니라서 대마초 할 때니까 밤새도록 그냥 재밌게 놀고. 그런 음악에 심취돼 있을 때니까 음악도 엄청나게 많이 들을 때 아니에요? 사이키델릭 록 음악 많이 듣고.

박준흠 : 대마초 느낌이 어떠셨습니까?

엄인호 : 굉장히 좋았던 거 같아요. 그런데 그게 1973년부터 단속을 시작했어요.

박준흠 : 당시 고고 클럽이나 밴드가 연주할 때 뮤지션이나 관객이나 다 피우곤 했었다고 하는데.

엄인호 : 아무나 다 했었어요. 둘째 형 같은 경우도 했으니까.

박준흠 : 예전 기록을 보면 클럽, 다방 들어가면 대마초 연기로 가득했다고 하는데.

엄인호 : 명동도 그렇고 어디 가도, 뭐 청자다방, 심지다방 이런 데서도 다 폈으니까요. 그러다가 1973년에 처음 규제 들어갔어요.

박준흠 : 대마초를 피우면 연주가 무엇이 달라지나요?
엄인호 : 내 경험상 나는 잘하고 있는 거 같은데 남들이 들으면 아닌 거로 생각할 수도 있어요. 관객이 봤을 때는 술에 취해서 연주하는 거하고 비슷한 느낌. 그런데 나는 굉장히 잘하고 있는 거 같죠. 그런데

술은 다운되지만, 대마초는 업되거든요.

박준흠 : 그럼 기타 솔로 같은 경우도 창의적으로 막 나오나요?

엄인호 : 예, 그럴 수도 있어요. 그랬던 거 같기도 하고. 내가 기타 치면서 내가 나한테 빠지니까.

박준흠 : 대마초 유통 경로가 어떻게 되나요? 외국에서 가져왔나요?

엄인호 : 아니요. 우리나라 게 훨씬 더 좋았으니까.

박준흠 : 민간에서 재배했다는 얘기인가요?

엄인호 : 그렇죠. 삼베를 만들기 위해서 대마를 키울 수밖에 없는 거예요. 옛날에 삼베옷을 많이 입었잖아요. 그러니까 충청도든 강원도든 경상도든 대마 안 키우는 데가 없었으니까. 옛날 노인네들은 약으로도 썼어요. 그런데 미군들이 들어오면서 한국에 와서도 당연히 그 대마초를 찾죠. 한국엔 없냐, 뭐 이런 식으로. 그러다 보니까 밴드들도 다 하게 되는 거고. 미군들은 월남전에서 LSD 같은 것도 했었죠.

박준흠 : 좀 센 마약이죠.

엄인호 : 그야말로 드럭(drug)이죠. 그걸 가지고도 들어왔죠.

박준흠 : 선생님도 LSD 경험이 있으신가요?

엄인호 : 부산 갔을 때는 대마초 쪽으로 살짝 좀 빠졌었죠. 거기다가 미군들하고 친해지면서 LSD 같은 것도 해보고. 그런데 진짜 중독될 정도까지는 해본 적은 없어요. 일해야 해서… 그리고 대마초는 담배처럼 습관성이지 중독은 되지 않아요. LSD도 내가 알기로 그냥 정신병원 약이에요. 그걸 과용하면 환각이 보이는 거고. 월남전 후유증이라고 그러던데.

2) 신촌의 화실 생활

박준흠 : 선생님은 기타를 독학으로 익히셨는데, 그렇게 연습한 기간이 한 10년 되신 건가요?

엄인호 : 그렇게 할 수는 없었어요. 어쨌든 재수한다고 그랬기 때문에 집에서는 엄두도 안 나는 거고. 선배가 하는 화실에 가면 그 당시에 항상 통기타들은 있으니까 그거 가지고 야외전축 갖다 놓고 노래를 따는 거지. 그렇게 연습한 거예요.

박준흠 : 부산으로 간 게 1973년도 22세 때 여름이니까, 20-21살 시기가 좀 궁금합니다.

엄인호 : 집에는 있고 싶지 않았고, 그래서 거의 선배가 하는 화실에 있었어요. 집에는 거기서 공부한다고 그러고. 재수 준비. 그리고 일부 학원은 등록했죠. 그런데 학원도 잘 안 가게 되더라고요. 그렇게 있다 보니까 형은 또 형대로 그때부터는 나한테 크게 관심이 없더라고. 그래서 화실에 오랫동안 있었어요.

박준흠 : 그림도 그리셨나요?

엄인호 : 조금. 원래 그림을 곧잘 그렸죠. 그런데 그 당시 미술 선생이 나중에는 유명해졌는데, 그때는 애들을 얼마나 많이 때리는지, 좀 변태스럽게… 그래서 미술반을 내가 탈퇴했어요. 그런데 당시 2년 선배가 홍대에 들어갔을 때, 그 선배가 저를 굉장히 이뻐했거든요. 그 선배 동창들도, 동기들도 그렇고 굉장히 저를 좋아했어요. 그래서 그 화실에 있을 때 선배들이 밥도 사주고 막걸리도 매일 밤 마시고, 거기 있으면서 국민학교 다니는 애들은 내가 가르칠 정도의 실력은 있었던 거 같아요. 국민학교 애들은 목탄도 아니고 크레용 가지고 그렸지. 그게 뭐 교육도 아니고 막말로 얘기해서 그냥 장난이지. 부모들이 어린애들을 테스트해달라고 데리고 오면 무조건 다 칭찬해 주고, 그러면 이제 크레용 갖고 오고. 수채화 정도는 가르쳐주고 그러면서 그 화실에서 있었던 거예요.

박준흠 : 그때는 밴드를 안 하셨죠?

엄인호 : 못했어요. 내 친구들도 대학교 들어가고 하면서 여자 친구들 만나고 그러니까. 뭐 그래도 얘네들이 화실에 찾아와서 나랑 같이 합주도 하고 그랬던 기억이 나요. 맨날 술 마시고 담배 피우고.

박준흠 : 그때는 선생님이 프로 뮤지션이 되겠다, 그런 생각은 안 하셨

던 건가요?

엄인호 : 당시는 그냥 막연하게 어떻게 해야 하나를 막 고민하기 시작한 거예요. 친구들도 그렇고. 그냥 학교생활이 정신없고 그러니까 가끔 화실에 걔들이 찾아오면 같이 재미있게 노는 거죠. 베이스 치는 애는 그래도 자주 왔어요. 같이 술도 마셔야 하고 또 여자도 여기저기 많았거든요. 신촌 일대에 여자 친구들이 많았으니까.

박준흠 : 선생님도 여자 친구가….

엄인호 : 나도 있었죠. 걔네들로서는 화실에 오는 게, 우리하고 노는 게 재밌거든. 물론 홍대나 이대 신입생들도 있었지. 그리고 미대 들어가려는 애들, 아니면 친구 따라 그림 배우러 오는 애들도 있고. 걔네들하고 맨날 노는 거예요. 그렇게 재미로 좀 보내다가 결국은 집으로 들어오라고 해서 들어갔다가 얼마 안 돼서 부산으로 가출한 거죠.

박준흠 : 화실에 있었던 시간이 상당히 길었네요.

엄인호 : 제법 길죠. 하여튼 거기가 엄청나게 나한테 편했어요. 화실에 보면 방이 있었거든요. 거기서 잘 때도 있었고. 화판이 있잖아요?

그림 그리는 책상. 거기서 그냥 막 자기도 하고 했죠. 이불만 있으면 자니까.

박준흠 : 김영배 씨하고 '옥스' 같은 데서 합주하고 했던 때도 이 시기인가요?

엄인호 : 부산 가기 직전에 그 친구 중에 영배를 알던 친구가 있었어요.

박준흠 : 김영배 씨 만난 게 한 21살 무렵이겠네요?

엄인호 : 예. 아마 그 무렵이죠. 화실은 아니고. 그때는 내가 집으로 갔다가, 또 집에 있는 둥 마는 둥 그럴 때였는데, 큰형도 그때는 저를 어느 정도 포기했던 것 같아요. 자기도 정신없을 때니까. 집안 문제도 그렇고 또 학교생활 하면서 형 나름대로도 아마 나한테 신경 쓸 겨를이 없었을 거예요. 그러니까 어쩌다 눈에 띄면 마음에 안 들 때 뭐라고 한 적은 있어도, 내가 집에 들어오거나 말거나… 이런 식이었어요.

무관심. 그때 신촌에 있는데, 내가 알던 여자애 중의 한 명이 영배를 잘 알았어요. 그 당시에 김의철도 그렇고.

박준흠 : 김의철 씨를 이때 만났다고요?

엄인호 : 아마 그랬을걸요. 신당동 집에까지 갔었거든, 영배 따라. 그 여자애들이 자기들이 아는 친구 중에 기타를 잘 치는 애가 있다… 그 래서 데리고 온 게 김영배예요. 그런데 아닌 게 아니라 그때 진짜 프로 처럼 잘 치더라고요.

박준흠 : 김영배 씨는 나이가 어떻게 되시나요?

엄인호 : 내가 알기로는 1954년생.

박준흠 : 선생님보다 어리시네요.

엄인호 : 그런데 처음에는 나이를 속였지. 내가 볼 때는 한 1953년생 정도로 생각했는데, 나중에 알고 보니까 1954년인 것 같더라고. 확 실한 건 몰라요. 물어보지도 않으니까. 그런데 이 친구 때문에 내가 이 정선 씨를 처음 만났으니까, 그 해바라기라는 데 가서 구경하고.

박준흠 : 김영배 씨는 아마 김의철 씨가 해바라기를 나간 다음에 들어간 거 같은데.

엄인호 : 모르겠어요. 하여튼 김영배 그 친구도 혼자 있더라고요. 그러니까 뭐 여기저기 떠돌아다니고 그랬던 것 같아요. 그때까지만 해도 그 집안에 관한 얘기를 들어본 적이 없었어요. 그래서 얘도 참 어렵게 사는 녀석이구나, 별로 말도 없고. 그런데 기타를 엄청나게 잘 쳤거든요. 그래서 기타 연습을 같이했던 것 같아요. 부산 가기 전까지.

3) 기타에 대한 재능 발견

박준흠 : 본격적으로 기타 연습을 하신 게 부산 가기 전 신촌에서 화실 생활할 때인가요?

엄인호 : 아니요, 부산에서 DJ 하면서 했어요.

박준흠 : 그러면 신촌에서 통기타 잼하고 할 때는?

엄인호 : 그때도 본격적으로 기타를 쳤다기보다는 닐 영이나 이런 사람들을 알게 되고, 내가 남들보다 음악을 먼저 들었기 때문에 그런 주법을 연구했던 거고. 나는 솔직히 얘기해서 본격적으로 기타를 연구하거나 연습해 본 적은 없어요.

박준흠 : 그런데 그래도 또래보다는 잘 쳤던 건가요?

엄인호 : 보통이 아니었죠. 그게 굉장했던 거지.

박준흠 : 선생님이 좀 타고나신 건가요?

엄인호 : 아마 그렇다는 소문을 들었어요. 천재라는 얘기도 들은 적 있고.

박준흠 : 천재라는 얘기는 어떤 이유로 들으셨어요? 일례로 어떤 음악을 들으면 금방 카피를 한다든지 아니면 기타 주법을 금방 익힌다든지 이런 건가요?

엄인호 : 네, 카피도 잘했어요. 악보도 그릴 줄 모를 때인데, 특히 닐 영이나 이런 거 듣고 그냥 몇 번 해보면 그걸 다 땄으니까. 그리고 기타 주법 같은 게 익히기 어려워요. 특히 닐 영, 스티브 스틸스 이런 기타리스트 통기타 주법은 아무리 하려고 해도 안 되는 친구들이 있거든요.

박준흠 : 멜로디나 이런 것들도 그대로 나오고요?

엄인호 : 그 당시에는 그거를 '원단' 뽑는다고 그랬어요. 특히 롤링 스톤즈의 [Sticky Fingers] 앨범 노래들은 통기타가 많잖아요. 〈Sister Morphine〉, 〈Wild Horses〉 이런 노래들을 내가 똑같이 쳤으니까.

박준흠 : 타고 나신 거네요. (웃음)

엄인호 : 아마 그래서 후배들이 나한테 굉장히 천재적인 기타라고 그 랬어요. (웃음)

박준흠 : 카피를 한다고 하면 멜로디 라인, 주법을 그대로 가져오는 거 잖아요. 이게 기억력이 좋아야 하는 건가요? 아니면 선천적으로 타고 난 감(感)으로 되는 건가요?

엄인호 : 이런 외국곡을 한 곡 따려면 며칠이 걸려요. 어떤 사람들은 악보를 그리는 사람이 있더라고요. 그 당시에는 악보가 없었잖아요. 외국에서 들어온 악보도 없고.

박준흠 : 선생님은 악보를 안 그리셨다는 얘기는 다 기억으로 했다는 얘기잖아요.

엄인호 : 그렇죠. 다른 애들이 보면 굉장히 놀라는 거죠. 주법도 거의 똑같았고, 사람들이 보면 깜짝 놀라는 거지. 내 생각에 그 부분에 소질 이 있었던 거죠. 머릿속에서 컴퓨터처럼 그걸 빨리 받아들이는 거지. 어떤 식으로 쳐야 저런 소리가 나는지. 통기타도 마찬가지거든요. 뒤 에서 치느냐 앞에서 치느냐 어디서 치느냐, 그다음에 주법을 어떤 식 으로 치는가, 손가락 모양도 마찬가지고.

박준흠 : 그런데 그거를 특별히 배우지 않았는데 그냥 익히신 거예
요?

엄인호 : 그렇죠. 나 혼자 굉장히 빨리 터득했던 것 같아요. 나중에는
레드 제플린(Led Zeppelin) 거까지도 흉내 내고 그랬던 거 같아요.

박준흠 : 레드 제플린은 맨 처음에 카피한 곡이 뭡니까?

엄인호 : 5집에 있는 노래인
데… 그다음에 〈Stairway to
Heaven〉 같은 것도 따서 치
고. 그 당시에는 이것저것 다
들었으니까. 핑크 플로이드
(Pink Floyd)는 [Atom Heart
Mother](1970년) 앨범 노래들.

박준흠 : 예전에 김영배 씨하고도 연습하셨다고 하는데. 김영배 씨는
이정선 0집(1974년)에 참여해서 〈이리저리〉, 〈거리〉 등을 연주했던
뛰어난 기타리스트였습니다.

엄인호 : 영배하고 나하고 연습을 많이 했어요. 나하고 김포에서 방을 얻어 놓고 둘이 잠깐 같이 있던 적도 있었어요.

박준흠 : 부산 가시기 전이죠?

엄인호 : 예. 걔하고 나하고 듀엣까지도 만들었으니까.

박준흠 : 두 분이 핑크 플로이드 [More](1969년) 앨범 노래들 연습을 많이 했다고 하는데, 왜 그 음반 노래들이었나요?

엄인호 : [More]나 그다음에 [Atom Heart Mother] 같은 앨범은 통기타가 대단히 많았어요. [Dark Side of the Moon]부터는 기타리스트 데이비드 길모어(David Gilmour)가 대세지만 그전에는 베이스 치면서 노래했던 로저 워터스(Roger Waters)가 굉장히 연주 맛이 있잖아요. 사이키델릭하면서 묘하게 멜랑꼴리하면서… 둘이 그런 음악을 좋아했던 거 같아요.

박준흠 : 1973년 [Dark Side of the Moon] 전 음반들을 좋아하신다는 얘기네요. 혹시 일렉트릭 기타를 구하기 힘들어서 계속 통기타를 연주하신 건가요? 아니면 통기타 자체의 매력으로 계속하신 건가?

엄인호 : 통기타에 내가 매력을 많이 느꼈고, 일렉 기타는 혼자서 소리를 내거나 그러지 못하니까 그렇게 큰 관심을 안 가졌던 것 같아요. 뭐 어디 가도 통기타는 있으니까.

박준흠 : 기타리스트 강근식 씨 인터뷰를 보면, 예전에 '동방의 빛' 멤버들이 핑크 플로이드를 다 좋아해서 [Dark Side of the Moon] 앨범 전체를 스튜디오에서 녹음한 적이 있다고 합니다.

엄인호 : 아, 그건 몰랐어요.

박준흠 : 그러니까 음반 발매를 한 게 아니라 녹음만 했대요. 지금 그 음원이 있는지 모르겠는데. 그런데 핑크 플로이드의 [Dark Side of the Moon]을 아무리 좋아한다고 해도 당시 한국에서 그런 음악을 재현하는 거는 거의 불가능했던 시기잖아요. 그 당시에는 스튜디오 엔지니어링도 안 되고 악기도 안 되고.

엄인호 : 그렇죠. 악기도 없었고.

박준흠 : 그런데, 왜 그렇게 선망의 대상이었을까요?

엄인호 : 굉장히 완벽한 편곡 상태에서 음악 나온 거는 그 당시에는 그렇게 흔치 않았거든요. 그런데 사실 데이비드 길모어는 당시 우리가 들을 때는 기타는 별로라고 생각했어요. 초기에 로저 워터스하고 밴드를 이끌었던 시드 바렛(Syd Barrett)이 굉장히 프로그레시브 한 음악을 만들었거든요. 지금도 나는 데이비드 길모어 기타를 별로 좋아하질 않아요. 너무 계산적인 기타예요. 라이브를 봐도 그렇고 LP판을 들어도 그렇고 다 똑같아요. 어떻게 얘기하면 좀 악보에 의존하는 기타. 아주 계산적인. 그게 난 썩 마음에 들지는 않아요. 단지 그 무대의 웅장함이나 효과음이나 이런 걸로 굉장히 대단한 사람처럼 보이는데. 나는 사실 핑크 플로이드에서 데이비드 길모어가 주도권을 잡고 갈 때부터 썩 좋아하지 않았어요.

박준흠 : 선생님은 기타리스트가 본질적인 연주를 하는 걸 좋아하시는 거죠?

엄인호 : 산타나(Santana) 같은 경우도 초창기 때가 좋았지. 나중에

162

난리 치고 그러는 거 지금 봐도 좋은 줄 모르겠어요. 산타나는 1969년 우드스톡에서 연주하는데 그때가 대단했죠. 굉장히 독특한 피킹 주법에다가 남들이 안 했던 라틴 음악을 하잖아요. 뭐 〈Black Magic Woman〉이라든가. 나는 그래서 이 노래가 산타나가 오리지널인 줄 알았어요. 피터 그린 건데.

박준흠: 에릭 클랩튼은 어떻게 생각하세요?

엄인호: 에릭 클랩튼도 [461 Ocean Boulevard](1974년) 앨범 있잖아요. 〈I Shot the Sheriff〉 들어있는. 그 앨범 다음부터는 에릭 클랩턴도 안 들어요. 반복되는 스타일의 연주라서요. 초기에는 에릭 클랩턴도 굉장히 매력이 있었거든요. 크림(Cream) 때부터 블라인드 페이스(Blind Faith)를 거쳐서 데릭 앤 더 도미노스(Derek and the Dominos)로 이르니 완전히 진수가 나오더라고요. 〈Bell Bottom Blues〉 이런 블루지한 거. 내가 볼 때는 그때가 전성기예요. 가장 맛있는 기타. 미국에서 듀언 올맨(Duane Allman) 만나면서 〈Layla〉 같은 노래 나오고. 아마 듀언 올맨이나 이런 사람한테 영향을 많이 받은 것 같아요. 듀언 올맨이 많이 치는 것 같지만, 사실은 세션 한 걸 들어보면 굉장히 간결해요. 슬라이드를 쳐서 좀 묘하게 들려서 그렇지. 올맨 브라더스(Allman Brothers) 때는 최고의 기량을 보여주죠. 그렇게

긴 노래를 저렇게 기타를 칠 수가 있을까, 라는 생각도 했고.

그러다가 에릭 클랩튼이 마약중독에서 벗어나서 [461 Ocean Boulevard] 나오고, [Slowhand](1977년) 나오죠. 〈Wonderful Tonight〉 같은 노래는 너무 단순한 기타고. 그런데 다른 곡들을 들어보면 자기 나름대로 정리를 좀 한 거예요. 그런데 굉장히 조심스러운 얘긴데, 어느 순간부터 다 똑같은 거 같아요.

박준흠 · 연주가요?

엄인호 : 예, 물론 그게 습관화되니까, 그 정도 연조도 있고 그러면 이제 판 낼 때 외에는 라이브 할 때 보면 자기도 모르게 자기 습관이 나오거든요. 그런데 그게 너무 젖어있으니까, 모든 기타가. 산타나도 그렇고. 그러니까 언제부터 갑자기 흥미를 잃어버리기 시작하는 거죠. 스케일이 똑같은 거죠. 키가 좀 다른 거지. 이제 더는 들을 필요가 없겠다.

4) 김영배와의 만남

박준흠 : 김영배 씨와 만난 얘기를 좀 더 해주세요.

엄인호 : 내가 서울에 잠시 올라와 있을 때, 내가 여자애들을 몰고 다녔어요. 신촌에서, 연대 뒷산이나 이런 데서 기타 치고 놀 때.

박준흠 : 여자분들은 어떤 분들인가요?

엄인호 : 대학생이죠. 나하고 나이가 거의 비슷했어요. 동창생들끼리, 한 세 명, 네 명이 아주 똘똘 뭉쳐서 다니던 애들인데, 그 외에도 신촌에 여자 친구들이 많았거든요.

박준흠 : 인기가 좋으셨다는 얘기인가요?

엄인호 : 그렇죠. 한마디로 기타 가지고 놀면 뭐 한도 끝도 없이 노니까. 그중에 노래하는 애들도 있었고. 포크를 하는 여자가 있었는데, 걔 이름은 기억나요. 김추자(70년대를 풍미했던 한국의 쏘울 가수이다. 한국 대중음악의 위대한 전설 신중현의 선택을 받아 신중현이 만든 곡들을 대량으로 소화한 유일무이한 가수이다)라는 **친구인데 강화도 출신이에**

요. 방실이가 걔네 조카래요. 하여튼 걔가 노래를 굉장히 잘했어요. 항상 나하고 같이 몰려다니고 그랬는데, 어느 날 걔가 자기 친구 중에 기타 잘 치는 애가 있대요. 그때 영배를 나보다 여자애들끼리 좀 먼저 봤나 봐요. 그러면서 데리고 온 게 영배예요. 김영배. 만나서 같이 연주해 봤는데 기타가 뭐 나보다 몇 수 위더라고요. 그때 걔도 갈 데가 없는 애였고. 그래서 만나서 몇 번 같이 좀 놀다가, "야, 우리 둘이 음악 한번 해볼래?" 해서 듀엣 아닌 듀엣을 만드는 거죠. 그런데 그때는 한국 노래를 거의 안 할 때니까, 팝송 많이 부르고 그러다가 어디 기타 칠데 있으면 가서 둘이 놀아주고.

박준흠 : 그럼 약식 공연이라도 하셨던 건가요?

엄인호 : 그런 건 아니고, 동창회 같은 데 가고 그랬어요. 영배한테 우리 동창들인데 가서 공연하는 거 괜찮겠냐고 그랬더니 자기는 아무 상관이 없대요. 그래서 동창 애들 앞에서 공연한 적이 있었죠.

박준흠 : 그러면 그때는 두 분 다 통기타였었던 거죠?

엄인호 : 둘 다 통기타. 그러다가 난 부산으로 간 거고요. 그런데 어쩌다가 한번 영배를 봤는데, 찬양하러 다닌다고 그러더라고요. 내 앞에

서 계속 하나님에 대해 얘기만 하고 그러는데, 그게 나로서는 좀 가식처럼 보이는 거 있잖아요. 내가 원래 기독교 신자였어요. 그런데 얘가 갑자기 종교 쪽으로 확 가서 만나면 내가 술 마시고 이런 거 엄청나게 싫어하더라고. 이상한 눈으로 날 쳐다보는 거 같고⋯.

박준흠 : 김영배 씨도 원래 술을 드셨는데 끊은 건가요?

엄인호 : 그렇게 많이 마시지는 않았어요. 그런데 어느 날부터 무슨 범죄 취급하듯이 하더라고요. 그래서 나로선 쟤 싫다, 이제 안 만날 거다, 그러면서 그 뒤에는 흐지부지됐고, 소문만 들었죠. 영배가 미국가 있다고 그러더라고요. 그래서 윤복희 씨랑 갔다가 거기서 튀었구나⋯.

박준흠 : 김영배 씨에 대해서 기타리스트로서 특별하게 가졌던 감정이 있었나요? 지난번에 선생님이 인정할 수 있는 기타리스트라고 했는데.

엄인호 : 흑인 음악에 대해서 솔로 연주하는 걸 봤을 때, 일반적으로 내가 아는 밤일하는 기타리스트들하고 완전히 다른 뭔가가 있는 거예요. 흔히 얘기해서 우리가 그런 얘기들 하잖아요? 오리지널 같은⋯ 흑

인 스타일의 블루스 같은 것도 치고 그러니까. 오, 이런 대단한 게 있었구나. 그런 건 내가 깜짝 놀랐죠. 다른 선배들, 이정선 씨나 그 외에 밤일하는 선배들이 기타 치는 거에 비해서 얘는 감각이 엄청나게 좋았던 거예요.

박준흠 : 김영배 씨는 언제부터 기타를 쳤나요?

엄인호 : 내가 물어보니까 어렸을 때부터 기타를 쳤대요. 자기 엄마한테 부탁해서 대단히 어린 나이에 기타를 사고, 정확하게 모르지만 부유했었나 봐요.

박준흠 : 독학했는데 그 정도 실력이 나온 건가요?

엄인호 : 뭐 밴드도 만들었던 것 같아요. 하여튼 내가 볼 때는 진짜 깜짝 놀랐죠. 이렇게 기타 치는 애가 있었구나… 그래서 서로 호감을 느끼고 그랬는데… 서로 성격 차이가 있더라고요.

박준흠 : 혹시 김영배 씨가 음반 낸 거 있나 찾아보니까 본인 앨범은 없더라고요.

엄인호 : 없어요. 음반 내려고 녹음하다가 미국 가버렸으니까. 거기에 보면 김현식이 불렀던 게 있어요. 〈기다리겠소〉라고… (김영배 작사/작곡, 1988년 김현식 4집 수록).

박준흠 : 김현식의 〈기다리겠소〉를 먼저 녹음했었다고요?

엄인호 : 자기가 앨범 낸다고 그것하고, 옛날에 불렀던 〈사랑의 바람〉이니 뭐 이런 것들을 자기 나름대로 편곡해서 서울 스튜디오에서 녹음했어요. 이거 어디서 녹음했냐고, 녹음 잘됐다고 했더니 서울 스튜디오에서 했다고.

박준흠 : 1980년, 김현식 1집 전에 녹음했다는 얘기네요?

엄인호 : 아마 바로 전에 영배가 녹음했던 거 같아요. 그리고 어영부영 그러다가 어느 날 보니까 미국 갔다고 그러더라고. 윤복희 씨랑 한참 외국으로 다니고 그럴 땐데. 그 당시에 걔가 두 번째 결혼이었는데, 그 와이프가 나한테 전화해서 혹시 영배 소식 아느냐고 해서 나도 모르는데 지금 영배가 어디 있느냐고 물었더니, 미국에 있대요. 내가 알기로는 맨 처음에 이종용 씨하고 있었던 거로 알고 있어요. 부산의 '작은 새' 카페 주인이 이종용 씨하고 굉장히 가까웠어요. 그 집안도 기독

교 집안이고. 내가 미국 가자마자 그 주인 형한테 영배 여기 있다고 그러던데요 했더니, 이종용 하고 있다가 또 딴 데로 옮겼대요. 영배 걔도 어디 가서 그렇게 오래 못 있는 애예요.

박준흠 : 김영배 씨는 미국 가서도 계속 연주 생활을 했었다는 얘기네요.

엄인호 : 교회에서.

박준흠 : 김영배 씨는 이정선 1집 전에 나왔던 0집(1974년)에서 일렉트릭 기타를 쳤어요. 〈이리저리〉, 〈거리〉 등이 수록되어 있습니다. 이정선 씨는 그 음반이 연주에서 실수투성이고 해서 안 좋아한다고 그러는데, 저는 이정선 솔로 앨범 3장을 꼽는다면 0집, 6집, 7집을 꼽을 정도로 뛰어난 앨범이라고 생각합니다. 완성도가 높다기보다는 신선하고 에너지도 출중합니다.

엄인호 : 나도 그 앨범을 들어봤거든요. 옛날에 영배가 기타를 굉장히

맛있게 쳤었어요. 그 친구도 참 파란만장하게 컸죠. 나하고 같이 듀엣도 했을 때는 외국곡 가지고 같이 연습하고 그랬어요. 굉장히 기타를 맛있게 쳤었고, 그 친구한테도 배운 게 많은 것 같아요. 애드리브 스케일이라든가 그런 거. 그 친구도 블루스를 좋아했었거든요. 약간 재지(Jazzy)한 음악들. 그러다가 결국은 성격 차이 때문에 그만두었고.

박준흠 : 같은 기타리스트라서 헤어진 이유도 있나요?

엄인호 : 그건 아니고 성격이 안 맞는 거죠. 내가 그 친구하고 여러 번 같이 해보려고도 시도를 했었는데, 결국은 안 되더라고요.

박준흠 : 이정선 씨하고도 계속 안 한 이유도 성격의 문제인가요?

엄인호 : 그랬을 수도 있어요. 하여튼 김영배 그 친구가 편한 성격은 아니에요. 뭐랄까, 남들을 좀 피곤하게 하는 스타일이라고나 할까? 굉장히 주관적이고 그랬는데, 나중에는 점점 피곤해지기 시작하는 거지. 같이 뭐가 하기에는. 나는 그 뒤로도 몇 번 시도하려고 그랬었어요.

박준흠 : 신촌블루스 3집에 참여했잖아요.

엄인호 : 한 곡인가 두 곡인가 쳤는데, 그런데 결국은 같이 못 하겠더라고요. 녹음이야 할 수도 있지만, 공연에서는 서로 성격이 안 맞으면 불편해서 못 하거든요.

박준흠 : 그럴 때는 보통 어떻게 얘기하시나요?

엄인호 : 나는 먼저 그만하자는 얘기는 거의 해본 적이 없어요. 그쪽에서 먼저 그러는 거지, 상대방이 알아서.

박준흠 : 다른 분들도 그랬나요? 그간 상당히 많은 세션이 참여했는데.

엄인호 : 내가 내보낸 적은 거의 없어요. 가수들도 그렇고. 특별한 경우가 아니면, 일례로 대마초나 큰 실수를 했을 때 외에는 굳이 나가라는 얘기는 안 해요. 그런데 뒤에서 이상한 얘기를 하고 다닌다든가, 나에 대해서 욕을 한다든가 안 좋은 얘기를 하면 다르죠. 그때는 내가 참을 수 없잖아요. 그럼 그냥 나가라고 하면 자기가 스스로 알아요. 아, 눈치챘구나. 그런 친구들이 나를 무시 많이 했거든요. 뭐 신촌블루스 그 앨범 곡 들어보면 굉장히 좋더라, 그러면 뒤에서 어, 그거 엄인호 아니야 내가 다 얘기해줘서 그렇게 된 거야, 이런 식.

박준흠 : 그런 얘기를 신촌블루스 초창기에 들으셨던 거예요?

엄인호 : 그렇죠. 한 40대까지 들었어요. 뒤에서 그런 소리 하고 다니는 애들이 계속 있었거든. 결국은 참다 참다 못해서, 야 이제 그만하자.

박준흠 : 보컬리스트 중에서는 없었죠?

엄인호 : 없었을 거라고 난 생각하는데, 밴드 멤버들 중 몇몇이 그런 얘기를 하고 다녔어요. 어떤 후배가 내게 와서 얘기한 적도 있는데, 형, 뭐 누구랑 술을 마셨는데 어휴, 그냥 입에서 침 튀기면서 얘기하던데, 형하고 이정선 씨는 아마추어라는 둥, 자기가 다 가르쳐줬다는 둥, 그걸 편곡이라고 해서 오냐 내가 발로해도 그거보다 낫다는 둥. 진짜 스트레스받죠. 그리고 누가 돈 조금만 더 준다고 해도 그쪽으로 휙 갔다가, 또 거기서 잘리면 또 나 좀 써줘 그런 애들이 몇 명 있었어요.

5) 마이너 블루스(minor blues), 어반 블루스(urban blues)

박준흠 : 선생님께서는 음악을 굉장히 다양하게 들으셨는데, 선생님의 음악을 정립하는데 가장 영향을 준 뮤지션이나 음악은 무엇일까요?

엄인호 : 그런데 막상 내가 본격적으로 작곡을 시작했을 때 영향받은 거는 이런 거예요. 플리트우드 맥이나 〈I'd Rather Go Blind〉 같은 거. 약간 영국적인 블루스. 따지고 보면 레드 제플린은 너무 난해하고, 피터 그린이나 이런 사람들 보면 곡 쓰는 게 좀 단순했거든요. 오리지널 블루스 레퍼토리가 대단히 많잖아요. 거기다가 내가 기타 치는 주법을 이 플리트우드 맥의 피터 그린한테 영향을 많이 받았어요.

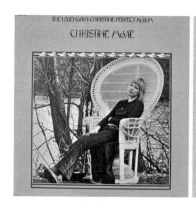 

박준흠 : 좀 구체적으로 얘기해 주실 수 있을까요?

엄인호 : 피터 그린이 다른 밴드들 블루스와 비교하면 '마이너'를 굉장히 좋아하더라고요. 마이너 블루스를 엄청나게 잘하고, 마이너 블루스가 거의 열 곡 중에 적어도 여덟 곡이에요. 아마 피터 그린이 굉장히 좋아했던 건 그런 것 같아요. 그러니까 흑인들도 마이너 블루스가 별로 없었거든요. 그 당시에 비비 킹(B.B. King)이든 굳이 따지고 본다면 있지만, 그래도 피터 그린처럼 그렇게 마이너 블루스를 많이 한 사람이 없었어요.

박준흠 : 좀 더 구체적으로 얘기하면, 피터 그린의 어떤 마이너 블루스가 선생님이 창작하려고 했을 때 가이드가 됐을까요?

엄인호 : 메이저 블루스는 곡에 한국말 가사를 붙일 때 어떤 한계 같은 걸 내가 많이 느꼈거든요. 그리고 우리가 흔히 얘기하는 '열두 소절'에서는 해결이 안 된다, 그럼 해결하는 방법은 뭐냐? 비비 킹이나 이런 사람들처럼 도시적인 블루스로 가야 한다고 생각한 거예요. 〈The Thrill Is Gone〉은 비비 킹의 대표곡이지만 또 따지고 보면 그런 스타일에 가사를 붙이는 건 너무 힘들어요.

박준흠 : 그러니까 그 가사가 영어가 아니라 한국말 가사를 붙이니까 어렵다는 말씀이죠? 영어 가사를 붙일 때는 문제가 없는데, 그런 건가요?

엄인호 : 내가 볼 때는 〈Stormy Monday〉 같은 도시적인 블루스에서 코드가 좀 달라지기 시작하는 거죠. 거기에는 한국말로 가사를 붙여도 굉장히 편해요. 어떤 흐름이 있으므로. 그러니까 마이너를 내가 잘할 수 있었던 것은, 마이너 블루스가 내가 가사 쓰기에는 굉장히 편했던 것 같아요.

박준흠 : 결국에는 피터 그린 등에 영향을 받았던 거는 선생님이 음악을 실제로 만들려고 하다 보니까….

엄인호 : 한마디로 얘기해서 〈루씰〉도 그렇고… 〈루씰〉은 가사를 내가 쓰지는 않았지만, 내가 쓴 곡 중에 보면 〈마지막 블루스〉나 이런 것들이 다 마이너 블루스거든요. 그때는 마이너 블루스로 하면 내가 다양한 멜로디를 또 할 수도 있고. 가수도 마찬가지예요. 메이저 블루스 열두 소절, 가장 기본적인 패턴으로 하면, 가수도 어떤 한계에 부닥쳐

서 자기만의 멜로디를 더는 발전시킬 수가 없어요.

박준흠 : 영미권 쪽 뮤지션들은 메이저 블루스 쪽이 더 많나요?

엄인호 : 그렇죠. 그러니까 특히 흑인들은, 옛날 초창기 때는 마이너 블루스가 별로 없어요. 원래 열두 소절 블루스가 흑인들 취향이고, 다 메이저로 쓰고.

박준흠 : 그 열두 소절 블루스는 가사를 늘려서 쓰려면 좀 이상한 거 같아요. 나는 이런 거 저런 거 했지, 이런 얘기만 하다가 끝나기도 하잖아요. (웃음)

엄인호 : 기승전결을 못 하는 거죠. 한국말 가사를 붙이기가 힘들어요. 물론 지금 후배들이 그런 곡을 한 친구들이 있기는 해요. 그러니까 12소절 블루스를 가지고 한국말 가사를 붙였을 때, 가사 전개가 좀 유치한 거죠. 뭔가 충분하게 설명을 할 수 있는 그런 가사가 안 나오고, 멋진 가사가 안 나오는 거예요. 이정선 씨의 〈건널 수 없는 강〉 같은 경우는 진짜 기가 막히게 곡을 쓴 거예요. 그 코드 진행을 생각해냈다는 게, 이거 대단하다… 야, 이거 멋있네. 도시적인 블루스로 가면서 '열두 소절'을 탈피한 거예요. 그러니까 백인들이 또 좋아할 수밖에 없

었던 거고. 열두 소절은 백인들이 들었을 때는 너무 유치했던 거고…
가사가 뭐 옛날 가사 아니에요?

박준흠 : 비비 킹의 〈The Thrill Is Gone〉에는 그동안 많은 기타리스
트가 비비 킹과 협연도 하고 녹음도 하고 그랬잖아요. 특별히 기타리
스트들이 이 노래를 좋아하는 이유가 뭘까요?

엄인호 : 〈The Thrill Is Gone〉은 마이너이기 때문에 백인들도 좋아
하고 흑인들도 좋아하고… 블루스를 연주하는 사람들이 생각했을 때
는 굉장히 다양하게 칠 수 있는 마이너 블루스예요.

박준흠 : 그 노래 안에서 솔로
파트나 이런 거를 굉장히 다양
하게 연주를 할 수 있는 여지
가 많아서 좋아한다는 의미인
가요?

엄인호 : 그러니까 스티비 레
이 본(Stevie Ray Vaughan)도 그렇고 알버트 킹(Albert King)이나 이런
분들한테 굉장히 영향을 많이 받았잖아요.

박준흠 : 스티비 레이 본은 알버트 킹하고 1983년에 TV 프로그램도 같이 만들었어요. 〈In Session〉이라는.

엄인호 : 마이너는 뭔가 멜로디가 애처롭고 기타를 풀어나가기가 정말 좋고. 메이저 블루스는 어떤 한계가 있거든요. 가령 올맨 브라더스 (Allman Brothers) 같은 경우도 가만히 들어보면 마이너 블루스가 아주 많아요.

박준흠 : 그런데 엄인호가 만든 음악들은 영향받았다고 말씀하시는 음악들하고는 리듬이나 그런 게 다르잖아요.

엄인호 : 그렇죠. 리듬은 다르죠. 그런데 영향을 받은 거는 확실하죠. 내 곡 중에서도 〈바람인가〉 같은 곡은 굉장히 도시적인 블루스로 가려고 그랬던 거예요. 그 당시만 해도 그런 스타일의 곡을 쓰는 사람이 거의 없었으니까. 이정선 씨 외에는 그런 스타일의 곡을 쓰는 사람이 없었어요. 다른 곡은 뭐 그렇다 치더라도 〈건널 수 없는 강〉은 내가 진짜 굉장하다고 생각한 거고, 당시에 그러면 나도 거기에 견줄 만한 곡이 있어? 그렇다면 〈바람인가〉….

박준흠 : 좀 더 질문하면 일례로 〈거리에 서서〉 같은 경우가 처음 들

어갔던 거는 이제 1993년도에 [Super Stage]에서 정경화 씨가 부르 잖아요. 2000년 [Rainbow Bridge]에서는 권진원 씨가 부르고. 그 런데 1993년과 2000년 버전은 리듬이 아주 다릅니다. 2000년에는 '쿵짝 쿵짝 쿵짝 쿵짝' 이렇게 하잖아요.

엄인호 : 그 〈거리에 서서〉가 참 재밌는 게, 원래 정경화가 부른 거는 내 스타일인데, [Rainbow Bridge]는 세션을 박청귀, 박보라는 재 일 교포가 같이하다 보니까 '일본 록' 같은 분위기로 갈 수밖에 없었다 는 거죠. 악보를 그려가서 내가 기타를 쳤는데, 하다 보니까 일본 스타 일로 가는 거예요. 그런데 싫지는 않았어요. 이것도 색다르네? 블루 스치고는 상당히 팝적인 스타일로 간 거고요.

박준흠 : 저는 마음에 듭니다.

엄인호 : 〈거리에 서서〉가 패턴을 보면 블루스예요. 마이너 블루스. 그런데 박청귀하고 딱 만나니까 그런 얘기가 나오더라고. 그래도 싫 지는 않았어요.

박준흠 : 처음에 저는 2000년도에 했던 〈거리에 서서〉 리듬을 선생 님이 연구하셨나, 라는 생각을 했었습니다.

엄인호 : 그게 묘하게 세션을 그렇게 만나면 또 그런 곡이 나와요. 그런데 내가 빨리 판단해야 해요. 어떻게 어떤 식으로 할 건가. 여기서 아니야 그게 아니고, 원래 정경화가 했던 스타일로 가라고 할 수도 있었는데, 내가 딱 들어보니까 "아! 이것도 색달라." 가수가 달라졌으니까. 그런데 또 그것도 매력 있지 않나. 그리고 일본에서 받으려면… 내가 상황파악을 빨리한 거죠. 그런데 거기에 보면 〈LA 블루스〉라고 또 있잖아요. 그거는 굉장히 미국적인 블루스를 한번 해보고 싶어서… 좀 칙칙하게 하면서.

박준흠 : 그 〈LA 블루스〉가 1987년에 미국 가서 그때 만드신 노래인가요?

엄인호 : 미국 갔다 와서 만들었어요. 그 당시에 선셋이나 이런 데 가면 길거리 여자들이 많았거든요. 나는 클럽이라는 데를 가서 술 좀 마시고 싶은데, 음악도 좀 듣고… 잘 모르니까 길거리 여자들한테 물어봤어요. 어디 어디 클럽이 어디에 있냐? 그랬더니, 그 여자들이 그런 얘기를 하더라고. 자기랑 같이 가면 자기가 잘 가는 집이 있는데 데리고 가겠다. 그런데 내 옆에 있는 운전하는 선배나 친구들은 야 됐어, 됐어 그러고… 그런데 그 여자들한테 어떤 영감을 많이 받았죠.

그리고 밤새도록 술 마시고 LA 새벽길을 지나갈 때 보면 길거리에서, 다리 위에서 막 떠드는 여자도 있고 남자도 있고 그렇잖아요. 그때 가사 생각이 막 떠오르더라고요. 내가 처음 느끼는 LA의 황량함, 낮에도 황량하지만, 새벽에 봤을 때 굉장히 묘한, 뭐라 그럴까 어떤 노스탤지어랄까? 이런 맛에 외국 여행을 하는 거지 하는 그런 생각을 했어요. 야, 완전히 영화네. (웃음) 거기에 내가 있다는 그 자체가 너무너무 좋았어요. 영감을 받기 시작하는 거지. 나중에 보니까 내가 봐도 시 같이 썼던 것 같아요.

박준흠 : 지난번 합정동 카페에서 만나 얘기하실 때, 선생님께서 '기타리스트의 손맛이 나는 연주' 그런 얘기를 잠깐 하셨어요. 그 얘기 들으면서 제가 잠깐 생각했던 게 2021년에 했던 [Return of the Legends Vol.5 신촌블루스]에 수록된 〈거리에 서서〉는 선생님 혼자 기타 치시는데, 이 연주가 묘하게 마음에 들던데요. '손맛'을 얘기하는 게 이런 거였나? 라는 생각이 잠깐 들었습니다.

엄인호 : 그렇죠. 리듬 자체가 굉장히 복고적인 리듬이거든요. 나는 이런 데서 사실 벗어날 수가 없어요. 아까도 얘기했지만, 이런 스타일이 샌프란시스코 사운드에요. 〈달빛 아래 춤을〉도 그렇고.

04
부산에서의 DJ 생활

"초량草梁에 '클라이맥스'라는 바(Bar)인데, 외국인들이 자주 오고 그런 곳인데, 거기 LP판이 무지하게 많았어요. 거기서 내가 DJ를 하고 있을 때예요. 그런데 어느 날 전기가 팍 나간 거야. 촛불 켜고 있었죠.

그 바 주인이 '야, 인호야 너 통기타 좀 쳐라, 노래 좀 해라' 그랬죠. 그래서 술김에 내가 노래 부르기 시작하는 거야. 남포동에서 '미녀 삼총사'로 유명했던 여자 친구들이 깜짝 놀라더라고. 자기네들이 들어보지도 못한 기타를 치니까. 롤링 스톤즈의 〈Sister Morphine〉, 〈Wild Horses〉나 폴 사이먼의 〈Boxer〉 같은 거를 하니….

1) 1973년 8월 송도해수욕장. 뜨거운 여름

박준흠 : 1973년 여름에 가출해서 부산에 가신 거고, 연고가 없으셨던 거잖아요. 그런데 그냥 무작정 부산에 가셨다는 이야긴가요? 가서 누구를 만나실 생각이었나요?

엄인호 : 우리 선배 친구 중에 부산 사람들이 한두 명 정도 있었어요. 화실로 놀러 오고 그랬던 사람들인데, 다 친구처럼 지냈어요. 그분들이 가령 라스트 찬스나 이런 분들하고 친구니까. 그분들한테 얘길 들었어요. 어디에 살고 있다는 얘기며 "야, 부산 오면 어쩌고저쩌고"하는 그런 얘기들. 얘기하는 걸 듣다 보면 그분들이 놀던 데가 그 동네더라고, 서면 미군 부대. 그리고 레코드판 가게도 하고 그런 얘기를 들었기 때문에 그냥 막연하게 간 거예요.

그런데 황당하더라고요. 부산으로 막상 도망가긴 도망갔는데, 갈 데가 없는 거예요. 배는 고파 죽겠고 돈도 별로 없었고 그래서 송도로 간 거예요. 난 해운대를 잘 모를 때고, 그때 송도는 알았거든요. 사람들한테 송도해수욕장 얘기를 많이 들어서 무조건 버스 타고 송도로 간 거예요. 영화 같은 얘긴데, 배는 고파 죽겠고 어디 들어가서 잘 데도 없고. 그때 내가 생각한 건 뭐였냐면, 만약에 잘 때가 없을 때는 해변에 있으면 통행금지로 안 잡혀간다. 단순하게 그렇게 생각한 거예요.

그래서 일단은 부산에 갔으니까 바다를 보고 싶지 않겠어요? 그래서 송도해수욕장에 가서 백사장에 앉아 있는데 저만치서 대학생들이 통기타 치면서 놀고 있더라고요. 수박도 쌓여 있고 술안주 이것저것 해서 막걸리 먹고 있고, 자기네끼리 기타를 치고 그러고 놀고 있는데 내가 들어도 너무 유치한 거야. 그래서 그때부터는 체면 불고하고 내가 간 거죠. 그 자리에 가서 "형님들, 제가 기타 좀 쳐 드릴까요?" 그랬더니 "서울 애 아이가? 기타 좀 치나?" 그래서 기타치고 내가 막 놀아준 거예요. 그 당시만 해도 해변에서 춤을 출 수가 있었거든요. 개다리춤이라고 그러죠. 여자들하고 같이 왔으니까 분위기도 띄울 겸 그렇게 된 거죠. 배고프고 그러니까 안주 집어 먹어가면서. 그렇게 신나게 같이 노는 거예요. 나도 담배도 얻어 피고 술도 마시고. 그 대학생들이 내가 기타 치는 거 보고 깜짝 놀랐을 거예요. 그 사람들이 나한테 이것저것 막 물어보더라고요. 그런데 자기네들이 여자한테 관심 있지 나한테 관심 있는 건 아니잖아요. 시간이 어느 정도 되니까 다 갔단 말이에요.

날은 어둑어둑해지는데, 갈 데도 없고 이거 큰일 났구나, 하는 생각을 하고 있는데, 보트장 주인이 나한테 오더라고요. 잠깐 얘기 좀 하자 그래서 갔죠. 보트장 주인이 나를 유심히 봤나 봐요. 서울 앤데 어떻게 왔냐고 그러더라고요. 그래서 가출했다고 솔직히 얘기했죠. 그랬더니 그럼 갈 데 없겠네, 그러더라고요. 그런데 그 사람이 부산 사람이 아니에요. 어딘지는 잊어먹었는데 자기도 여기 혼자 있다고 하더라고요. 보트장에서 수영복도 빌려주고 튜브도 빌려주고 술도 팔고 그런 사람인데 한쪽에 전축이 보였어요. 그렇게 썩 좋은 건 아닌데 하여튼 밖에다 이렇게 스피커 걸어놓고 대나무 발 같은 거 막 쳐놓고 있었어요.

나한테, 뭐 했냐? 기타 좀 쳤냐? 물어봐서 조금 뭐 그냥 그래요 했죠. 왜 가출했냐고 하길래 음악 하고 싶어서 그랬다고 했죠. 부산에 아는 사람이 있냐고 물어서 아는 사람 거의 없고 아는 형이, 학교 선배 친구들이 서면 어디 미군 부대 어디 어디 얘기하면 레코드 가게, 해적판 파는 그런 가게가 있다고, 아는 건 거기까지다. 거기 형 보려면 어떻게 가야 해요? 그러니까 서면의 미군 부대 앞에 레코드판 가게가 있는데 거기 가서 자기를 얘기하면 안다고 하더라고요. 뭐 아마도 그 동네에서 놀던 사람들이야. 마리화나도 팔고.

내게 갈 데가 있냐고 물어서 사실 갈 데 없죠, 돈도 없고… 그랬어요. 그때가 아마 8월쯤이었던 것 같아요. 보트장이 있었으니까요. 간간이 사람들이 수영도 했고요. 그 보트장 주인이 자기도 이거 철수할 때까지 네가 여기 있고 싶으면 있어도 좋다고 그러더라고요. 해서 같이 있었던 거죠. 주말 되면 사람들이 많이 왔어요. 굉장히 바빴어요.

박준흠 : 결국, 아르바이트를 하신 거죠?

엄인호 : 호객꾼 같은 것도 하고 그랬죠. 송도호텔 앞으로 가면 버스 종점이니까 거기에서 가족 단위로 누가 오고 그러면 내가 가서 꼬시는 거죠. 이리로 가시라 하면서. 그러면 서울 사람들은 같은 서울말 쓰니까 "어? 서울 사람이네?" 그러면서 되게 좋아하지. "네, 바가지 안 쓰려면 이리로 가세요." 서울 사람들은 서울 사람을 믿잖아요. 그런 식으로 거기 있었어요. 그런데 같이 있으면서 너무 재밌었던 것 같아요. 매일 술 마시고 그 해변에서 잠도 잤어요. 새벽에는 춥죠. 그래서 미군 슬리핑백 안에 들어가서 자고 했어요. 그래도 밥은 안 굶었잖아요. 술도 마시고 그분도 대마초를 피웠거든요. 그때도 오늘같이 이런 식으로 음악 얘기 많이 하고. 그분도 해적판을 많이 갖고 있었는데 판도 들을 만한 게 있었고, 음악을 굉장히 좋아했던 것 같아요.

그러다가 찬 바람이 불기 시작하면서 드디어 보트를 엎어놓을 때가 된 거예요. 자기도 부산에 대해서 잘 모르는데, 광복동에 가면 이런 집이 있고 '무아 음악감상실'이라는 데도 있고, 무슨 다방이 있고 무슨 다방이 있고를 종이에 적어주더라고요. 한번 찾아가 보라고 했어요. 일

단은 너는 얼마든지 DJ를 할 수 있을 것 같데요. 내가 입담도 좋았거든
요. 매일은 못 되고 일단 시간대로 들어가서 먹고살아야 할 거 아니냐.
심한 얘기로 그 다방에서 영업 끝나고 나면 거기서 의자 붙여놓고 잠
도 잘 거라고. 어쨌든 있을 곳은 만들어 놔야 할 거 아니에요?

  DJ 오디션은 몇 군데를 봤는데, 맨 처음에 본 데가 무아 음악감상실
이란 곳이었죠. 얘기 듣기로는 무아 음악감상실에 가면 거기 메인들
이 다 서울 사람들이니 굉장히 나를 반겨줄 줄 알았던 거죠. 그런데 오
디션을 봤는데 나를 안 뽑더라고요.

무아 음악감상실 (사진출처 : 부산일보)

박준흠 : 경쟁상대로 본 거군요.

엄인호 : 그럴 수도 있고요. 당시만 해도 부산 다운타운의 음악 흐름을 내가 몰랐어요. 그냥 내가 서울에서 듣던, 신촌의 하렘이나 이런 데서 듣던 음악으로만 그렇게 생각했어요.

박준흠 : 그러면 DJ 오디션이라는 게, 딱 판 빼서 틀고 얘기하고, 이게 오디션이었던 거죠?

엄인호 : 그렇죠. 앨범 소개를 하는 건데, 내가 너무 어려운 음악을, 헤비한 음악을 틀었던 것 같아요. 그러니까 단박에 잘리는 거죠. 내가 나중에 느꼈던 건, 거기서 가장 헤비한 음악은 CCR 정도나 어쩌다 트는 거고 대체로 보면 톰 존스(Tom Jones) 음악이나 아주 파퓰러한 음악 수준이었죠. 그게 무아 음악감상실이에요. 그러니까 라디오에서 트는 수준. 당시의 라디오에서 CCR 것도 좀 틀긴 틀었지만 그건 라디오에서 그렇게 많이 나오는 음악이 아니거든요. 그러니까 로보(Lobo)라든가 뭐 이런 것들 그런 정도의 수준. 찰리 리치(Charlie Rich)의 〈The Most Beautiful Girl〉 같은 거.

박준흠 : 당시 서울은 어땠나요?

엄인호 : 서울도 마찬가지예요. 당시에는 종로 쪽은 박원웅(1967년 MBC에 음악 프로듀서로 입사. 라디오 프로그램《뮤직 다이알》의 연출을 담당하다 내부 사정으로 진행까지 맡았는데, 청취자들의 반응이 좋아 정식 DJ로 데뷔했다.《별이 빛나는 밤에》의 '별밤지기'로 활약하다《밤의 디스크 쇼》를 통해 인기 팝 등을 소개해 큰 사랑을 받았다. 이 프로그램의 제목은 이후 DJ의 이름을 내건《박원웅과 함께》로 바뀌었고, 18년간 약 5,400회 방송했다) 쪽 사단이 꽉 잡았는데, 거기 가보면 항상 박원웅 씨 스타일의 좀 고리타분한 음악이나 팝송이나 듣고 그랬거든요. 그리고 DJ들이 감언이설로 그냥, 완전히 라디오 DJ들처럼 표현을 뭘 그리 폼나게 하는지 복잡하고… 우리는 그런 거 안 좋아했으니까. 그냥 음악 딱 틀면서 곡에 대한 해석 같은 거 좀 얘기하고 그랬죠. 음악에 관계된 얘기만 했지, 오늘 날씨가 어떻고 그다음에 뭐 사연 읽어주고 이런 스타일은 아니었거든요.

박준흠 : 서울에서도 흔히 말해 주류의 다방은 그런 스타일이었고, 선생님이 주로 가셨던 하렘이나 그런 데는 전문음악이 나왔던 거죠?

엄인호 : 당시의 서울에서 우리가 자주 갔던 곳은 나한테는 음악 DJ를 맡겨도 괜찮다고 생각한 거예요. 그 정도로 훨씬 빠르게 음악을 들었거든요. 그런데 하물며 부산에서 그런 식으로 틀었으니 말도 안 되는 거지.

박준흠 : 정식으로 DJ가 된 것은 언제인가요?

엄인호 : 그래서 나중에 그 근처에 있는 또 다른 다방에서 오디션을 봤는데, 오디션 보고 있을 때 여러 다방의 주인이 왔었나 봐요. 내가 실망해서 계단을 내려오는데, 한 다방 주인이 나를 부르는 거예요. 수 다방? 내 기억에 수 다방 같은데, 확실하진 않아요. "야, 너 우리 가게에서 음악 좀 틀래?" 그러더라고요. 완전히 땡큐였죠. 그래서 거기에 한 동안 있었던 거예요. 그러면서도 선배를 계속 찾기 시작한 거죠. 시간을 내어 서면 쪽으로도 가보고 하다가 선배를 만난 거예요. 선배들도 계속 다방에 있었던 것 같아요. 의자 붙여놓고, 아니면 방이 있는 데는 주방장이랑 같이 자기도 하고.

2) DJ 홍수진과의 만남

박준흠 : 부산에서 인기 DJ가 되신 건 언제쯤인가요?

엄인호 : 인기라기보다는 뭐… 음악 듣는 사람들이 나를 좋아했겠죠. 그러다가 그 사람들이 나한테 얘기를 해주는 거예요. 어느 곳에 가면 누가 있는데 그 사람 음악이 굉장히 좋다고. 그중에 한 분이 홍수진 씨예요. 부전동의 다방에 계셨는데 그분이 음악을 트는 게 너무너무 좋은 거죠. 당시에 핫 투나(Hot Tuna) 이런 음악을 틀면서 제퍼슨 에어플레인(Jefferson Airplane)도 틀고, 머리 긁적이면서 밥 딜런(Bob Dylan)도 틀고 뭐 바닐라 퍼지(Vanilla Fudge) 이런 음악을 틀면서 자기 나름대로 막 열변을 토하는데, 너무 좋았죠.

　그러고서 그냥 말았는데… 어느 날 남포동인가를 지나갔는데, 그날 비가 무지하게 많이 왔어요. 소나기 같은 게. 그래서 피할 데가 없어서 남포동에서 이렇게 서 있는데, 입구에 보니까 뭐 사이키델릭 그림인 것 같은 게 막 그려져 있고. 그런데 밖에 나와 있는 스피커에서 나오는 DJ 목소리로 이분 목소리가 딱 들리는 거죠. 그래서 들어가서 저 기억하시냐고 그랬더니, "아! 기억한다! 아직 부산에 있나!" 그러더라고요. 그렇다고 했더니 "뭐 하네?" 그래서 "그냥 여기저기 DJ 하고 있습니다. 마음에 안 드는 데지만….” 그랬더니 “어, 그래 그러면 나하고 같이 있자.” 그래서 내가 거기서 보조로 있었던 거예요.

박준흠 : 1974년 여름 정도 되겠네요.

엄인호 : 내려가서 한참이 지났을 때예요. 그때는 내가 어느 정도 DJ로 자리를 잡았을 때거든요. 그렇게 같이 술도 마시고 여기저기 놀러 다니고. 그때 이분한테서 그 스타일을 배운 거예요. DJ라는 게 꼭 우리가 아는 박원웅 씨의 방송 DJ같이 할 필요가 없다. 이분처럼 음악을 틀면서 길게는 아니지만, 나름대로 해석을 해서 소개하는 그런 멋진 스타일이 나는 마음에 들었어요. 그래서 그때부터 영어 사전이나 이런 거 갖다 놓고 짧은 영어 실력이지만 내 나름대로 가사에 대해서 해석도 하고 그러다 보니까 내가 음악 틀면 외국 사람, 외국 군인, 당시 표현으로 좀 심하게 얘기하면 뱃놈이라고 그러죠… 외국 외양 선원들 이런 친구들이 오기 시작하니까 자연스럽게 내가 초량으로 가게 되고. 외국 사람들이 많이 오는 그런 데가 나한테도 취향에 맞았고. 그래서 간 데가 외양 선원들, 외국인들하고 미군들이 많이 오는 데를 가기 시작한 거죠. 나도 음악 듣는 데 아무 제약도 안 받고 하니까.

그러다가 이런저런 단속 나오고 그러면 도망간 곳이 진주였어요. 거기에 '카타리나'라는 데가 있었어요. 얘기하자면, 원래 서강대학교 다녔던 여자인데 서울에서 만난 거예요. 그 친구가 나하고 나이가 같았어요. 내가 서울에 올라왔을 때 그 친구를 알게 됐는데 서울에서도 간간이 보고 그러다가, 내가 부산에서 DJ 하고 있다고 했더니 자기네가 진양호 있는 쪽에 카타리나라는 카페를 하고 있대요. 레스토랑 같은 걸 하는데, 판을 많이 갖고 있었어요. 그래서 언제라도 부산이 싫증이 나면 자기네 집으로 오라고 그랬거든요.

박준흠 : 그때가 1975년 정도인가요?

엄인호 : 네. 그래서 내가 부산에서 좀 힘들어지고, 나를 잡으러 다니고 그러면 진주로 도망간 거예요.

박준흠 : 울산도 가셨다고 하는데.

엄인호 : 네. 울산에서 홍수진 씨나 이런 분들이 거기서도 DJ를 하고 있으니까 거기도 가곤 했죠. 그게 홍수진 씨가 MBC 들어가기 전? 아마 초창기 방송 DJ로 들어갔을 수도 있어요. 그러다가 거기서 특채 비슷하게 돼서 결국은 직원이 된 건데, 맨 처음에는 방송 프로 맡아서 DJ를 했던 거로 기억해요. 그때 홍수진 씨를 만나러 울산도 가고, 일종의

도망간 거예요. 그때 내 뒤따라서 온 친구가 누구냐 하면 김영배예요.

박준흠 : 김영배 씨는 갑자기 왜 왔습니까?

엄인호 : 사실은 자기도 밴드 한다고 왔는데, 아마 밴드 했을 수도 있어요. 그래서 울산 같은 데서도 만나고, 나이트클럽에서 음악 하고 있더라고요.

박준흠 : 그러면 이때는 김영배 씨가 이정선 0집(1974년) 녹음하고 나서네요.

엄인호 : 이수만 씨 밴드도 잠깐 했었거든요. 그러다가 얘 역시도 방랑끼가 있으니까 나오고. 하여튼 울산인가에서 영배를 만났다고요. 내게 "밴드를 같이 하지 않을래?" 그랬는데, 나는 걔네들 스타일이 마음에 안 들었어요. 그때는 걔네들이 흑인 음악을 많이 했거든요. 그리고 이미 그 밴드에는 스폰서가 있었어요. 울산의 홍수진 씨하고 친구인데, 무슨 호텔 사장이에요. 그 호텔 이름도 다 잊어먹었는데, 1층에 사우나가 있었던 정도만 기억나는데, 영배가 나보고 같이 있자고 그러더라고요.

그런데 나는 여자 친구도 부산에 있고, 언제라도 도망갈 준비를 해야 하니까.(웃음) 그때는 내가 막 쫓길 때예요. 마약반에. 내가 좀 높이 올라가 있었던 거죠. 진주로 도망갔다가 또 서울로 올라갔다가 좀 잠잠해지고 그러면 또 내려갔다가 그럴 때였어요. 부산에서 진주로 도망가고 어떤 때는 울산에도 잠깐 있고. 호텔이 있으니까, 또 홍수진 씨도 거기 있고 하니까 숙식에 대해서 그렇게 크게 걱정을 안 할 때거든요. 빌붙어서 살 때니까. 진주는 진짜 내 집처럼 편안했고. 그때 이 도시 저 도시에 여자 친구들이 있었어요. 그런데 진짜 내가 좋아했던 여자는 부산에 있었고.

3) 김민기, 한대수… 정태춘과의 만남

박준흠 : 김민기, 한대수 음반은 언제 들으셨나요?

엄인호 : 먼저 방송에서 들었어요. 라이브로 하는 거. 〈아침이슬〉인지 기억은 안 나는데 뭐 하여튼 들은 것 같아요. 그리고 어느 때부턴가 한대수 〈바람과 나〉 같은 것도 들었고. 부산인가 진주에선가 한대수 씨의 고무신 걸린 음반을 들었고.

박준흠 : 김민기 노래를 들었을 때는 어떠셨어요.

엄인호 : 좋았죠. 나는 록 음악을 굉장히 좋아했었는데 어떻게 보면 포크도 굉장히 좋아했어요. 포크에서도 어떤 사람을 좋아했냐면, 밥 딜런. 왠지 끌리는 거 있잖아요? 물론 가사, 그 당시에 반전 가사도 막 있고 그럴 때인데. 오리지널 포크보다는 포크 록 쪽으로 가면서 통기타도 하지만 일렉트릭 기타 가지고 나올 때, 그때가 레퍼토리가 〈Like a Rolling Stone〉 이런 거부터 굉장히 좋아하기 시작했어요.

노래는 그렇다 치더라도 이거 뒤에 세션이 너무 멋있는 거야. 그러니까 알 쿠퍼나 마이크 블룸필드가 오르간, 기타 연주하니까. 물론 밥 딜런이 〈Blowing in The Wind〉 노래할 당시 통기타 하나 가지고 했었을 때도 좋기는 해요. 가사가 굉장히 멋있더라고요. 그리고 존 바에즈 (Joan Baez)도 내가 좋아했었는데. 그 어느 날인가 봤는데 밥 딜런이 일렉트릭 기타를 잡고 연주를 막 하는데, 그런 곡들이 굉장히 길잖아요. DJ들은 굉장히 긴 곡을 선호하거든요.

박준흠 : 곡이 나갈 때 쉴 수 있으니까….

엄인호 : 그래서 DJ 할 때 밥 딜런 음악도 굉장히 많이 틀었어요. 그중에서 김민기 씨는 첫 앨범 빼놓고는 이제 기억이 없죠. 한대수 씨는 밥 딜런 영향을 많이 받았다고 생각했어요. 1집에 있는 〈물 좀 주소〉, 〈슬픈 옥이〉 같은 노래를 좋아했어요. 그런데 어느 날 보니까 이정선 씨하고 같이 앨범 낸 게 있더라고. 그게 〈고무신〉 들어있는 음반이죠.

박준흠 : 1975년에 2집 발표합니다.

엄인호 : 부산에 있던 홍수진 선배가 한대수 씨를 좋아했어요. DJ를 하다 돌아가셨어요. 이정선 씨는 별로 얘기를 안 하는데 김민기하고 한대수 씨를 그 형이 굉장히 칭찬을 많이 했어요. 그러다가 정태춘도 그 형 때문에 알게 됐거든요. 그 형이 굉장히 포크를 좋아했고, DJ 박스에 앉으면 막 열변을 토하고 그러는 사람이었어요. 최백호는 같은 고향 친구라서 홍수진 씨가 나이가 훨씬 많은데도 친구처럼 지내더라고요.

박준흠 : 이분 얘기하면서 일반 DJ하고는 다르다고. 그러니까 뭐랄까, 음악을 해설하고 그랬다고 얘기하셨는데.

엄인호 : 자기 주관도 막 얘기하고 굉장히 열정적이에요. 어떻게 보면 좀 위험할 정도로.

박준흠 : 유신시대(維新時代)인데 좀 비판적인 얘기를 섞어서 했다는 얘기인가요?

엄인호 : 네. 그래서 굉장히 위험한데? 라고 생각을 했어요. 뭐 잡혀간 적은 없지만.

박준흠 : 경찰이 다방까지 오겠습니까? (웃음)

엄인호 : 아니, 옛날에는 머리 자르러 들어오기도 하고 그랬던 것 같아요. 그리고 같이 또 잡혀가지고… 그날이 정태춘을 만난 날이었던 거 같아요.

박준흠 : 언제죠?

엄인호 : 부산에서 박은옥 씨가 DJ 했을 때였어요. 막걸리도 팔고 했는데, 약간 꼬질꼬질한 그런 집이었어요. 서울 무교동 막걸릿집에서 밴드도 나오고 그랬던 거 비슷한데. 정태춘 씨가 거기서 통기타 치고 노래를 불렀어요.

박준흠 : 두 분이 사귈 때였나…?

엄인호 : 나중에 보니까 정태춘 씨가 결혼한 여자가 박은옥 씨더라고요. 그날 내가 홍수진 씨하고 술이 떡이 돼 가지고, 어깨동무하고 가다가, 커피숍에 들어가 있는데 경찰이 우리를 잡으러 온 거예요. 그런데 그전까지만 해도 경찰들이 그 형도 그렇고 나도 그렇고 외국인으로 생각하고 있었던 거로 알고 있어요.

박준흠 : 동남아시아 사람으로요?

엄인호 : 이 형이 완전히 필리핀 사람처럼 생겼거든요. 약간 뭐라 그
럴까? 폴리네시아, 약간 묘한 얼굴이에요. 경찰이 들어와서 말을 시
켰는데, 이 형이 경상도 말을 한 거야. 그래서 이것들 봐라? 이제 보니
까 '국산'이네, 그래서 둘이 잡혀 들어가요. (웃음)

박준흠 : 장발로 걸린 거죠?

엄인호 : 둘 다 머리가 엄청나게 길었거든요. 거기다 이제 무단횡단을
했으니까.

박준흠 : 그 당시 외국인은 봐줬나요?

엄인호 : 그들은 못 건드리죠. 남포동 파출소는 내가 처음으로 잡혀간
곳 같아요. 경찰들도 그간 외국인인 줄 알고 안 잡았던 거예요.

박준흠 : 그러니까 지금 말씀하시는 날이 그때 박은옥 씨가 DJ하고,
정태춘 씨가 통기타 치면서 노래하는 걸 본 날이라는 얘기죠?

엄인호 : 예. 아마 그날이 내 생일이었어요. 그래서 "형, 내가 오늘 생
일이야." 그랬더니 "아, 그러면 오늘 죽자" 그러더라고요. 그래서 나를

데리고 간 데가, 정태춘이 노래하던 데였어요. 거기서 술 마시고. 정태춘도 내가 알기로는 뭐 남의 곡 부르고 외국곡 불렀던 거 기억나요. 레너드 코헨(Leonard Cohen) 노래 거 같은 거 했던 거 같아요. 홍수진 씨도 코헨을 굉장히 좋아했고, 내가 코헨을 좋아하게 된 이유도 홍수진 씨 때문이죠.

박준흠 : 밥 딜런은 포크록 쪽이기 때문에 선생님하고 취향이 맞을 수도 있을 것 같은데, 레너드 코헨은 사실 음악 자체가 좀 어렵잖아요?

엄인호 : 그 형이 코헨 노래를 틀면서 그걸 자기 딴에는 해석해가면서 굉장히 시적으로 표현을 했기 때문에, 코헨이란 사람이 그런 사람이었어? 라는 생각을 했어요. 그렇게 듣다 보니까 노래가 대단히 차분하고 좋더라고요. 그래서 내 나름대로도 사전을 가져다가 나머지 곡들을 해석도 해보고 그랬는데, 이게 표현이 너무 좋더라고요. 외국 노래를 번역하면서 시적으로 표현했다는 것 자체가 그 형이 시詩를 충분히 쓸 수 있고, 평론을 할 수 있는 재능을 갖고 있었던 거죠. 물론 그 당시에도 시를 쓴 거로 알고 있어요. 낙서 비슷하게 벽에다가 자기가 쓴 글을 막 써놓고, 그림도 그렸고. 이 형은 다방면으로 죽인다, 라고 생각했죠.

4) 부산에서 만난 여인, 창작의 원천 소스

박준흠 : 서울 갈 때까지 만나셨다는 여자분은 언제 사귄 건가요?

엄인호 : 초량에서… 하여튼 어디선가 내가 음악을 트는데, 이 친구들이 온 거예요. 세 명이 있었는데 나중에 알고 보니까 남포동이나 광복동에서 '미녀 삼총사'로 유명했던, 굉장히 인기가 좋은 삼총사였어요. 누구나 보면 휙 갈 정도로. 그 당시에 선배들도 그렇고 홍수진 씨 밑에 친구들이나 이런 분들도 얘네들은 다 좋아했더라고요. 나중에 나하고 사귀게 되었으니까 그걸로 끝이지.

박준흠 : 1975년 무렵부터 사귀신 거예요?

엄인호 : 아마 그랬을 거예요. 언제 알았는지 정확하게 기억이 안 나는데 잠깐 보고, 안다고 할 정도까지는 아니고 그러다가 내가 서울을 갔었나? 하여튼 서울에 갔다가 다시 부산에 내려갔으니까. 그때는 전화번호도 모르고, 내가 전화번호도 알 일도 없고, 그런데 우연한 기회에 초량에서 다시 만난 거예요. 누가 나를 보고 자기 친구한테 연락해서 "야, 인호가 왔다더라." 그래서 나를 만나러 온 거예요. 나도 깜짝 놀랐던 거죠.

박준흠 : 혹시 나이 차이는 어느 정도?

엄인호 : 나보다 어렸는데 세 살, 네 살? 그렇게 큰 차이는 나지 않았어요. 그런데 내가 부산에 내려가면 알게 모르게 소문이 나요. 얘네들이 우리 선배들을 다 알고 있었으니까. 그러니까 자기네끼리 얘기할 때 서울에서 온 인호가 어디 있다더라. 그런 얘기하고 하다가 누가 나를 보러 온 거죠. 나는 엄청나게 반가웠죠. 이쁜 애들이 찾아왔는데 얼마나 좋아요.

박준흠 : 여대생들이었나요?

엄인호 : 내가 알기로 두 명은 대학생이 아니었고, 한 명은 대학생이었던 걸로 기억해요. 하여튼 자주 만났어요. 초량에 '클라이맥스'라는 바인데, 외국인들이 자주 오고 그런 곳인데, 거기 LP판이 대단히 많았어요. 거기서 내가 DJ를 하고 있을 때예요. 그런데 어느 날 전기가 팍, 나간 거야. 그랬더니 뭐가 어떻게 됐는지 모르지만 엄청나게 오랫동안 전기가 안 들어오더라고요. 그런데 거기에 통기타가 있었어요. 내가 갖다 놨나? 아, 진주에서 내가 DJ 월급 가지고 통기타를 샀거든요. 지방에서 심심하니까 나도 기타를 산 거죠. 아무튼, 그렇게 전기가 나갔는데 그 바 주인이 홍수진 선배 친구거든요. 그분이 "야, 인호야, 너 기

타 좀 쳐라, 노래 좀 해라." 그랬죠. 그땐 그냥 팝송을 엄청나게 많이 할 때거든요. 비틀스 것도 하고, 〈Don't Let Me Down〉 같은 것도 내가 통기타 가지고 혼자서 노래 부를 때예요. 롤링 스톤즈 것도 하고 그럴 때인데, 마침 그날 전기가 나간 날 이 친구들이 온 거야. 얘네가 예쁘게 생겼으니까 카페 바 주인이 술도 막 공짜로 주고 그랬어요.

 외국인도 좀 있고 그런 데서 선배가 나보고 기타 치라고 그러니까 술김에 내가 노래 부르기 시작한 거야. 여자 친구들이 깜짝 놀라더라고. 자기네들이 들어보지도 못한 기타를 치니까. 그 당시에는 통기타 친다, 그러고선 밤일하는 애들이 어니언스 노래나 하고 그럴 땐데, 이거 뭐 롤링 스톤즈의 〈Sister Morphine〉, 〈Wild Horses〉나 폴 사이먼(Paul Simon)의 〈Boxer〉 같은 거를 하니… 그런데 부산 애들보다는 내가 발음이 엄청나게 좋거든. 내가 옛날에 영어 발음이 굉장히 좋았어요. 흔히 얘기해서 친구들이 "야, 너는 원단이다."라고 그랬어요.

박준흠 : 거기다가 촛불 켜고 부르셨으니….

엄인호 : 〈Sister Morphine〉 이런 거… 그 당시에 외국 애들은 그냥 스스럼없이 마리화나 꺼내서 피우고 그랬거든요. 우리는 걸렸지만, 당시 경찰들도 외국인들은 못 건드렸거든. 그래서 나도 좀 얻어서 피

우고, 거기서 뭐 굉장한 걸 많이 했어요. 여자애들이 봤을 때 깜짝 놀라는 거지. 야, 얘가 그냥 단순한 DJ가 아니구나. 아마 그 여자 친구가 나를 그때 좋아했던 것 같아요. 그날 이후 거의 매일 찾아왔거든요. 그 친구도 음악 듣는 거 좋아했으니까. 또 그 친구한테 내가 들려주고 싶은 거는 이런 음악들, 너무 헤비하지도 않고 〈Wild Horses〉 같은 거라든가… 내가 불렀던 곡이니까 자기 나름대로 굉장히 좋아하고, 내가 틀어주는 음악을 다 좋아했던 것 같아요. 그러다가 어느 순간에 갑자기 레너드 코헨 것도 틀고 밥 딜런 것도 틀어주고. 음악으로 꾄 거죠. 그렇게 해서 굉장히 오랫동안 사귀었어요.

 그 여자 친구 집이 서면 부전동인데, 바로 옆 근처에 북부산경찰서가 있었어요. 굉장히 위험한 상황인 건데 내가 도박을 한 거지. 둘이 데이트하려면 뒷길로 해서 거기까지 쭉 걸어가는 거예요. 초량에서 시작해서 걷다가 뒷길로 수정동인가 그런 뒷길로 해서 남포동도 마찬가지예요. 뒷길로만 해서 가는 거죠.

박준흠 : 그 와중에 〈골목길〉이 나온 건가요?

엄인호 : 아뇨. 그건 또 한참 뒤고. 그러다가 진주로도 도망갔다가 또 오고, 서울로 갔다가 다시 내려가고. 그때마다 내가 내려왔단 소문이 금방 퍼지니까 그러면 또 만나서 데이트하다가… 그때 남포동에 있는 '작은새'가 이제 마지막 종착지라고 생각했어요. DJ로 들어갔는데, 당시에 내 바로 전에 누가 있었냐면 DJ가 아니고 임창재 씨가 거기 명예 사장, 바지사장이었죠. 그래서 카페 이름이 '작은새'에요.

거기에 또 배경모 씨가 MBC PD였잖아요. 그분이 〈열애〉 같은 거 만들고 그랬던 거예요. 배경모 씨가 최백호 씨나 이런 사람들 앨범을 만들어 준 거죠. 그런데 나는 그 전에 홍수진 씨 그분 때문에 최백호 씨를 부산대 앞에서 만난 거예요. 홍수진 씨 선배가 부산대학 앞에서 DJ를 하고 있는데, 내가 가끔 찾아갔거든요. 술 마시고 싶으면 들르고 그랬는데, 그때 최백호 씨가 처음 나타난 거예요. 노래를 부르는데 너무 잘하는 거예요. 물론 자기 오리지널 레퍼토리가 없을 때예요. 팝을 불렀는데 아마도 내 기억에 코헨 것도 부르고 그랬던 것 같아요. 어우, 굉장히 목소리가 매력 있더라고요. 뭐 기타는 별론데. 그때 최백호 씨를 처음 본 거예요.

남포동 '작은새'라는 데서 일을 했는데 임창재 씨가 원래 주인하고 좀 불미스러운 사건 때문에 헤어진 거예요. 그런데 그 집이 DJ도 DJ지만, 굉장히 유명해진 건 서울에서 유명한 가수들이 내려와서 노래한다는 거예요.

박준흠 : 남포동 '작은새'에서 일을 한 거는 언제 정도부터인가요?

엄인호 : 1976년 정도 될 것 같아요. 내가 생각할 때는 그 집이 마지막 집이었으니까. 여기가 이제 마지막이라고 생각했고, 서울로 올라가고 싶었는데 못 올라가는 건 그 여자 때문에 그런 거예요. 어떻게 해야 하나 계속 망설이고 있었던 거지. 그때 이정선 씨도 거기에 내려왔어요.

박준흠 : 1978년 초 정도죠?

엄인호 : 예. 영배도 거기 잠깐 있었어요. 아마 거의 비슷한 시기에. 아, 나보다 조금 빨랐겠다. 영배가 거기서 통기타치고 또 노래도 부르고 그랬던 것 같아요. 그런데 영배로서는 짜증이 나는 게, 임창재나 이런 사람도 있고 그러니까 기를 못 펴거든. 걔 성격에 그런 거 못 본다고. 이종용 씨나 이런 사람들이 오고, 〈너〉 불렀던 사람 있죠? 이런 사람들도 오고 그러면 뒤에서 반주도 해주고 그랬던 것 같아요. DJ라기

211

보다는 거기서 음악도 틀고, 가수들 내려오면 기타도 쳐주고 그랬던 거로 알고 있는데, 그러다가 영배도 나 따라서 진주도 왔다 가고 그랬어요.

서로 왔다 갔다 할 때인데, 어느 날부터 그 작은새라는 곳에서 내 위치가 확 달라지기 시작한 거예요. 그 가게 주인이 대마초를 엄청나게 좋아했어요. 음악도 좋아하고. 그런데 이분이 굉장한 부잣집 아들이었거든요. 내가 알기로는 서울에 있는 우리 선배하고도 굉장히 친했어요. 이분이 부산에서 굉장한 부잣집 아들인데 자기 나름대로 카페를 차린 게 작은새예요. 그때, 이수만 같은 경우는 후배이고, 이종용 씨나 이런 사람들은 임창재 때문에 알게 된 거고. 그러니까 방송으로 내려왔던 가수들은 다 이 집에서 노래했었어요. 그 정도로 잘 해줬고 또 장사가 잘됐어요. 그런 분들이라면 그냥 미어터지는 거 아니에요?

그런데 불미스러운 사건 때문에 임창재 씨하고 헤어지게 되고, 그 PD하고도 헤어지게 되고. 그러니까 이 주인으로서는 사람들한테 실망을 많이 하고, 돈도 많이 날린 거로 알고 있어요. 그런데 나한테 그렇게 관심을 많이 두지는 않았어요. 잘해주긴 잘해줬지만. 그분이 내가 기타를 친 걸 몰랐어요. 그냥 기타 못 치는 사람은 없으니까 조금씩은 다 치나 보다 그랬던 거죠.

나는 대청동이라고 국제시장 뒤쪽의 다다미방에서 혼자 자취할 땐데, 밥은 거의 거기서 먹을 일이 없죠. 잠만 자면 되니까. 여자 친구가 가끔 거기로 찾아와서 같이 뜬구름 잡는 얘기나 하다가 가고 그럴 때예요. 이 주인이라는 분이 하루는, 같이 술 한잔하자고 그러더라고요. 왠지 나에 대해서 좀 알고 싶었던 게 있었던 것 같아요.

그때만 해도 대마초 피울 줄 안다는 거 숨기고 있었는데, 나를 시험해본 건지 모르겠는데, "어, 너 술 마셔, 술 갖다 마셔." 그래서 나는 술을 마시고 있었고 그분은 대마초 피우고 여자 친구가 옆에 있었어요. 그분이 이런 얘기 저런 이야기 하면서 나에 대해서 이것저것 물어보더라고요. 그래서 이러저러하다고 그랬더니 자기 나름대로 나에 대해서 어느 정도 파악을 하고 이제 관심을 두기 시작한 거지. 음악 듣는 거는 익히 알고 있었고. 그리곤 "나, 갈게" 그러더라고. 여자 친구가 있었으니까. 그래서 근처에 어디 호텔로 간 거로 알고 있어요. 그날 나한테 열쇠를 하나 주고 갔어요. 홀 열쇠를요. 이제는 나를 믿나보다 싶어서 한편으로 기분이 좋았지.

그런데 대마초 혼자 피우고 있는 거 보니까 나중에 형님 한번 줘보세요, 그러고 피우는 척하면서 깊게 들이마셨지. 이미 주인도 그 당시에 나를 형이라고 불렀던 것 같아요 형이 속으로 이놈도 마리화나 선수네, 라고 느꼈을 거예요. 나한테 열쇠를 주고 가서 아주 간 줄 알았거든요.

술도 마셨고, 그냥 기분이 울적하고 한편으로는 뭔가 막 노래하고 싶더라고요. 그래서 다른 덴 다 끄고 무대 불을 다 켠 거예요. 혼자서 기타치고 노래를 막 하고 있었어요. 마이크 켜놓고 조그맣게. 그런데 그 형이 "아, 이거 내가 실수했구나. 얘를 혼자 거기다 두고 오는 게 아닌데" 싶어서 같이 자자고 나를 다시 데리러 온 거예요.

내가 알기로는 여자를 먼저 보내고 같이 자자고 나를 데리러 왔는데, 난 그것도 모르고 혼자서 노래를 냅다 하고 있었거든요. 그러니까 그 형이 봤을 때는 깜짝 놀란 거지. 저놈이 그냥 DJ인 줄 알았고 기타도 그냥 어느 정도만 칠 줄만 알았는데, 아니거든. 자기가 봤을 때 완전히 선수거든. 영배가 "형, 쟤도 기타 잘 쳐요." 그랬는데 당시, 나한테 별로 관심이 없을 때였으니까. 그런데 기타 치는 거 보고 깜짝 놀란 거죠. 그런데 난 그것도 모르고 문 열고 들어오는 줄도 모르고 나 혼자서 그냥 맛이 가서 난리굿을 죽이고 있었던 거예요. 하다못해 문 열리는 소리도 내가 못 들은 것 같아.

그래서 한 몇 곡 하는 걸 봤나 봐요. 나로선 당황한 거죠. "형, 죄송해

214

요." 그러니까 괜찮다고 앉아봐라, 그래서 앉았더니 왜 자기한테 거짓말했냐? 그래서 "거짓말한 거 아닌데요." 했죠. 그러니까 "너 기타 정말 잘 치는데, 부산에서 너 따라갈 사람이 없다." 그러는 거 있죠. 그래서 영배한테도 자기가 약간 얘기를 들은 적이 있는데 영배하고는 또다른 맛이 있다, 네가 원하면 가끔 올라가서 노래 불러도 좋다고 그러더라고요.

  그런데 그런 데서 팝송 불러서 뭐 해요. 별로 무대에 올라가고 싶은 마음은 없더라고요. 그래서 그러고 있었는데 나한테 뭐라고 그랬냐면, 그 형이 "야, 너 가수들 좀 아냐?" 그러더라고요. "예, 뭐 이렇게 선배들 통하면 가수들 좀, 포크하는 사람들 좀 알죠." 했더니 그러면 "서울에서 가수들을 네가 좀 데리고 와봐" 이제 방송국하고 절연됐으니까 내가 서울에다가 연결한 거예요. 그래서 서울에 있는 선배들한테 "형, 여기 부산 내려올 가수가 누구 없을까?" 그랬더니 양병집 이런 사람들이 온 거예요. 그러다가 몇몇 가수들이 내려왔는데 하여튼….

5) 이정선과의 만남

박준흠 : 포크 쪽으로 뮤지션들을 섭외했는데, 그중에 이정선 씨도 있었던 거죠?

엄인호 : 이정선 씨하고 연락이 됐던 것 같아요. 그때는 해바라기가 깨졌을 때니까. 그래도 주인 형은 싫건 좋건 간에 어쨌든 서울에서 유명한 사람이 내려왔으니까 밑에서 보고 있었거든요. 이정선 씨 스테이지를 내가 봐줬거든요. 음향 같은 것도 다 내가 만져주고. 나도 이정선 씨를 어느 정도 알 때니까… 뭐 친하지는 않았지만. 어떻게 됐든 영배 때문에 관계는 좀 있었거든요.

 그때 나름대로 그 주인 형이 이정선 씨한테 무슨 얘기를 하고 있는데 내가 같이 앉았거든요. 음악 끝났으니까 나도 옆에 와서 앉았지. 그 형이 이정선 씨하고 얘기하면서 갑자기 황당한 얘기를 하는 게 뭐냐면, 자기가 이정선 씨 음악을, 해바라기 음악도 들어보고 했는데 오늘은 혼자 하니까 좀 뭐라 그럴까, 아주 단도직입적으로 얘기해서 재미없네요. 이런 식으로 얘기한 거야.

 그래서 나는 속으로 아주 뜨끔했죠. 그랬더니 이정선 씨가 쑥스러우면서도 자기도 그걸 어느 정도 좀 수긍을 한 것 같아요. 해바라기를 하다가 혼자 노래 부르니까 얼마나 썰렁해. 관객들 반응도 별로 없고 하니까. 그 카페 주인이 한 살인가 위였어요. 원래 부잣집 아들 특유의 약간 거만함 그런 게 있어요. 의외로 음악도 많이 알고. 이 형이 갑자기 제의한 게 뭐냐 하면 "혹시 인호 알죠?" 그러더라고요. 정선 형이 "오, 알아요. 영배도 알고. 인호라는 친구는 같이 해본 적은 없는데 해바라기 할 때 자주 놀러 와서…" 그렇게 말을 하고.

해바라기 공연 중에 가끔 관객 중에서 불러내고 그러면 항상 사람들이 나를 밀어 가지고 나가서 같이 기타치고 그랬거든요. 그때 카페 주인 형이 "내가 알기로는 기타 잘 쳐요." 그래요. 이정선 씨가 "아 그래요?" 하고. 기타를 곧잘 친다는 것은 자기도 알고는 있었거든. 그런데 주인 형이 "혹시 내일 낮에 아예 호텔에서 엄인호하고 같이 연습한 후 공연할 수 있을까요?" 그러더라고. 그때 그 카페에 있는 손님 중에서 나를 좋아했던 여자들이 많이 왔었거든요. 그러니까 이정선 씨가 좀 자존심 상할 수두 있었겠지만, ㅣ보고 할 수 있겠어? 그러더리고요.

〈섬소년〉 같은 건 내가 굳이 할 일이 없는 거고, 그 당시 해바라기 유명한 곡들은 내가 다 꿰뚫고 있었거든. 거의 외우다시피 했을 거예요. 그래서 뭐 나는 할 수 있다. 그리고 나는 여기서 뭔가 새로운 길을 찾고 싶었던 거지.

그래서 부산호텔인가 거기 낮에 내가 찾아간 거예요. 업소에 있는 통기타 들고. 그래서 이정선 씨하고 잠깐 맞춰봤죠. 이정선 씨가 뭐 불만은 없는 것 같았어요. 솔직히 얘기해서 내가 리듬을 훨씬 잘했어요. 리듬 치는 거는 자기가 볼 때 깜짝 놀랄 정도로, 폴 사이먼이나, 하다못해 롤링 스톤즈에서부터 그런 리듬을 쳤던 사람이 이정선 씨 기타 리듬 보면 아무것도 아니죠. 내가 기타 치는 거 보면서 아마 이정선 씨도 깜짝 놀랐을 거예요.

박준흠 : 같이 연주했던 레퍼토리가 뭐였나요?

엄인호 : 〈구름, 들꽃, 돌, 연인〉에서부터 해서 뭐… 다 해바라기 곡이죠. 그때는 〈산사람〉이나 이런 건 없었지. 이제 같이 무대에 올라간 거예요. 그러니까 이정선 씨보다도 내가 거기서 스타가 된 거지. 거기 남포동 DJ 했던 놈이 무대에 갑자기 딱 올라가서 기타 치는 거 보니까 부산에 우리 카페에 왔던 팬들은, 특히 여자들은 막 환호성 지르고. 완전히 깜짝 놀라는 거지.

  그때 카페 주인이 나보고 네가 이제 주도권을 갖게 됐다고 그랬어요. 스테이지 주도권도 그렇고 DJ도 오디션을 내가 보고. 뭐 특별히 오디션 볼 일도 없어요. 음악만 알면 오케이야. 그리고 DJ가 괜히 DJ박스 들어가서 괜히 주절주절 얘기하지 마라, 나는 그거 제일 싫어하니까. 이 선배도 싫어했고. 음악만 잘 틀면 돼. 괜히 DJ박스 들어가서 주절주절 얘기하는 거 난 싫다. 통기타 치는 사람들이 무대 위에서 주절주절 얘기하는 거는 그래도 그나마 좀 유명한 사람들이니까 참을 만한데, 네가 무슨 일기예보인이냐? 비 오는 날 되면 조잘대고 그런 거 하지 마. 차라리 그런 거 할 바에는 음악이나 잘 틀어. 그러니까 DJ들로서는 부담이 없는 거지. 쓸데없는 얘기를 할 필요가 없거든요. 내 눈치를 많이 봤다니까.

박준흠 : 이정선 씨와의 그다음 얘기를 해주세요.

엄인호 : 이정선 씨가 "서울에 안 올라올 거야?" 그래서 "아, 가긴 가야 해요." 다른 얘기는 안 하고, 이정선 씨가 "서울에 올라오면 같이 해도 재밌을 거 같은데?"라고 했어요.

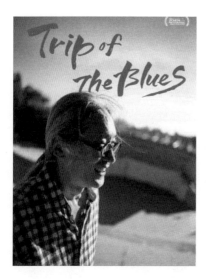

박준흠 : 제가 며칠 전에 선생님 다큐 〈트립 오브 더 블루스(Trip of the Blues)〉(성승택, 2018년)를 봤습니다. 이정선 씨가 나와서 "서울에 올라오라고 말했더니 진짜 올라와서 깜짝 놀랐다"라고 그러던데요. (웃음)

엄인호 : 그때가 내가 올라가야 할 때였죠. 내가 굉장히 배울 게 많았어요. 그때 느낀 게 뭐냐 하면, 이정선이라는 분한테 내가 악보 그리는 법이나 이런 걸 배워야 하겠다. 그리고 내가 기타 아르페지오 같은 걸 잘 못 쳤거든. 클래식 기타 같은 스타일을 못 칠 때거든요. 그냥 록적인 통기타는 쳐도. 그런데 아르페지오 같은 거, 〈섬소년〉 같은 거 치는 거 보니까 굉장히 부럽더라고요. 저런 기타를 배우고 싶고 그랬죠.

결국은 뭐 배울 일은 없었던 거고. 그런데 이정선 씨도 내가 기타 치는 게 마음에 들었던 모양이야. 내가 누구보다도 통기타 리듬 하나만큼은 꽉 잡았던 사람이거든. 스티븐 스틸스 기타 이런 거, 롤링 스톤즈 특유의 통기타 주법, 닐 영 거, 이런 걸 내가 완전히 다 섭렵해버렸기 때문에 일반 사람들이 내 통기타 치는 거 보면 깜짝 놀라죠. 아마 내 생각에 이정선 씨도 마찬가지일 거로 생각하고. 그렇게 맛있게 리듬을 치는 사람이 없었거든. 지금도 그래요.

박준흠 : 한국에서 선생님 말고 다른 누구를 거론할 수 있나요?

엄인호 : 없어요. 솔직히 얘기해서 통기타는 지금도 그 리듬 같은 거 이렇게 치는 거 보면, 또 솔로도 마찬가지지만… 나처럼 치는 통기타를 거의 못 본 것 같아요. 뒤에서 나에 대해서 어떤 식으로 얘기할지는 모르지만.

6) 사랑의 고백과 실패

박준흠 : 이정선 씨 찾아가려고 여자분에게 얘기했겠네요?

엄인호 : 그때는 내가 카페에서 인정을 받았기 때문에 시간이 엄청나게 많이 남았어요. DJ도 똘마니들이 많으니까 굳이 내가 DJ박스에서 오래 있을 일이 없었거든요. 굉장히 편해졌죠. 어쨌든 이정선 씨가 그렇게 말하고 가서 한편으로는 배울 게 많다고 생각을 했고, 그때 다시 음악을 해야겠다는 생각이 불붙기 시작한 거예요. 그냥 매일매일 술 마시고 무위도식하고 이럴 땐데.

그런데 여자 친구한테 얘기하고 정리해야 하잖아요. 이정선 씨하고 연주하는 걸 그 여자 친구도 봤거든요. 자기 친구들하고 와서 보고 너무 놀란 거지. 내가 팝송만 하고 그냥 자기 혼자 기타 치는 줄만 알았는데, 누구 반주까지도 해줄 정도의 실력이었어? 그런 거죠. 이정선이라는 사람은 그 당시에 굉장히 유명했었잖아요. 여자 친구도 그렇고 거기에 있는 관객들도 다 깜짝 놀란 거예요. 야, 엄인호라는 저 친구가 보통이 아니었구나, 단순 DJ로만 알고 있었는데 그게 아니었구나. 카페 주인 그분도 흐뭇해했고. 하루는 여자 친구한테 보자고 해서 태종대에 있는 데 가서 그때야 비로소 내가 사랑 고백을 한 거죠.

박준흠 : 그때는 이미 한 3년 사귀신 거 아닌가요?

엄인호 : 그런데 고백은 처음 한 거예요. 서로 뭔가 할 얘기가 있는데 서로 못하고 헤어지고 그랬는데, 서울에 가야 하므로 그 친구도 나한 테 뭔가 듣고 싶었던 거지. 그래서 술 마시다가 내가 얘기를 한 거예요. 물론 그전에도 어떨 때는 서울로 휙 갔다가 또 한두 달 있다가 나타나고, 어떨 때는 진주로 휙 갔다가 또 몇 달 있다가 나타나고… 그때마다 계속 만났는데, 그 친구는 그냥 덤덤하게 얘기 듣더라고요. 그때 나는 군대 문제도 해결해야 하고 여러 가지가 문제가 좀 있었어요. 중간에 내가 서울에 올라가서 집안도 모르게 신체검사를 받았어요. 영장이 나온 거로 알고 있거든요. 그런데 그 영장을 내가 못 받았으니까 집으로 갔을 거 아니에요. 그러니까 분명히 나는 병역기피로 돼 있을 거로 생각했어요. 그래서 그것 때문에도 고민도 많이 했고. 그러다가 그날 여자 친구한테 좀 기다려 달라, 나는 너를 사랑한다는 말을 쑥스럽지만, 했어요.

박준흠 : 여자 친구분 반응이 어땠나요?

엄인호 : 그때 그 친구가 잠시 머뭇거리다가 나한테 하는 말이, 자기는 깜짝 놀랐대요. 내 기타 실력이 그 정도로 있는지 몰랐다고. 그런데 왜

너는 그 좋은 재주를 갖고 있는데, 매일 술이나 마시고 마리화나나 피우고… 내일이 없는 사람처럼 사느냐고 그랬어요. 서울로 올라가는 건 좋다 이거죠. 너무 내일이 없는 사람처럼 산다. 아무 계획 없는 사람처럼 사는 것 같다고.

 그 얘기 들으면서 속으로는 그럴 만도 하지라는 생각도 들고, 아마 장래에 대한 불안 같은 것을 본인이 느끼고 있다고 생각했어요. 그 여자하고 나하고 데이트하고 그럴 때 좀 기분 나쁜 스토커같이 구는 놈이 있었거든요. 어떨 때는 술에 취해 나한테 시비도 걸고 그랬어요. 남포동이나 길거리 같은 데서. 그런데 언뜻 그 여자한테 얘기 늘었는데, 집에서는 그 남자랑 결혼하기를 원한다 이거지. 이미 어느 정도 집안끼리 얘기가 있었나 봐요. 그런데 여자 친구는 그 남자를 엄청나게 싫어했고….

박준흠 : 결국 그 남자와 결혼을 한 거예요?

엄인호 : 몰라요. 아마 그랬을 거로 생각해요. 선택의 여지가 없으니까, 그랬을 거라고는 생각해요. 그런데 내가 지금 이 얘기가 굉장히 조심스러운 게, 어쨌든 그런 부분에 대해서는 조심스럽게 얘기해야 해요. 그 여자를 위해서라도, 그 집을 위해서라도. 그러고서 집에 왔는

데, 한편으로는 좀 섭섭하기도 하고⋯ 나는 기껏 힘들게 사랑 얘기를 했는데 그런 얘기밖에 못 해? 그러면서 또 이해도 되고 그랬는데, 갑자기 몸 안에서 멜로디가 막 떠오르는 거예요. 그 여자한테 들려줘야겠다 하는 곡들이요. 그날 혼자 이층 다락방에서 하룻저녁에 세 곡을 썼어요. 방 안에 있던 기타로요. 한데 그 친구가 그다음 날 또 나를 찾아왔어요.

박준흠 : 세 곡을 쓰셨다는 게 〈아쉬움〉하고 〈'78 가을 편지 (원제 : 사랑의 계절)〉하고 〈이별〉 세 곡이죠?

엄인호 : 예. 괜히 좀 쑥스럽기도 하고 그랬는데, 자기 딴에도 그렇게 얘기해 놓고 좀 마음에 걸렸었던 모양이야. 그래서 내가 쑥스러우니까 그냥 기타를 치고 그 노래들을 하기 시작했죠. 〈'78 가을 편지〉 그거를 딱 들려줬는데, 그 친구가 나름대로 굉장히 고민을 많이 했을 거 같아요. 집안 문제, 남자 문제도 그렇고. 그 친구가 그전에 자기 엄마를 만나게 해줬거든요.

박준흠 : 생각이 있으셨던 분이네요.

엄인호 : 깜짝 놀랐죠. 그런데 만나보니 엄마가 굉장히 미인이었고 나를 이해하려고 그러는 것 같았어요. 이것저것 물어보데요. 흔히 하는 얘기들. 부모가 계시냐, 뭐 이런 거… 어른들이 물어보는 건 다 뻔하잖아요. 학교는 어디까지 공부했니, 앞으로 뭐 할 거니, 이런 식으로 물어봤는데… 바로 직전에 내가 혼자 술을 좀 마셨거든요. 술에 좀 알딸딸하게 취해 있었어요. 뭐 물어보는 대로 대답은 했어요. 그랬더니 젊은 나이에 어떻게 대낮부터 술을 마시냐고 그러더라고요. 아마 술 냄새가 났으니까 그랬겠죠. 뭐라고 얘기했는지도 몰라요. 얼마 안 있나가 금족령이 내리니까 이 친구가 안 나타나기 시작하는 거야. 그러다가 다시 만나서 태종대로 데려가서 그렇게 사랑 고백을 했던 거죠.

하여튼, 그래서 그 노래 세 곡을 다 불렀던 거예요. 〈아쉬움〉은 지금과는 약간 멜로디가 달라요. 그 당시에는 좀 더 강했던 것 같은데, 지금은 다시 정리한 거고. 노래는 굉장히 하드하게 불렀지만, 멜로디 라인이 굉장히 이쁘잖아요. 세 곡이 다 비슷비슷했어요.

그런데 〈가을 편지〉라는 곡을 하고 〈이별〉을 불렀는데, 그 친구가 계속 불러 달라는 거야. 내 노랠 들으면서 그 여자애가 울더라고, 내

226

앞에서. 그러면서 자기를 데리고 도망가라고 하는데, 그때 가슴이 너무너무 찢어지는 것처럼 아픈 거야. 어떻게 보면 좀 플라토닉 하다 그럴까, 그 여자를 건드리고 싶지 않았던 거예요. 키스까지는 했었는데 잘 수도 있었던 거지, 그날. 그런데 그러고 싶지 않았던 거지. 그래서 그냥 곱게 다시 보내주고 나는 서울로 올라온 거예요. 내가 뭐라 그랬냐면, "기다려 주라, 성공해서 다시 내려오겠다"라고 그랬어요.

박준흠 : 여자분은 기다리겠다고, 그렇게 얘기했나요?

엄인호 : 꼭 그렇지는 않았지만, 제 느낌에 자기를 데리고 도망가라고 그럴 정도면 그때 이미 마음은 나한테 기울어진 거죠. 그날은 내가 진짜 데리고 갈 수도 있었다니까요. 그런 분위기였어요. 그런데 그렇게 못한 거지. 내가 불확실했기 때문에. 서울로 올라가도, 군대도 그렇지만 서울 가서 어떻게 살아야 하나, 집에 가야 하나? 아니면 음악을 좀 더 하다가 군대 갈까? 한 1, 2년 더 하다가 갈까 하는 생각도 했었어요. 서울에 올라가면 일단은 이정선 씨를 만나야겠다는 생각으로 서울에 올라갔죠. 친구들한테 도움도 받고 어쩌고저쩌고… 뭐 여기저기 친구네 집에 신세도 좀 지고 그랬어요.

05

풍선, 장끼들
그리고 사운드랩 스튜디오

"1985년에 이문세하고 이광조가 거의 동시에 곡을 달라고 나를 찾아온 거예요. 이영훈은 그보다 몇 달 전에 나를 찾아왔고요.

이영훈하고 나중에 같이 술 마시면서 얘기해 보니까, 내가 곡을 쓰는 스타일이 마음에 든대요. 뭔가 블루지하고… 〈빗속에서〉를 만든 게 내 곡 〈바람인가〉를 듣고 만들었다 이거지. 〈도시의 밤〉이나 이런 걸 자기가 굉장히 좋아했대요. 이정선 형하고 얘기해 보니, 서라벌 스튜디오에 가보면 엄인호는 매일 거기 있어. 그래서 찾아왔던 거죠.

내 기억에 그때 내가 MBC에서 '영 일레븐' 프로그램 하우스 세션 할 때예요. 그래서 왜 나를 찾아왔냐? 그랬더니 자기 곡을 좀 들어봐 달라고 해서 들었어요. 〈난 아직 모르잖아요.〉같은 노래들.

생긴 것과 달리 잘 만들었더군요."

1) 이정선, 이광조 그리고 "풍선"

박준흠 : 부산 작은새에서 이정선 씨와의 만남 후 서울로 올라갑니다. 바로 이정선 씨를 만났겠네요. 혹시 황당해하던가요?

엄인호 : 그렇지는 않았고, 뭐 싫지는 않은 표정이더라고. 당시에 이정선 씨가 대학가요제든 뭐든, 대학생들 그리고 포크하는 친구들 편곡을 엄청나게 많이 하는 거로 알고 있었거든요. 내가 집으로 찾아갔을 때 보니까 편곡하던 중이었던 것 같아요. 그래서 악보 그리는 걸 좀 가르쳐 달라 그랬더니, "가르쳐줄 게 뭐 있어? 그냥 맨날 자주 와."하더라고요. 내게 악보 그릴 줄 알지? 그러더라고요. 그래서 사보私報는 내가 할 줄 안다. 내 글씨도 굉장히 이쁘거든. 이정선 씨가 글씨도 굉장히 이뻐요. 그런데 악보 그리는 것도 굉장히 매력 있게 그리더라고요. 일단은 악보 그리는 거, 보는 거를 좀 배우고 싶었어요.

그런데 이걸 가르쳐줄 게 뭐 있어? 그러더니, 자기가 편곡한 거 기타로 치지 않겠냐는 식으로 얘기하더라고. 그건 나로서는 깜짝 놀랄 일이었죠. 녹음실에서요? 그랬더니 그렇대요. 그러면 나는 내가 기타 쳐야 할 거를 그 전날이라도 내가 좀 봐야겠다, 어느 정도 악보를 눈에 익혀놔야 내가 안심하고 기타를 칠 거 아니에요. 악보를 보고 기타 치는 건 처음이기 때문에.

그래서 이제 밤새도록 사보하는 걸 내가 도와준 거예요. 스코어 이렇게 크게 그려서 4단짜리 5단짜리 있겠지만, 이게 기타고 이거는 브라스고, 이렇게 쓰여 있어요. 그렇게 내가 기타 부분 그리다 보면, 야 브라스도 트럼펫이든 트롬본이든 그것도 마저 그려줄래? 그러면 계속 그리는 거지.

일단 내 관심은 어쿠스틱 기타, 일렉트릭 기타라고 쓰여 있는 부분을 보는 거예요. 아주 흥미롭더라고요. 통기타 같은 경우도 보면 일단 자기가 치는 거기 때문에 다른 섹션이 같이 나오는 것도 있지만 자기가 치는 거는 또 자기만의 표기법이 있더라고요. 여기서 자기가 애드리브 한다, 몇 소절을 숫자로만 쭉 쓰여 있고. 그래서 아 저렇게도 그리는구나… 1절과 같은 식으로 뭐 숫자 여덟 개만 쓰여 있고. 그건 자기만 아는, 자기 기타니까. 그런데 내 것도 그런 식으로 돼 있는 거예요. 그래서 이게 뭐냐, '1절과 같음' 이런 식으로 쓰여 있는 게, A가 이제 주로 1절이에요. 그러면 굳이 그 위에 있는 코드가 있는데 소절이 있는데 여기는 애드리브하는 부분인데, 그건 이제 숫자 '8'만 들어가 있고 그러면 연동 소절이라는 얘기예요. 그러니까 A와 같으면 1절하고 똑같이 친다, 이거지. 그리고 가령 이제 후렴으로 간다, 이런 식으로 쓰

232

는 방법들이 있더라고요. 그래서 굉장히 흥미로웠어요. 피곤한 줄 모르고 그거 사보를 했어요.

　그러다가 그다음 날 엉겁결에 정선 형 따라 녹음실 가서 같은 방에 들어가고, 나는 겁나 있는 거지… 그런데 자꾸 이렇게 하다 보니까 재미가 있었어요. 물론 처음 밴드들하고 통기타 가지고 녹음하는데, 일단은 굉장히 흥미롭잖아요. 그러면서도 속으로는 엄청나게 당황하기도 하고. 그런데 정선 형이 그렇게만 해, 그러더라고요. 그러면 괜찮다는 얘기 아니야.(웃음) 그래서 나로서도 굉장히 좋았죠. 그러고 났더니 또 돈까지 줘요. 세션비.

박준흠 : 혹시 그때 어느 정도 받았나요?

엄인호 : 그 당시에 처음 기타 칠 때 3시간에 한 10만 원, 15만 원 이렇게 받았던 것 같아요.

박준흠 : 적지 않게 받으셨네요?

엄인호 : 프로들은 그거보다 좀 더 많았던 걸로 기억해요. 한 20만 원?

박준흠 : 1978년 당시에 10만 원, 15만 원이면 적지 않았던 금액인데?

엄인호 : 그렇죠. 지금 생각하니까 심성락 씨 같은 분들, 아코디언 연주하는 분이 있잖아요. 오르간도 그런 분이 쳤어요. 그리고 변성용, 젊은 친구인데 완전 프로였거든요. 그리고 피아노… 돌아가신 분인데.

박준흠 : 이호준 씨요?

엄인호 : 이호준 씨. 변성용만 빼놓고는 나보다 나이가 다 위이고. 변성용은 나랑 거의 똑같더라고, 1953년생인가 그래요. 나중에 알게 된 거지. 어떤 날은 심성락 씨가 오르간치고, 드럼도 유영수라고 재즈 드럼 하시는 분. 이런 사람들을 봤을 때는 주눅 들을 수밖에 없거든요. 거기다가 그때는 기타 튜너가 없었어요. 그러니까 피아노 옆에 가서 치면서 조율한다고 그러면 뭐라고 그랬죠. 정선이 형이 편곡자지만 밴드 마스터는 또 따로 있었어요. 서울 스튜디오 밴드에 지휘하시는 분 중에 한 분이 최성원 아버지. 그분이 거기에 악단장으로, 지휘자로

있었고 그랬어요.

내가 기타 조율이나 이런 것들이 문제가 생기는 게, 기타가 나빠서 그 랬던 것 같아. 조금만 치면 줄이 풀리고. 물론 이정선 씨 기타 가지고 내가 쳤죠. 그런데 자기는 내 거보다 좋은 기타 갖고 치고. 이정선 씨 는 주로 나일론 줄을 많이 쳤고, 나는 쇠줄을 많이 쳤어요. 나는 리듬 을 치니까. 그런데 이정선 씨가 그 당시에 쇠줄 기타를 그렇게 썩 좋은 걸 안 갖고 있었어요. 외제 같은 데 이름은 잘 기억 안 나는데. 그런 식 으로 다니다 보니까 그러면서 많이 배우기 시작한 거죠.

그런데 어느 날 이필원 씨가 나타난 거예요. 편곡을 정선 형이 했던 모양이야. 어느 날은 또 최백호도 오고 그럴 땐데, 이필원 선배가 왔는 데 처음 보는 기타를 갖고 온 거예요. 오베이션이라는, 뒤에 바가지처 럼 생긴 플라스틱으로 해서. 내가 기타 치는 걸 한참 보더니 자기가 기 타를 갖고 왔는데 나보고 그걸로 치라고 그런 거예요. 자기는 나중에 쳐도 되니까 녹음할 때는 이걸로 쳐줬으면 좋겠다고 해서 오베이션으 로 쳤는데 소리가 날아갈 것 같은 거지. 그랬더니 이필원 씨 그분이 나 한테 뭐라고 그랬냐면, "야, 너 기타 잘 친다. 언제라도 기타 필요하면 자기한테 와라, 빌려 갖고 가라" 그러더라고요. 그 당시에 오베이션 기타 치는 사람 없었어요. 당시 최고의 기타였거든요. 생긴 것도 괴상하게 생겼지만. 그러다가 이정선 형 같은 경우는 마틴을 샀고. 그런데 그건 감히 나는 못 만지지.

박준흠 : 가격이 비쌌다는 얘기죠?

엄인호 : 비싼 거였죠. 마틴이면 아무나 갖는 기타가 아니거든요. 돈 벌어야 살 수 있는 기타였어요. 당시에 오베이션도 그랬지만. 그런데 어느 날 보니까 정선 형이 마틴을 샀더라고요. 그때 나는 야마하를 갖고 있었어요. 그 기타가 내가 부산에서 일하던 카페 사장이 미국으로 이민 간 후 한국에 정리하러 왔을 때 나한테 준 거예요. 내가 서울 올라올 때 그 기타를 부산 작은새 카페에다 두고 왔어요. 내가 서울 올라가기 직전에 그 카페 주인이 막 바뀌었어요. 그런데 그 기타가 카페 거니까 내가 들고 올라올 수는 없잖아요. 그게 임창재가 썼던 기타인데, 아마 그 카페 주인이 사줬던 모양이죠.

미국 간 그 카페 전 주인 형이 어느 날 나하고 연락이 닿았어요. 미국에 갔다가 정리하러 왔다가 나를 좀 보자고 해서 만났는데, 그 야마하 기타를 들고 올라왔더라고요. 너 가지라고. 어우, 그때 진짜 눈물 나게 고맙잖아요. 그전에는 내가 이 사람 저 사람한테 국산 기타도 빌려가면서 녹음도 하고 그랬던 것 같은데. 맨날 사람들한테 튜닝이 안 된다고 그런 얘기를 들어서 얼마나 화가 나는지. 그래서 기타는 좋은 거 가져야 하는구나, 라고 생각했어요. 이필원 씨한테 오베이션도 빌려 쓰고 그러다가 그 야마하를 받은 후 그 야마하 가지고 녹음도 하고… 굉장히 고마웠죠.

박준흠 : 이광조 씨는 1978년 말 정도에 만났나요?

엄인호 : 그렇죠. 이광조가 어느 업소에서 노래해야 하는데 이광조가 기타를 못 치잖아요. 해바라기 때는 정선 형이든 누구든 기타 치니까 그냥 넘어갔는데, 명동이나 어디서 저녁 일을 하려면 기타 치는 사람이 필요했거든요. 그때, 이광조 생각에 내가 필요했던 거예요. 자기가 보니까 잘 치거든. 이광조가 영배하고는 그렇게 사이가 썩 좋지 않을 때라서. 성격이 둘이 다 좀 묘해, 극과 극이야.

박준흠 : 김영배 씨가 이광조 씨하고도 음악 활동을 했었다는 얘기는, 해바라기 때 세션으로 했었다는 얘기죠?

엄인호 : 예. 해바라기든지 정선이 형 거 녹음할 땐가? 하여튼. 아, 이광조 음반 세션 할 때 내가 기타를 쳤던 것 같아요.

박준흠 : 이정선 씨 만나러 와서 이광조 음반 세션도 하셨다는 얘기인 가요?

엄인호 : 영배가 나를 이광조한테 소개해줬나? 아마 이광조가 영배보고 카페나 이런 데서 저녁 일을 같이하자 그랬는데, 영배는 이광조를 탐탁지 않게 생각했던 것 같아요. 그 전부터 이광조라는 사람을 알기는 알았는데, 서울에서 해바라기 공연할 때 아마 이광조도 내가 기타 치는 걸 봤을 거야. 해바라기 공연할 때 관객들이 나를 등 떠밀어서 기타 치라고 그랬을 때 내가 나가서 기타치고 그랬거든요. 해바라기 공연에 꼭 그런 시간이 있었거든요. 관객 중에서 같이 할 사람들 있으면 좀 나와 봐라. 그러면 애들은 꼭 나를 밀어서 올리고 그랬어요. 이광조를 그때 알긴 알았어요. 또 이정선 씨 집에서 내가 계속 같이 세션 하는 것도 이광조가 보고. 아마 영배가 나를 소개했던 것 같아요. 엄인호하고 같이 한번 해봐라. 아마 이정선 씨도 그런 얘기를 했을지도 몰라요.

박준흠 : 이정선 씨는 본인이 얘기했다고 그랬어요.

엄인호 : 네. 그럴 수도 있어요. 왜냐면 어디선가 이광조가 노래해야 하는데 기타 칠 사람이 필요했거든요. 그래서 그때부터 연습을 같이하기 시작했어요. 기억이 잘 안 나기는 하는데, 팝송을 많이 했어

요. 조니 미첼(Joni Mitchell) 같은 거라든가 또 스티비 원더(Stevie Wonder) 〈You Are the Sunshine of My Life〉 같은 거.

박준흠 : 이광조 씨가 좋아하는 노래들인가 보죠?

엄인호 : 그런데 애들은 혼자서 그런 거 못 치거든요. 그때 나는 오픈 튜닝이라는 걸 몰랐어요. 조니 미첼이 하는 그게 오픈 튜닝이었는데, 나중에 알고 보니까 그거였던 거예요. 그런데 조니 미첼의 〈Big Yellow Taxi〉나 〈Both Sides Now〉 이런 거 할 때 난 그걸 잘 몰랐는데, 어쨌든 내가 어떻게든 그 소리를 비슷하게 냈어요. 광조도 자기 딴에는 깜짝 놀랐을 거예요. 그때는 서로 존칭을 붙여서 '-씨' 할 때니까.

박준흠 : 선생님이 정식으로 음악 활동을 한 것은 1979년 풍선 1집, 28살 때입니다. 음악을 늦게 시작한 것인데, 혹시 음악을 늦게 시작

한 게 오히려 득이 되신 것도 있나요?

엄인호 : 그럴 수도 있어요. 내 주위 친구들처럼 밤일을 계속 업으로 해나갔다면 지금의 내가 없었을 것 같아요. 내가 나름대로 내 개성을 갖고 갈 수 있었던 게 그 친구들처럼 여기저기 안 치고 나름대로 내 세계를 끌고 나갈 수 있었기 때문입니다.

박준흠 : 20대 후반에 프로 뮤지션이 되신 거잖아요.

엄인호 : 그때도 사실 프로라기보다는 그냥 엉겁결에, 뭔가 빨리 유명해져야 하니까, 어찌 됐든 앨범은 빨리 만들고 보자. 그래서 그 당시에 나는 고집을 안 피웠어요. 매니저가 가사 가지고 어쩌고저쩌고 트집 잡고 해도 내가 심의를 잘 모르니까 그런가보다 그랬어요. 이게 가사 심의에 걸리면 그럼 바꿔보세요, 라고 했어요.

박준흠 : 제작자 서판석 씨 말하는 거죠?

엄인호 : 예. 뭐 알아서 하겠지, 나는 판을 내는 게 목적이었으니까.

박준흠 : 풍선들 1집에 있는〈너무나 속상해〉가 나중에 보니까 신촌블루스 4집에서〈기적소리〉로 바뀌어서 다시 실렸더군요. 노래 가사도 바뀌었고. 풍선들 1집에서〈너무나 속상해〉는 작사가가 '서봉구'로 되어있습니다.

엄인호 : 네, 서판석 씨가 '기적소리' 이런 식으로 가사 쓰면 안 된다고 했어요.

박준흠 : 그래서 곡은 선생님의 곡이니까 가사 새로 붙여서 신촌블루스 4집에 넣으신 거죠?

엄인호 : 예. 그 당시에 내가〈골목길〉도 들려줬던 것 같아요. 그때 그 곡이 있었으니까. 그러니까 이정선 씨는 그 곡을 알고 있었지.

박준흠 : 〈바람인가〉도 풍선들 1집 녹음 전에 연습하셨다고 하지 않으셨나요?

엄인호 : 앨범에는 안 들어갔죠. 〈골목길〉도 그렇고 몇 곡이 그 앨범에 안 들어간 것들이 있어요. 물론 이정선 씨가 들어와야 하기에 '룸'을 주긴 줘야 했죠. 그래서 〈골목길〉을 의도적으로 뺀 건지, 원래는 이광조가 제일 먼저 부를 수도 있었던 곡예요. 이정선 씨가 편곡하고, 세션도 써서 그래서 모델 했던 여자애가 제일 처음 그 노래를 불렀는데, 여러 가지 사정 때문에 그 친구가 노래 못 하게 되고 그랬어요.

박준흠 : 풍선 1집에서의 미스터리는 선생님의 〈엿장수〉라는 노래인데, 왜 만들었을까? 라는 생각을 합니다.

엄인호 : 그때 서판석 씨가 그런 얘기를 나한테 했어요. 이런 거 말고 대중가요를 써봐, 응? 그래서 가만히 생각하니까, 그냥 뒷골목이나 이런 데서 막 부를 수 있는 곡을 한번 좀 써보자. 그래서 내가 이광조한테 물어봤던 거 같아. 그 〈엿장사〉라는 걸 한번 써볼까, 가위 두들기면서. 그러니까 일종의 오기 같은 것도 있었고. 대중적인 가요를 쓰라고 하니, 에이씨 그러면 나도 이런 거 써버리자. 그 당시에 건전가요 같은 게 음반에 들어가고 그래서 어, 이거 건전가요 되겠네, 라고 생각했어요. 좀 오기였던 것 같아요. 갑자기 머리도 자르라고 그러지.

2) 결혼

박준흠 : 사모님 만난 얘기를 듣고 싶습니다.

엄인호 : 부산에서 서울로 올라온 후, 내가 부산 여자 친구를 맨날 그리워하고 있는 거야. 술 마시고 고민하고 있을 때. 신촌에 선배가 하는 카페가 있었어요. '츄바스코'라는 곳인데. 내 친구 놈이 그곳에서 술에 취해 지금의 우리 와이프한테 깝죽댔나 봐요. 그 친구도 원래 음악 하던 친구예요. 노래하던 놈이지.

  이때는 와이프가 나하고 만나기 전이죠. 우리 와이프가 성격이 굉장히 까칠해요. 그런데 어느 날 이놈이 머리통이 깨져서 왔더라고. 현식이 하고 우리 연습하는 곳에. 그래서 머리는 왜 이렇게 붕대를 감고 왔냐? 그랬더니 뭐 어떤 여자애한테 맞았다나. 그래서 뭐로 맞았는데? 그랬더니 병으로 맞았다고 그러던가?… 츄바스코에 갔는데 어떤 여자애가 판을 틀고 있더라. 거기는 아무나 와서 판을 틀 수가 있었어요. 판도 그렇게 많지는 않았어요. 그때는 한동안 내가 그곳에 잘 안 갈 때였거든요. 광화문 일대에서 술 마시고 있었든지 그랬을 거야. 랩 스튜디오에도 있을 때니까.

그래서 생각난 김에 얘기 들어보니까 너무 재밌는 거예요. 그래서 야, 인마 네가 어떻게 했는데? 그랬더니, 지나가는데 자기가 엉덩이를 만졌다나? 내가 맞을만하네, 그랬어요. 그런데 이뻐 그러더라고. 그래? 그럼, 오늘 거기 한번 가보자, 해서 간 거야. 그랬더니 마침 또 거기 있더라고. 판 틀고 있는데 내가 느끼기에 여자애치고 음악을 잘 틀어요. 또 얼굴도 이쁘고, 키도 자그마한 게 이쁘고, 음악을 잘 틀더라고. 우리가 술 마시고 있는데 이놈이 머리에 붕대 감고 있으니까 우리 마누라도 좀 미안했나 봐. 자리로 쑥 오더니 걔한테 어저께 미안했다고 하더라고. 요즘 같으면 그건 그냥 고소감이야.

그래서 그냥 이놈은 멋쩍어하고 있는데 우리 마누라가 어저께 진짜 미안했다고, 자기도 순간적으로 화가 나서 그랬다고 사과하는데 내가 보니까 얼굴이 이뻐. 그래서 그냥 내가 술에 취해서 농담으로 사과하려면 내 옆에 앉으라고 그랬어요. 그랬더니 우리 마누라가 나한테 뭐라고 그랬냐면, 당신도 맞겠네요… 그러는 거 있지. 너무 당돌하잖아. 그런데 그게 굉장히 예뻤어요. 그래서 아, 나는 맞고 싶지 않지, 그랬더니 갑자기 우리 와이프가 나한테 엄인호 씨 맞죠? 그러는 거 있지. 너무 놀란 거예요.

박준흠 : 그때가 몇 년도인가요?

엄인호 : 1978년도. 부산에서 올라와서 얼마 안 되었을 때야. 심적으로는 굉장히 외롭고 서울에 올라와서 집에도 못 가고… 안 간 거지. 어디 마음 붙일 데도 없고, 그래서 친구네 집에서 자고 맨날 술이나 마시고 있을 때였어요. 낮에는 또 서라벌 스튜디오에 가서 이것저것하고 그럴 때인데, 그때 그 여자가 내 이름을 딱 얘기하는 거예요.

박준흠 : 어떻게 알았을까요?

엄인호 : 그래서 어떻게 나를 아냐? 그랬더니 나를 잘 안대요. 그래서 자세하게 얼굴을 보니까 어디서 많이 본 듯한 얼굴이야. 여자들은 화장하니까 잘 모르잖아요. 컴컴한 카페에서 봤으니까 화장 바뀌면 잘 모른다고. 나를 어떻게 알지? 이제 그게 궁금했던 거야. 그래서 거기에 가서 또 만난 김에 혹시 나를 어디서 봤냐고 내가 물어봤어요. 그런데 부산에서 봤대. 그때 생각이 딱 나더라고. 이 여자가 내가 일하던 그 작은새라는데 자주 왔었던 거예요. 내 음악을 들으러. 웬 여자가 음악 신청을 하는데 레퍼토리가 괜찮더라고. 그때 기억이 나는 거예요.

박준흠 : 그럼 부산분이신가요?

엄인호 : 아니요. 서울 여자인데 집이 부산에 있었어요. 우리 마누리 집

이 미군의 PX 관련된 집안이에요. 그런 쪽의 일을 많이 했거든요. 대구 형제들, 친척들이나 우리 마누라가 수영의 미군 비행장에 있었다고. 얘기 들어보니까 뭐 왜관에도 있었고, 그다음에 대구 K2 비행장.

박준흠 : 아버님 사업 따라다닌 건가요?

엄인호 : 그렇죠. 그래서 이 여자가 부산에서 내가 본 여자구나. 나중에 친해져서 술을 마시면서 얘기했는데, 내가 좋아했던 여자를 이 여자도 알아요. 우리 마누라가 나에 대해서 굉장히 관심이 있었는데, 그 여자 때문에 자기는 그냥 항상 멀찍이 서만 봤다 이거지.

박준흠 : 인기 대폭발이셨네요. (웃음)

엄인호 : 이정선 씨하고 이광조하고 셋이 풍선 트리오를 만들었잖아요. 1979년 여름에 방위 가기 전에 부산에 가서 공연했는데 그전에 사귀던 여자가 안 온 거야. 나는 엄청나게 기대했는데.

박준흠 : 부산공연 가셨다는 게 풍선 1집 음반 내고 가신 건가요?

엄인호 : 예. 〈젊은 연인들〉을 불렀으니까. 그리고 이정선 씨 노래 몇

개를 더하고. 그날 내가 기억하는 건 무대에 어떻게든지 더 많이 서고 싶었다는 거예요. 그 여자를 찾으려고요. 거기가 부산시민회관인데. 그때 내 기억에는 심수봉이 혼자 왔어요. 활주로, 블랙 테트라, 대학 가요제 출신 밴드도 왔는데 걔네들은 멤버가 다 있으니까. 그런데 심수봉이 혼자 와서 연주하는데 내가 봐도 좀 그래. 그 당시에 심수봉한 테 누가 말 시키고 그런 적이 없어요. 아마 나이도 좀 많고 스타일이 좀 다르다고 생각했던 모양이지. 그렇잖아요. 〈그때 그 사람〉 그 노래.

박준흠 : 심수봉 씨가 대학가요제 나온 다음이겠네요.

엄인호 : 그렇죠. 대기실에서 봐도 누가 심수봉에게 얘기해 주는 사람도 없고. 그런데 내가 보니 심수봉이 피아노를 잘 치더라고요. 그래서 넌지시 한번 이런저런 얘기를 했어요. 그러다가 혼자 하는데 재미없죠? 그랬더니 예, 뭐 어쩌고… 그러더라고요? 그럼 내가 베이스 쳐줄까요? 하고선 다른 밴드한테 베이스를 빌려다가 〈그때 그 사람〉을 베이스 쳐줬어요. 무대를 한 번이라도 더 나가서 객석을 찾아보려고요. 그 여자를… 그런데 아무리 찾아봐도 안 오는 거

야. 그때 하루에 2회 공연을 했거든요. 그런데 2회 내내 안 오는 거야. 대기실에서 실망하고 있는데 그 친구의 친구가 온 거지. 걔는 어떻게 됐냐고 내가 물어보니까 말을 이상하게 하는데, 딱 보니까 결혼한 거야. 그래서 그날 술 무지하게 먹었죠. 홍수진 씨도 찾아오고 해서 홍수진 씨하고 술을 얼마나 많이 마셨는지 몰라요.

박준흠 : 그러면 사모님은 방위 가기 전에 다시 만난 거예요?

엄인호 : 부산 갔다 와서 갑자기 마음이 확 변한 거야. 그다음부터는 와이프를 거의 매일 만나다시피 했고… 그 여자가 결혼했다는 거 딱 듣고서 그냥 잊자 이런 식이 된 거지. 그때는 뭐 모아놓은 돈도 없고 하니까 셋방을 얻어서 살았어요. 우리 마누라는 집에서 가출한 거고.

박준흠 : 집안에서 반대했다는 얘기네요.

엄인호 : 장인이 엄청나게 반대했어요. 아버지 사진을 보고 얘기를 언뜻언뜻 들어 봤을 때는 장인도 악극단이나 이런 출신인 거 같아. 북한 황해도 출신인데, 누구죠? 북한의 유명한 무용가, 최승희(崔承喜, 1911.11.24.-1969.08.08)는 강원 특별자치도 홍천군 출신이며, 조선 최고의 무용가였으며, 6*25 전쟁 당시 남편을 따라 월북하게 되었다. 이후, 조

248

선민주주의인민공화국의 무용가로 활동하였으며, 많은 제자를 배출하였지만, 탈북하는 과정에서 밤나무에 달려 총살당하였다고 전해진다) **그런 여자도 막 얘기하고 그러더라고요. 자기하고 굉장히 가까웠다고. 그러니까 자기가 악극단 출신이라는 얘기는 안 했는데 사진을 보니 당시에 어떤 배우보다 잘 생겼더라고. 완전히 연예인 티가 딱 나는 거예요. 문제는 그때 장인이 알코올 중독이 돼서 술에 취하면 나를 죽이겠다고 막 이러니까. 자기 눈에 흙이 들어가기 전까지 너희는 결혼 못 한다고 그러셨어요. 그러다가 어느 날 찾아왔어요. 우리 둘이 사는 데로.**

박준흠 : 어떻게 되셨어요?

엄인호 : 애 낳고서 살고 있는데 찾아온 거죠. 남자 동생이 있었는데, 그 동생이 얘기했는지 하여튼 찾아왔더라고요. 자기 눈에 흙 들어가기 전에 결혼 못 한다.

박준흠 : 이미 동거 중인 데도요?

엄인호 : 그런데 술 드시지 않을 때는 또 와서 막 미안하다고 사과를 해요. 그런데 술 드시면 또… 힘드시면 동네가 창피할 정도로 완전히 뒤집히는 거지. 마누라가 나보고 도망가서 며칠 있다 오라고 할 정도였

으니까. 아버지가 지금 술 마시면 3, 4일 간다는 거예요. 그러니까 3, 4일 동안 나는 딴 데로 돌아다니다 집에 돌아가고 그랬다니까요. 그런데 술을 안 드시면 완전히 나한테 미안해서, 말도 못 할 정도로 정말 미안하다고 사과도 하고. 그래서 내가 뭐라 그럴까… 이상하게 그분한테 굉장히 정情을 느껴요. 그래서 장인 돌아가실 때 내가 많이 울었지. 그러고 나서 결혼식을 했어요. 결혼식 할 때는 어쩔 수 없이 내가 우리 집에 얘기했어요. 왜냐하면, 결혼식을 했는데 그래도 어느 정도 집이라도 있어야 할 거 아니에요.

박준흠 : 정식으로 결혼식은 언제 하신 거예요?

엄인호 : 내가 신촌블루스 막 만들고, 우리 아들이 다섯 살 됐을 때니까.

박준흠 : 그러면 한 1986년도.

엄인호 : 그래서 큰형 집에 가서 내 몫이라기보다는 내가 이래저래 해서 애까지 낳았는데 돈을 좀 달라고 해서 그래도 조금 큰 집으로 이사 갔죠. 썩 좋은 동네는 아니지만.

박준흠 : 사모님은 초지일관初志一貫하고 싶은 음악을 하라 그랬던 건

250

가요?

엄인호 : 그때 내가 밤일하고 그냥 술이 떡이 돼 들어와서 막 괴로워하니까.

박준흠 : 혹시 사모님과 고민 등을 많이 같이 얘기하시나요?

엄인호 : 그런 건 아니에요. 내가 술 먹고 집에 들어와서 너무 괴로워하고 거의 인사불성이 돼서 들어오고 그랬거든요. 그러니까 와이프가 물어보고 그러길래 그때 술김에 막 얘기한 거예요. 나 진짜 이런 생활 너무 싫다 그랬더니 우리 와이프가 어느 날 그런 얘기를 하더라고. 굶어도 좋다. 하기 싫은 거 하지 마라. 자기가 나를 좋아했던 건 그 멋있는 모습을 좋아했다는 거지. 세상을 자신 있게 살고, 곡도 잘 쓰고, 기타는 뭐 잘 치는지 잘 모르겠지만 자기가 봤을 때 굉장히 멋있는 사람이었대요. 그런데 그렇게 괴로워하니까 와이프로서는 굉장히 힘든 거죠. 저러다 완전히 폐인 될 것 같거든요. 그러니까 하기 싫은 거 하지 마라. 굶어도 좋다. 어떻게 보면 거기서 내가 힘을 얻었는지 몰라요. 그래서 진짜 신촌블루스를 만든 거예요.

 며칠 동안 술 마시고 뭔가 생각을 한 거죠. 어떤 식으로 내가 해야 하나? 그룹 한다고 고생하지 말고 작곡과 병행할 수 있는 게 무언가? 결국은 옛날 멤버들이 다시 모여서, 이정선 씨나 한영애, 이광조나 김현식 이렇게 모여서 특별한 뭐를 하나 만들면 된다고 생각했어요. 그 당시에 굉장히 절실했었거든요. 그리고 기가 막힌 멤버를 모은 거 아니에요? 기가 막힌 생각을 했다니까. 내가 생각해도 그래요. 아무도 그런 생각을 안 했지. 이정선 씨나 이런 사람들이 해바라기 이후에 뭔가 다른 그림을 못 그리고 아무 생각이 없을 때, 내가 이런 식으로 가자고 한 거죠. 내 생각인데, 그들도 재밌겠다고 생각했을 거예요. 이건 얘기가 되는 거 아니에요? 그리고 결국은 성공했고. 2집에서까지만 같이 있었지만 어쨌든 당시에 굉장한 성공을 한 거죠.

박준흠 : 그런데 이광조 씨는 신촌블루스 참여는 안 했잖아요.

엄인호 : 초창기 때는 했어요.

박준흠 : 안 한 이유는 뭔가요?

엄인호 : 이제 솔로로 바빠졌으니까.

박준흠 : 김현식 씨도 솔로 활동 때문에 1집에는 참여 안 한 건가요?

엄인호 : 네. 공연은 계속 같이했는데, 그러다가 현식이가 동아기획으로 들어갔고

박준흠 : 자제분이 지금 어떻게 되시죠? 엄승현 씨가 장남이고.

엄인호 : 하나에요.

박준흠 : 엄승현 씨는 기타리스트입니다. 2010년인가 'MBC 라라라'에 선생님이 출연했을 때 보니까 기타 세션을 같이했는데, 현재 뮤지션 생활을 그만둔 건가요?

엄인호 : 아니요, 해요. 내가 예전에는 방송에 몇 번 데리고 나왔죠. 그런데 나하고 하는 걸 별로 좋아하지 않아요. 그 당시에 걔는 한참 막 날

아다니는 기타 할 때인데, 내가 야단치거든요. 아버지 거 할 때는 절대 그런 거 하지 마라.

박준흠 : 기타 매장을 운영하신다고 했나요?

엄인호 : 지금은 가게 하나 해요. 7080. 그런데 다행히 잘 되지. 걔가 인기가 좋거든요. 얼굴도 잘생긴 편이고, 7080 이런 데서 연주하기에는 맞죠. 나는 못마땅했지만 내가 아들하고 상담하니, 가수 반주는 자기는 이제 싫다고. 내가 봤을 때는 이놈이 나한테 야단을 맞았지만 다른 데서 얘기 들어보면 후배들이나 뭐 가수들 얘기 들어보면 굉장히 잘한다고 그러거든. 공연에서 세션 기타로요. 그런데 어느 때부턴가 싫어하더라고. 자기는 뒤치다꺼리 싫다, 그래서 이제 악기 샵만 했던 거예요. 일본이나 이런 데서 외국 기타 비싼 것들 수입해다가 팔고 그랬는데.

3) 군대, 사운드랩 스튜디오 그리고 이영훈과의 만남

박준흠 : 1979년에 이광조 씨와 같이 활동하던 일들을 더 듣고 싶습니다.

엄인호 : 이광조와 같이 명동 '로즈가든'이라는 데서 일을 했었는데, 이종환 씨가 있던 '세시봉'과는 바로 길 하나 사이였을 거예요. 같이 일하다가 여름에 방위로 내가 입대하게 된 거죠. 이광조 아버지가 나를 잘 봐서, 아니면 이광조가 잘 얘기해서 그런지는 모르지만 군대 문제도 도와줬어요. 방위로 갔어도 내가 가발 쓰고 얼마 동안은 일했던 것 같아요. 무지하게 피곤했어요.

박준흠 : 그 전에 '풍선' 음반은 나왔을 거 아닙니까?

엄인호 : 그렇죠. 1979년 7월에 내가 방위 입소를 했으니까, 풍선 나오고 나서.

박준흠 : 그럼 풍선은 발매 후 활동은 제대로 안 한 건가요?

엄인호 : 풍선이라는 이름으로는 활동 안 했어요.

박준흠 : 음반만 나온 거예요? 콘서트 같은 것도 안 하고?

엄인호 : 네. 대신 방송을 많이 했죠. 그리고 나는 방위로 가야 하고, 이광조는 지구레코드로 가고 그래서 거기서부터 다 헤어진 거죠. 그런데 잠깐 명동에서 같이 일을 했었어요. 풍선이라는 이름은 사용하지 않고, 그냥 이광조로. 가끔 나도 팝송 좀 부르고 그랬던 거 같아요. 그러다가 거기서 헤어지고 못 만나기 시작한 거죠. 이광조가 지구로 갔지만 빅히트는 못 쳤어요. 그냥 〈나들이〉 같은 거나 하고 그렇게 유명한 정도까지는 아니었는데, 이후 이광조가 유명하게 된 게 이문세하고 똑같은 시기예요.

박준흠 : 예, 1985년에 〈가까이하기엔 너무 먼 당신〉이 큰 히트를 했습니다.

엄인호 : 그 앨범 나오기 전에는 내가 서라벌 스튜디오(사운드랩 스튜디오)에서 세션을 하고 있을 때죠. 주로 메들리 많이 하고. 통기타도 치고 일렉기타도 치고, 어떨 때는 사이비 목사들이 많이 와서 거기서 복음성가 이런 거 녹음 많이 할 때예요. 그때 〈노찾사〉 음반 내려고 김민기 씨가 찾아오기도 했어요.

256

박준흠 : 그러네요. 서라벌레코드 1984년.

엄인호 : 노찾사 녹음에 참여 좀 해줄 수 있냐고 했어요.

박준흠 : 노찾사 1집을 광화문 서라벌 스튜디오에서 녹음한 거예요?

엄인호 : 예. 김민기 씨를 봐서 내가 돈도 안 받고 기타도 쳐주고 그랬던 게 기억나요.

박준흠 : 노찾사 1집 크레딧에는 선생님이 없는데?

엄인호 : 글쎄요.

박준흠 : 혹시 기억나시는 노래 있어요?

엄인호 : 기억은 안 나요. 그런데 분명히 기억하는 건 뭐냐 하면, 김민기 씨가 나한테 부탁을 했었거든요. 얘네들 돈이 없으니 조금만 도와줬으면 좋겠다고. 그래서 나하고 같이 얘기했던 기억이 나거든요. 분명히 내가 몇 곡을 쳤던 거로 기억나요.

박준흠 : 당시 또 어떤 세션을 하셨나요?

엄인호 : 그전에는 김영동 씨 그 분이 〈어둠의 자식들〉(1981, 이장호) 영화 음악을 할 때도 참 여했죠. 〈삼포 가는 길〉(1981, KBS TV문학관) 거기에도 우리 팀이 세션을 했고. 〈어둠의 자식들〉 할 때는 돈이 좀 넉넉했죠. 하룻저녁 밤새도록 녹음하면 돈이 한 몇십만 원이 들어왔거든요. 집에서도 우리 마누라가 이제 돈을 벌기 시작하는 모양이라고 생각했는데, 그렇지 못했죠. 그 당시에는 그룹을 하고 저녁 일을 해야 진짜 돈을 많이 버는 거지, 세션은 한때거든요. 그리고 매일 뭐 메들리 하고 그러니까 큰돈은 못 벌었죠.

그러다가 1985년에 이광조하고 이문세가 동시에 같이 찾아온 거예요. 곡을 달라고. 그래서 내가 팀을 하나 만들어야겠다고 생각했어요. 비공식 엄인호 1집이 나올 무렵. 그때 이영훈이가 나를 찾아왔고.

박준흠 : 이영훈 씨는 밴드에서 키보드 연주를 했던 거죠?

엄인호 : 다른 멤버들이 이영훈을 굉장히 안 좋아했어요. 같이 합주해 보니까 이거 안 되거든 피아노가. 그러니까 나한테 막 뭐라 그러는 거예요. 왜 저런 애를 쓰냐고.

박준흠 : 이영훈 씨가 작사 작곡은 잘하는데, 연주가 좀 미진했나 보네요?

엄인호 : 피아노는 아니지. 아마추어지. 그런데 나는 생각이 달랐어요. 이영훈의 피아노가 가요 세션 피아노는 아니지만, 목사들 있는 데서 복음성가나 찬송가를 칠 수는 있었거든. 찬송가 치는 스타일은 또 달라요.

박준흠 : 그런 게 있나요?

엄인호 : 네. 있어요. 클래식을 어느 정도 알아야 해요. 그리고 교회에서의 경험이 있어야 하고.

박준흠 : 이영훈 씨는 교회에서 오르간을 연주했던 경력이 있었나 보

네요.

엄인호 : 피아노. 걔는 그 당시만 해도 오르간은 잘 모르더라고요.

박준흠 : 두 분은 어떻게 만나신 거예요?

엄인호 : 이영훈이 나를 좀 보고 싶다고 정선 형한테 연락했어요. 서라벌 스튜디오에 가면 엄인호라는 친구가 있다고 해서 나를 찾아왔어요. 이문세가 찾아오고, 이광조가 찾아오기 바로 몇 달 전에 왔어요.

박준흠 : 1984년 정도?

엄인호 : 아마 그렇게 되겠죠.

박준흠 : 이영훈 씨는 왜 선생님을 찾아갔을까요?

엄인호 : 자기는 내가 곡 쓰는 스타일이 굉장히 마음에 들었대요. 의외죠? 나중에 같이 술 마시면서 얘기해 보니까 "왜 이정선 씨 말고 나를 찾아왔냐?" 그랬더니 자기는 정선 형 같은 스타일보다는 내 스타일이 마음에 든대요. 곡 쓰는 스타일이 뭔가 블루지하고… 〈빗속에서〉

를 만든 게 내 곡 〈바람인가〉를 듣고 만들었다 이거지. 한영애의 〈도시의 밤〉이나 이런 걸 자기가 굉장히 좋아했대요. 그래서 정선 형보다 나를 찾아온 거지. 정선 형이 서라벌 스튜디오에 가보면 엄인호는 매일 있어. 그래서 찾아왔던 거죠.

내 기억에 그때가 내가 MBC에서 '영 일레븐'이라는 프로그램 하우스 세션 할 때예요. 밴드가 다 바뀌었지. 이제 그때는 장끼들이 아니에요. 내가 주도권을 잡고 스튜디오도 필요하고 돈도 간간이 벌어야 하고, 그래서 서라벌 스튜디오가 필요했던 거죠. 원래 장끼들 할 때부터 서라벌 스튜디오에서 〈어둠의 자식들〉 이런 거 하면서 거기랑 연을 맺었는데, 그때 박 차장이라는 분이 실장이었어요. 그분이 저를 굉장히 잘 봤어요.

박준흠 : 이영훈 씨가 1982년 장끼들 1집에 들어갔던 〈(네 마음은) 바람인가〉를 들었고, 그런 음악을 굉장히 좋아했다는 말씀이네요.

엄인호 : 굉장히 블루지하고 곡 스타일이 아주 독특하고 그러니까 자기 딴에는 나를 보고 싶다고 온 거예요. 그래서 왜 나를 찾아왔냐? 그랬더니 자기 곡을 좀 들어봐 달라고 해서 들었어요. 그런데 〈난 아직 모르잖아요〉 같은 거는 가만히 생각해보니, 약간 표절 같은 것들이 몇

개 있었어요. 그런 얘기는 하지 않았지만. 내가 기억나는 게 맷 몬로 (Matt Monro)라는 가수의 〈The Music Played〉하고 굉장히 느낌이 비슷한 거예요. 멜로디도 어느 순간에 굉장히 비슷하고. 그런데 그 외에 다른 곡들 딱 들었는데, 야, 이거 얘가 생긴 거랑 다르게 좋은 곡을 쓰네.

　그 당시에 세션을 같이 했던 멤버들이 뭐라 그랬냐면, 형 쟤 내쫓아요. 왜 저런 애를 쓰냐, 그런데 그게 말도 안 되는 소리거든. 그때 기타 치는 친구가 누구냐 하며, 해바라기 기타를 쳤던 이영재. 그 친구가 두 살인가 어린데, 최성원하고 같은 나이의 친구들이지. 그래도 리드기타 하는 친구가 필요했기 때문에 그 친구를 내가 영입했어요. 나 혼자 하기에는 너무 벅차서. 그리고 세션이라는 말을 붙이기도 힘들 정도의 그런 사람들을 내가 썼거든. 그때 빚도 많이 갚아야 했어요. 장끼들 할 때 진 빚이 매우 많았어요. 진짜 내가 그때 엄청나게 난 배신감을 느꼈거든. 나 빠지고 자기네끼리 현식이를 살살 꼬셔서 밤일도 했는데, 현식이도 오래 할 수가 없죠. 그래도 현식이가 의리가 있는데, 가만히 보니까 엄인호는 빠지고 자기들끼리 쓱 해서 자기를 이용하는 것 같고 그러니까 현식이도 좀 하다가 말았을 거야. 그러면 그 팀은 못 해. 노래가 안 되기 때문에.

4) 오리엔트 나현구 사장, 카바레와 MBC 영 일레븐

박준흠 : 오리엔트 나현구 사장님 만난 얘기를 해주세요.

엄인호 : 내 기억에 방위 끝나고인 것 같아요. 그때 오리엔트의 나 사장님을 만난 거예요.

박준흠 : 1981년이네요.

엄인호 : 거기 스튜디오를 자주 갔어요. 나 사장님이 곡 쓰는 대로 자기한테 갖고 오라 해서 갖다준 거예요. 내 대표곡들은 거기 다 있었지. 이 곡 좋다, 그러면서 나한테 몇십만 원씩 줬다고. 당시에 나사장님은 곡을 모으고 있었어요. 그 돈 받아서 진짜 근근이 생활했지. 가끔 이정선 씨 세션도 좀 해주고. 어쨌든 밤일도 했었고 그러니까 밤일 가기 전에 경주집에서 술 진탕 마시고 가기도 하고.

박준흠 : 대략 밤일이라 하면 몇 시 정도 시작인가요?

엄인호 : 보통 카바레나 이런 데는 일곱 시면 가야 해요.

박준흠 : 카바레 일도 밴드로 한 건가요?

엄인호 : 그럼요. 풀 밴드도 있었고 5인조 밴드도 있고. 캄보(combo)라고 그러죠. 거기서 내가 베이스 치는 건 그렇게 어렵지 않거든요. 그런데 그것도 하기 싫어서… 내 기억에, 하룻밤에 한 2, 3천 원 받았던 것 같아요. 그 돈으론 사실 생활하기가 빠듯해요.

박준흠 : 그러면 나사장님이 곡당 몇십만 원씩 줬다는 게 꽤 큰 돈이네요?

엄인호 : 굉장히 큰돈이죠. 또 가끔 거기서 누가 녹음하면 내가 통기타로 세션도 하고, 내 기억에는 그런 데서도 여러 사람 걸 했어요.

박준흠 : 음반사 쪽으로 취업을 하신 건 언제쯤이세요? 대성 음반으로 가셨다고 했는데.

엄인호 : 대성 음반은 장끼들을 완전히 만들었을 때. 그전에는 내가 대성 음반을 몰랐어요.

박준흠 : 음반사에 소속이 되어서 곡도 주고 세션도 하고 했을 때가 언

제 정도부터인가요?

엄인호 : 대성 음반에서는 우리 앨범 내는 것만 해도 힘들었고, 장끼들 끝나고 그다음에 내가 성음으로 갔을 때. 가요 쪽으로 갔으니까 가수들한테 곡도 주고. 거기서 여러 가수한테 곡을 줬는데, 나는 솔직히 그런 가수들한테 곡을 주고 싶지 않았어요. 그런데 성음에 있는 모 부장이라는 분이 그쪽에서 돈을 받아서.

박준흠 : 1982년에 장끼들하고 1985년 말에 성음으로 가기 전이 광화문 사운드랩 스튜디오(서라벌 스튜디오) 시절이잖아요. 그때는 랩 스튜디오 쪽에 소속이 되었던 건 아닌가요?

엄인호 : 예. 그 스튜디오에는 책임자로 박 차장님이라고 있었어요. 이장희 씨가 그만두고 서라벌 스튜디오에 넘긴 거죠.

박준흠 : 그때는 곡 쓰셔서 파시는 그런 생활을 하셨던 건가요?

엄인호 : 그때는 거의 싸구려 녹음을 많이 했죠. 가수한테 곡을 주고 뭐 이런 건 아니고… 김흥국 정도는 내가 곡을 줬고.

박준흠 : 세션은 하셨고요?

엄인호 : 네. 세션은 제법 많이 했죠.

박준흠 : 성음 가시기 전에는 랩 스튜디오에서 일하시고 밤무대도 계속하시고, 둘을 병행했던 시기겠네요?

엄인호 : 예. 어떤 때는 하다가 말다가. 어쨌든 스튜디오에만 있는 것만으로는 밥벌이가 안 되니까요. 그리고 그때 방송국 일을 했어요. MBC 영 일레븐 같은 거 할 때거든요. 원래 장끼를 멤버로 시작했는데 멤버들이 막 바뀌면서 나중에는 뒤죽박죽이 돼버려서 이것도 관두자, 그렇게 됐죠.

박준흠 : 그 힘들었던 시절에 쓰셨던 노래가 〈도시의 밤〉이라는 노래잖아요. 밤무대에 갔다 와서 술도 어느 정도 드신 상태에서 집에 와서 잠자는 아이를 보니까, 이렇게 살아야 하나라는 생각으로 다시 나가서 포장마차에서 새벽이 올 때까지 또다시 술 드시면서 만든 노래라고 하셨는데.

엄인호 : 한창 갈등일 때 내가 음악을 계속 해야 하나? 애를 보고 나서

는 이렇게 살면 안 되는데 라는 생각도 들고. 이런 스타일로 살다가는 나는 완전히 패자가 될 것 같아서… 그때가 굉장히 고민을 많이 할 때였어요.

박준흠 : 음악을 진짜 그만두는 것까지 생각하셨던 건가요?

엄인호 : 예. 음악을 그만두고 차라리 그냥 작곡가로 본격적으로 나서볼까 하는 생각도 한 적이 있어요. 어떻게 보면 그게 밥벌이가 더 많았거든요. 사람들이 나한테 그 당시에 곡을 써달라는 주문이 제법 들어왔었어요. 그리고 레코드사나 이런 데하고 조금만 연결하면 한마디로 트로트라도 써 달라면 내가 써줄게. 뭐 어려워?

박준흠 : 그러니까 곡을 빨리빨리 쓰셨던 거예요?

엄인호 : 그때는 그랬죠.

박준흠 : 기타 세션도 어느 정도 인정을 받으셨고.

엄인호 : 그 정도까지는 아니라고 생각해요. A급은 아닌데 그래도 엄인호가 곡 쓴 거나 이런 거는 엄인호 특유의 ㅣ름대로 기타 맛이 있다.

그런 소문이 났었거든요. 방송국에서 백밴드 했기 때문에요. 그런데 그때 제일 고민했던 게 그거예요. 내가 기타 쳐서는 이 상태로는 못 살겠다. 아마 힘들 거다. 성공하기 힘들고, 그럼 차라리 작곡가로 남을까 하는 생각을. 그래서 성음으로 간 거예요. 본격적으로 작곡가로 가려고요. 잘 될 수도 있었죠.

박준흠 : 잘 되었으면 신촌블루스가 안 만들어졌겠네요.

엄인호 : 그렇죠. 그런데 내가 생각하는 대로 세상이 돌아가지 않더라고요. 성음에 잠깐 있을 때는 그런 분위기가 아니었어요. 너무 막 이리저리 치이니까 그만두고 나온 거죠.

5) 장끼들 결성과 녹음

엄인호(g, v), 박동률(b, v), 나원주(g), 양영수(d), 임병윤(d)

박준흠 : 박동률 씨와 장끼들을 결성한 얘기를 해주세요.

엄인호 : 어느 날 막걸릿집 '경주집'에서 박동률을 다시 만났어요. 그런데 얘가 만든 〈사랑사랑 누가 말했나〉(남궁옥분, 1981년)가 이제 떴어. 그때 얘가 나보고 팀을 만들자고 슬슬 들어오더라고. 나도 이제 풍선이 끝났으니까 팀을 만들어야 할 거 아니에요. 그래서 일단은 계획이 뭐였냐면, 각기 따로 일하더라도 팀을 만들어서 나중에 잘 되면 저녁 일도 할 수도 있고… 그런데 우둔하게 바보처럼 우리 저녁 일, 하지 말자, 빨리 떠야 한다. 그래서 장끼들을 만든 거예요.

박준흠 : 궁금한 게, 장끼들이 처음에 드럼을 두 세트로 했는데.

엄인호 : 내가 그런 아이디어를 냈어요. 우리 한번 올맨 브라더스처럼 해볼래? 그래서 '투-드럼'으로 독특하게 팀을

구성했어요.

박준흠 : 녹음은 그렇게 한 건데, 라이브도 그렇게 했나요?

엄인호 : 라이브는 해보지 못했어요. 그런 식으로 세팅이 돼 있는 공연장도 없고, 또 드럼을 둘이 치려면 엄청나게 연습해야 하거든요. 그런데 그럴 시간도 없었어요. 녹음해놓고 막상 라이브 같은 걸 해보려고 그랬더니 드럼 둘이 너무 안 맞는 거예요. 그래서 걔, 막내는 내보내고.

박준흠 : 양영수 씨 말고 두 번째 드러머 이름은 혹시 어떻게 되나요?

엄인호 : 임병윤인가…?

박준흠 : 음반에는 이름이 없어요.

엄인호 : 나중에 〈강병철과 삼태기〉에 있었어요. 걔가 삼태기의 마지막 멤버였을 거예요. 양영수는 그래도 곧잘 드럼을 좀 쳤던 애 거든요. 걔가 연조(年條)가 오래됐기 때문에, 걔는 또 악보도 잘 보고. 카바레에서부터 뭐, 그냥 완전히 다른 애죠. 우리 밴드에는 그런 애가 필요했거든요. 동률이하고 나하고 활주로 출신의 나원주 그런 식으로 장끼

들이 된 거예요.

박준흠 : 장끼들 할 때 김현식과 같이하는 거는 생각하지 않으셨나요?

엄인호 : 그 친구들이 생각할 때는 장끼들 하면서 현식이를 끌어들여 밤일하면 편할 거라고 여겼겠지. 그 당시만 해도 현식이는 자기 혼자 솔로로 일을 하면 돈을 많이 벌었거든요.

박준흠 : 인기가 많았죠. '나이트클럽의 황태자' 소리도 들은 것 같은데….

엄인호 : 그런데 나는 굳이 우리 팀하고 합칠 일도 없고, 현식이는 유명한 나이트클럽에서 잘하는 밴드들하고 같이할 때니까요. 그래도 선심 쓰듯이 한 번은 강남에서 같이 일을 하게 됐는데, 오래 못 갔죠. 당시 강남이 깡패들도 많은 술집이잖아요. 아주 그런 것들 꼴 보기가 싫어서. 그런데 그때 내가 느낀 게, 현식이가 노래하면 관객들이 슬로우를 하더라도 춤추는 사람이 없었어요. 〈사랑했어요〉 이런 거 부르고 그럴 땐데. 그리고 1집의 무슨 곡이지? 좀 약간 뽕(?)스러운 곡들이 몇 개 있었거든요. 그런 곡을 슬로우로 부르잖아요? 그러면 관객, 특히 여자들이 완전히 그냥 흠모의 눈으로 현식이를 쳐다보고 그랬다

고요. 손님들이 현식이 노래에 완전히 취해서 그랬다고요. 그걸 무대 위에서 내가 느꼈어요. "아, 노래를 사람들이 심취해서 듣는구나."

나 같은 경우는 〈Wonderful Tonight〉 같은 거 부르고. 그때만 해도 내가 이렇게 목소리가 낮고 그러진 않았어요. 그런데 그때 너무 내 목소리를 혹사한 것 같아요. 또 일부러 즐기고도 있었고. 조 카커(Joe Cocker) 흉내 내고. 내가 팝송도 일부러 막 힘줘서 부르고. 〈Knocking on Heaven's Door〉 같은 것도 완전히 조 카커 스타일로 부르고 그랬거든요. 그때 너무 술 마시고 노래 부르고, 내가 목에 결절이 있는 것도 못 느낀 거지. 그냥 당연히 록 밴드 한다면 목소리가 이렇게 변해야 한다고 생각했어요.

박준흠 : 지금과는 조금 목소리가 달랐다는 얘기네요.

엄인호 : 그래도 어느 정도까지는 일반 가수들이 부르는 정도까지는 올라갔어요. 그랬는데 신촌블루스 만들고서 노래하려고 했더니 노래가 안 되더라고요. 술도 너무 많이 마시고 담배도 많이 피우고… 내가 저녁 일을 하면서 일부러 내 목소리를 그런 식으로 만들어 버리려고 그랬던 적도 있고. 바보 같은 짓을 한 거죠.

박준흠 : 김현식 씨와는 그때 잠깐 강남에서 같이 일하고, 그때가 김현식 2집 나오기 전인가 보네요.

엄인호 : 예. 공중에 떠 있을 때죠. 아마 내가 생각할 때 〈사랑했어요〉를 그때 불렀던 것 같아요. 밤일할 때 잠깐. 그리고 약간 뽕(?)스러운 곡인데 〈사랑했어요〉 비슷한 곡이 있었거든요. 〈회상〉인가?

박준흠 : 〈회상〉도 2집에 있어요.

엄인호 : 내가 볼 때는, 현식이는 우리 팀에서 밤일하기에는 너무 과분했고, 그리고 여러 가지로 내가 장끼들에 대해 약간의 환멸을 느꼈을 때예요. 왜냐면 너무 양지만 찾으러 다니고 그러니까 사람들이 조금 비겁하다고 그럴까. 뒤에서 작당하고 그런 것들이 매우 싫었어요. 저녁 일 하려면 악기가 필요하잖아요. 악기를 사는데 당시에 내가, 그러니까 서류상으로 리더가 된 거예요. 그래서 내가 책임을 지는 거로, 밴드에 대한 책임을 지고 드럼 사고 기타 사고 베이스 앰프 사고했어요. 당시에 굉장히 큰돈이었어요. 거기다 드럼도 최고로 좋은 드럼이었던 것 같아요. 소노(Sonor)라고, 우리나라에 처음 들어왔을 땐데 당시 기타가 한 80-90만원 할 정도면, 드럼은 한 500-600만 원?

박준흠 : 한 2,000만 원 쓰셨다고 하셨죠.

엄인호 : 그걸 나중에 나 혼자 갚는 거 있죠. 맨 처음에 같이 저녁 일 하면서 갚아 가다가 얘네들이 스믈스믈… 나를 슬슬 뒤에서 따돌리기 시작하면서 지네끼리는 현식이한테 부탁해서 저녁 일을 한 거로 알고 있어요. 결국, 나 혼자 남아서 후배들하고 영 일레븐을 했다고요. 그게 나한테 유일한 수입원이었으니까. 가끔 스튜디오에서 세션 같은 거나 메들리 같은 거 하고. 내가 그 빚 갚느라고 얼마나 힘들었는지.

 오죽하면 그 PD 선생이, 신종인 씨라고 나중에 MBC 부사장까지 올라갔던 분이에요. 굉장히 나를 좋아했거든요. 그래서 그분이 돈 빌려준 사람에게 그만 좀 받아라, 그렇게까지 얘기를 했으니까요. 내가 맨날 너무 힘들어하니까 그 PD가 같이 술도 마시면서 이것저것 물어봤는데 그때 그런 얘기를 한 거죠. 선생님 저 굉장히 힘들다고 했더니, 뭐가 그렇게 힘든데? 그래서 이러저러한 일이 있다고 하니까 그 PD 선생이 듣다가 그거 내가 해결해 주겠다고 그러는 거예요. 당시에 돈 빌려준 사람이 굉장히 유명한 가수의 매니저였어요. 그분도 방송 PD들 얘기 들어보니까 굉장히 잘하는 밴드거든요. 장끼들이 쓸모가 많은 밴드니까 자기가 매니저 비슷하게 하고 싶었던 거죠. 그래서 선뜻 자기네가 돈을 빌려줬던 거죠. 그런데 팀이 이상하게 가버리니까 자기는 돈을 회수해야 할 거 아니에요? 그런데 다른 놈들은 다 도망가 버리고 없고, 나 혼자만 영 일레븐 하고 있으니까 계속 내 바우처 있잖 아요? 방송 바우처를 그분이 받아 갔다고요.

박준흠 : 완전히 일수日收네요.

엄인호 : 그러니까 그때 PD 선생님이 "왜 네 돈을 그 사람이 갖고 가?" 해서 이런저런 자초지종을 얘기했죠. 그랬더니 내가 해결해 줄게 하 고선 그 매니저한테 얘기를 한 거예요. "이제 그만 좀 받아라. 쟤 너무 힘들어하고 안됐잖아." 그래서 그분이 "이제 됐다, 내가 진짜 미안했 다. 그만할게." 그런 사건이 있었는데….

6) 이영훈을 이문세에게 소개해 줌

박준흠 : 이영훈 씨 얘기를 계속해 주세요.

엄인호 : 뭐 같이 술도 무지하게 먹었지. 그 친구도 술 엄청나게 좋아
했으니까. 그래서 내가 셋방살이할 때도 막 놀러 오고. 그런데 나한테
자기 곡 좀 가수들이 부를 수 있게 해 달래요. 마침 그때 이문세하고 이
광조가 찾아온 거야. 나한테 곡 달라고. 그런데 이문세는 나하고 너무
안 어울렸고, 그 당시에는 내가 또 이광조한테 줄 만한 곡이 없었을 거
야. 〈그대 없는 거리〉 정도 쓰고, 〈바람인가〉는 장끼늘 할 빼 했있잖
아요. 그런데 둘 다 신곡을 원했으니까. 그때 몇 곡을 더 썼는데 솔직
히 얘기해서 이광조에게 어울리는 곡이 없었어요. 이문세도 그렇고.
그래서 내가 이영훈을 이문세에게 소개했거든요. 그런데 이광조가
며칠 뒤에 왔던 거 같아요.

박준흠 : 이문세 씨한테 먼저 소개해주고 나서 며칠 뒤에 이광조 씨가 왔었다는 얘기네요. 그래서 이문세 씨 음반들이 나오는 와중에 이광조 씨 음반에 한 번 참여한 거네요. 1987년 이광조의 [세월 가면] 음반에.

엄인호 : 이문세가 먼저 선점을 한 거지. 그런데 이문세는 맨 처음에는 이영훈을 그리 좋아하지 않았어요. 그러다가 내가 킹 레코드(대표 킹 박)에 갔어요. 아마 나를 올라오라고 불렀을 거예요. 바로 밑 지하실이니까. 갔더니 나한테 뭐라 그랬냐면, 야, 〈골목길〉 같은 곡을 좀 써줘, 신중현 씨 같은 그런 스타일. 너 그런 스타일 잘 쓴다며. 그래서 내가 이영훈 씨의 곡을 좀 잘 들어보시라고, 이거는 기가 막힌 곡이다, 좋은 곡이다, 내가 그랬거든요. 그랬더니 좀 탐탁지 않게 생각했던 것 같아요. 한참 뒤에 녹음했으니까.

그런데 어느 날부터 안 보이더라고요. 이것들이 녹음하러 다닌 거야. 그래서 이영훈이도 내가 조금 괘씸하게 생각하는데. 그러고서 나는 성음으로 갔어요. 그때 가기 전에 내가 이영훈이도 소개해줬고, 이광조도 소개해줬거든요. 그래서 이영훈이가 곡을 줬는데 이미 그때쯤에는 이광조가 한참 생각했었던 것 같아요. 그런데 좋은 곡은 이미 이문세가 다 찍었거든. 하지만 가수마다 취향이 다르잖아요? 지금 기억이 잘 안 나는데, 이영훈이 곡을 몇 곡은 썼어요. 그게 〈세월 가면〉이었니?

박준흠 : 이광조의 [세월 가면] 그 음반은 거의 이영훈 곡들로 만들었어요.

엄인호 : 아마 그랬을 것 같아요. [가까이하기엔 너무 먼 당신] 앨범에는 없어요. 그리고 그때 내가 팀을 하나 다시 만들려고 생각했을 때 노래 부르는 사람이 하나 있어야 하겠더라고. 그래서 찾아낸 애가 누구냐면 권인하예요. 그런데 권인하도 곡을 썼더라고, 〈사랑을 잃어버린 나〉. 이 곡이 있어서 광조한테 이 곡 좋다, 이걸 하라고 해서 했던 것 같아요. 그런데 내가 가만히 들어도 이건 이광조한테 굉장히 어울리는 곡이야. 그래서 그 곡을 그 앨범에 넣었다고요. 〈가까이하기엔 너무 먼 당신〉하고 같이.

박준흠 : 결국에는 이문세는 이문세대로 이광조는 이광조대로 둘 다 인기를 얻은 거네요.

엄인호 : 그렇죠. 그런 거 보면 내가 그런 기질은 있었던 것 같아요. 작곡가를 이렇게 찾아주는 거.

박준흠 : 이영훈 씨 곡을 처음 받았을 때 이문세 씨의 반응이 궁금합니다.

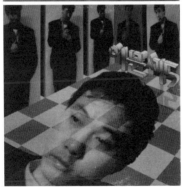

엄인호 : 맨 처음엔, 형 그러지 말고 형 곡 좀 주라고 했어요. 그래서 내가 이영훈이 보고 피아노 치면서 노래하라고 했어요. 이문세에게 들려주라고. 가수들은 모르잖아요. 악보를 볼 줄도 모르고. 내 기억에는 그런데도 이문세가 나한테, 아, 형 그러지 말고 형 곡 좀 주라 했거든요. 왜냐면 거기에 빠른 곡이 하나도 없었거든요. 분명히 내가 곡을 써놓고 그걸 자기한테 안 주는 거로 생각했었던 것 같아요. 〈골목길〉이나 그런 노래 보면 내가 리듬감 있는 곡들을 많이 할 때거든요. 그러니까 그런 곡을 받고 싶었던 건데, 이왕이면 신곡으로.

　그래서 킹 박 사장님한테 내가 끌려 올라갔어요. "야, 돈 줄게 인마, 곡 하나 써 줘." 그런데 나는 안 어울린다고 생각했어요. 당시에 이문세가 '삐리삐리 파랑새' 부른 거 들었을 때도 별로라고 생각했어요. 군대 가기 전에 내가 곡을 몇 곡 준 적이 있었거든요. 그때 아마 〈이별〉이라는 곡인지 하여튼 불렀어요. 〈78 가을 편지〉도 그 친구가 불렀던 거지. 그때는 제목이 〈사랑의 계절〉인가 그랬을 거야. 잘 되지가 않았다고. 그 제작을 누가 했냐면 서울 음반인데, 그 당시에 백순진 선배가 있을 때예요. 서울 음반에서 처음 가요 파트가 생길 때. 군대 갔다 와서 자기는 내가 쓴 곡이 자기한테 어울릴 거로 생각했을 수도 있고… 〈골목길〉이나 이런 것, 장끼들 음반을 듣고 나서 자기도 그런 노래를 하고 싶었겠지. 리듬감 있는 레게 스타일로.

박준흠 : 그런데 이영훈 씨를 이문세에게 소개하니까….

엄인호 : 그래서 성음에서 나를 스카웃 한 거죠. 서라벌 스튜디오에 있던 권인하부터 그 당시 세션들을 내가 다 성음으로 데리고 간 거예요. 녹음실을 내가 장악했었거든. 성음 회장님이 나를 불러서 갔을 때 그런 얘기를 했어요. 녹음실은 앞으로 네가 책임져라. 그리고 그때 이광조하고 얘기해서 〈가까이하기엔 너무 먼 당신〉을 성음으로 갖고 오라고. 그래서 〈가까이하기엔 너무 먼 당신〉 앨범이 나온 게 성음이에요. 그게 대박이 터졌지. 그랬더니 회장님이 또 나를 불렀어요. 그때

는 사장님인데 나중에 회장이 된 거죠. 성음에 있는 굉장히 높은 분이 그런 얘기를 했나 봐요. 이광조나 이문세의 앨범 나온 게 내가 뒤에서 뭔가 조력자 역할을 했다는 거를.

이제 내가 제작하려니까 이영훈 곡이 좀 필요했었어요. 가수들 앨범 내기 위해서 내가 곡도 막 모으고 그럴 때예요. 그런데 좀 여러 가지 맥 빠지는 일이 있었지. 말도 안 되는 가수들 데리고 와서 나에게 프로듀싱 해달라고. 아, 그리고 우리 후배들 데리고 가서 권인하고 '우리'라는 밴드를 만들었을 때예요. 녹음한 거를 사장님이 들어본 거죠. 그분이 생각할 때는 이거는 굉장한 앨범이라고 느꼈나 봐요.

박준흠 : 밴드 우리 1집(1986년) 제작을 하신 거네요?

엄인호 : 맨 처음에 프로듀싱을 내가 했죠. 그러다가 그 친구들이 슬슬 건방을 떨기 시작하더라고. 성음 스튜디오가 굉장히 좋은 스튜디오 거든요. 필립스에서 만들어 놓은 거란 말이에요. 그러니까 기계가 얼마나 좋아? 거기다 회사에서 얘네들이 원하는 악기 다 사주고 하니까. 이것들이 간이 부은 거야.

거기에 또 회사와 나하고 갈등이 있었어요. 부장님이라는 분하고요.

그분이 굉장히 나를 피곤하게 하는 거죠. 이상한 트로트 하는 가수 데리고 와서 나한테 계속 압력을 넣으니까. 이런 사람들 앨범을 네가 좀 프로듀싱 해주고 어쩌고… 그런데 솔직히 나는 엄청나게 싫었는데 내가 만약에 안 한다고 하면… 그리고 회장님이 스튜디오를 나한테 맡겼는데, 자기가 나도 모르게 트로트 가수 데려다 놓고, 오르간 음악 있잖아요? 길거리 음악… 그런 걸 막 녹음하고 그러고 있는 게 나로서는 굉장히 못마땅하고.

내가 스튜디오를 쓰려고 하면 그분이 무슨 녹음 하나 잡아놨다고 하고. 도대체 뭐 하는 건지… 보면 이상한 거 몰래 녹음하고 있고. 회장이 알 수가 없죠. 회장은 그 녹음실에 잘 오지도 않았어요. 나로서는 그게 매우 싫은 거예요. 거기에다 거기서 일하는 사람들도 회사에 알랑방귀 뀌고, 나를 이제 슬슬 따돌리기 시작하더라고요. 그래서 "다 꼴 보기 싫어, 난 도로 갈 거야, 그래서 내 음악 할 거야." 그랬던 거죠.

그때 이광조는 그 회사에 있었죠. 걔도 막강한 파워가 있을 때예요. 회사에 큰돈을 벌어줬으니 파워가 세죠. 거기다 이 후배 놈들도 그랬고. 그러니까 여러 가지로 나는 스트레스를 받았고, 그때는 내가 잠시 기타를 놨을 때예요. 제작 쪽에서 프로듀싱 가지고도 충분히 먹고 살 수 있다고 생각했거든요. 결국, 그렇게 오래 있지 않았어요.

박준흠 : 1986년 초에 나오셨네요.

엄인호 : 이광조의 〈가까이하기엔 너무 먼 당신〉이 확 떴을 때, 이미 그때 다른 마음을 먹었을 때고, "잘 있어라. 나는 간다." 하고 나와서 얼마 안 있다가 만든 게 이제 신촌블루스죠.

06

김현식, 박동률, 한영애 등과의 만남

"1976년 즈음에 전유성 형이 김현식을 술자리에 데리고 왔어요.

같이 술 마시면서 현식이가 노래한다고 그랬으니까 들어보고 싶었던 거지. 그런데 기타 치면서 비지스의 〈First of May〉를 부르는데, 와─ 그다음에는 호세 펠리치아노의 〈Rain〉. 너무 잘하는 거 있죠.

내 기억엔 개하고 나하고 연대 뒷산에 소주병 들고 올라가서 둘이 마시면서 얘기했던 거 같아요. 1981년 무렵부터는 신촌의 막걸릿집 '경주집'에서 현식이랑 자주 술을 먹었어요. 해질 때까지 같이 마시고, 통행금지까지 마시고 그랬죠.

1) 김현식과의 만남. 그리고 신촌의 경주집

박준흠 : 김현식 씨는 언제 만났나요?

엄인호 : 내 기억에 1976년쯤이에요. 내가 서울에 잠깐 있을 때인데, 전유성(개그맨) 형이 현식이를 데리고 왔어요. 그때 박동률도 같이 있었어요. 박동률은 저녁 일을 할 때니까 전유성 형이 얘하고 같이 한번 해 봐! 하고 데리고 온 게 현식이에요.

박준흠 : 1980년 훨씬 이전에 만나셨네요. 김현식 씨가 1958년생이니 19살 무렵에 만났다는 얘기네요. 김현식 씨는 고등학교를 중퇴한 것으로 알고 있고요.

엄인호 : 그래서 무교동이나 이런 데서 노래를 했던 것 같아요. 전유성 형이 일하는 데서.

박준흠 : 그때 노래하는 거 보셨나요?

엄인호 : 그때는 무대에서 노래하는 것은 못 봤고, 추측건대 걔도 팝송을 많이 불렀겠죠. 내가 깜짝 놀란 거는 비지스(Bee Gees)의 〈First of

May>를 부르는데 너무 잘하는 거야.

박준흠 : 언제 보신 거예요?

엄인호 : 그게 전유성 형이 데리고 온 날 그날이요. 기타를 갖고 다녔거든요. 보통 기타 같은 게 항상 있었어요. 같이 술 마시면서 현식이가 노래한다고 그랬으니까 들어보고 싶었던 거지. 호세 펠리치아노(Jose Feliciano)의 〈Rain〉도 불렀는데, 너무 잘하는 거 있죠. 내 기억엔 걔하고 나하고 그날도 연대 뒷산에 소주병 들고 올라가서 둘이 마시면서 얘기했던 거 같아요.

박준흠 : 선생님 관점에서는 어떻게 노래하는 게 진짜 잘한다는 겁니까?

엄인호 : 벌써 이게 오리지널리티가 딱 느껴지거든. 그러니까 다른 애들 보면 뭔가 좀 아마추어 냄새가 나는데, 얘는 그게 아니야. 딱 봤을 때, 어 이놈은 진짜 오리지널리티를 그대로 갖고 있구나.

박준흠 : 자기만의 독보적인 보컬 스타일?

엄인호 : 그 음색 자체가 뭐… 그래서 내가 깜짝 놀라서 그날로 바로 친해진 거예요.

박준흠 : 그날 바로 연대 뒷산에 소주병 들고 가서 둘이 마셨다고 했는데?

엄인호 : 우리가 주로 갔던 데가 그 노천강당. 거기 어둑어둑해지면 사람이 하나도 없거든요. 간간이 여기저기 있긴 한데, 우리가 거기서 대마를 하든 뭐를 하든 사람들은 관심 없으니까. 지네들도 연애하기 바쁘니까. 그런데 거기서 이제 현식이 노래를 제대로 듣기 시작한 거지. 자기가 작곡했다는 거. 그 전에 술집에서는 팝이나 하고 그랬을 때니까. 뭐 〈First of May〉라든가 〈Rain〉 같은 거. 그런데 거기 연대에 가서는 자기가 만든 곡이라고 들려주더라고요. 자작곡을요.

박준흠 : 혹시 어떤 노래였나요?

엄인호 : "하늘을 보면 떠오르는 모습 떠나간 그대여…"

박준흠 : 김현식 1집에 있는〈당신의 모습〉이네요.

엄인호 : 그리고 몇 곡을 더 들려주는데, 이게 귀에 확 들어오는 거예요. 그래서 김현식 묘지에도 그게 들어가 있거든요. 내가 극구 주장했으니까. 묘비에 걔가 쓴 곡을 하나 넣자, 그래서〈당신의 모습〉을 거기다 썼어요. 거기 가본 지가 오래됐네요.

박준흠 : 그때도 자작곡이 많았나요?

엄인호 : 좀 있었던 것 같아요. 뭐 본격적으로 작곡한 건 아니고. 이미〈사랑했어요〉를 그때 자기가 작곡했다고 나한테 얘기했고.

박준흠 : 1984년에 발표한 노래가 이미 그때 있었네요. 선생님이 김

현식 씨를 처음 만났을 때, 노래를 굉장히 잘한다고 생각했으니까 밴드를 같이해보고 싶다, 그런 생각 안 하셨나요?

엄인호 : 했죠. 내가 생각한 거는 이미 포지션들이 다 있었거든요. 나는 그 당시에 통기타만 겨우 칠 정도인데… 물론 어렸을 때 일렉기타를 쳐봤지만, 굉장히 록을 하고 싶었어요. 그런데 부산에 있는 상황이고, 그때 거기 신촌에 오는 애 중에 이태원에서 음악 했던 친구들이 몇 명 있었어요. 그 친구들하고 나하고 얘기가 되기 시작한 거지. 우리 그러지 말고 팀을 하나 만들자. 그때 나도 막 작곡에 눈을 뜨기 시작할 때거든요. 보니까 박동률 걔는 멋진 곡을 썼거든. 〈사랑사랑 누가 말했나〉라든가, 〈나그네의 옛이야기〉. 내가 노래를 가만히 들어보니까 이거 내 나름대로 이렇게 고치면 멋있겠다는 생각이 들더라고. 나는 그때 블루스에 심취해 있을 때니까.

박준흠 : 보컬로 김현식을 투입하고요?

엄인호 : 그렇게 하고 싶었던 거죠. 그런데 결국은 내가 부산으로 다시 내려갈 수밖에 없었어요. 그 여자가 있었기 때문에. 그런데 이후 '장끼들'이라는 팀을 만들었을 때는 김현식은 이미 이쪽 나이트클럽 계에서 황태자였으니까. 노래 잘하는 거로. 그래도 몇 번 뭉치려고 그리다

가 결국은 못 한 거예요. 잠깐 같이 어디서 일하다가, 현식이 나름대로는 집에 돈을 갖다줘야 해서 우리랑 있을 수가 없었어요. 그 당시에 페이가 아주 작았거든. 그러니까 현식이는 자기 혼자 솔로로 타워호텔이나 이런 데 가서 노래하고 그러면 받는 돈이 있는데, 우리 때문에 희생할 수는 없는 거거든요. 그래서 젊음의 행진이나 이런 방송에 같이 나가고 그런 적은 있죠.

박준흠 : 궁금한 게, 김현식 씨가 1958년생이잖아요. 그리고 두 분이 처음 만난 게 1976년도란 말이에요. 그러면 당시 19살인데, 19살이면 고등학교 3학년 나이인 거잖아요.

엄인호 : 그때는 굉장히 노숙해 보였죠. 옷 입는 것도 그렇고 또 마냥 어릴 때가 아니니까. 다른 애들보다 굉장히 세련되게 옷도 입고 그랬으니까. 내가 조금은 의심을 했어요. 이놈이 좀 어린데? 그런데 그렇게까지 어릴 줄 몰랐던 거지. 그러니까 다른 애들이 다 속았던 거예요.

박준흠 : 진짜 20대 중반으로 보였나요?

엄인호 : 예. 박동률이나 이런 친구들이 나보다 두 살인가 어렸거든요. 그런데 어느 때인가 부산에서 보니까 다들 친구가 돼 있는 거야.

그러더니 이게 슬슬 나한테도 맞먹고 야자 하더라고요. 그래서 걔네들하고 친구가 됐으니까 아마 적어도 비슷하겠다고 생각했는데, 나중에 걸린 거죠. 1958년생 걔 또래들이 나와 같이 방위를 받았으니까. 내가 방위 간 걸 현식이도 봤거든요. 그러니까 또 그렇게 생각할 수도 있어요. 내가 어리구나, 많아 봐야 자기보다 한두 살 위 정도? 이렇게 생각했을 수도 있어요.

박준흠 : 김현식 씨는 반대로 선생님이 나이를 속였다고 생각하고요?

엄인호 : 그걸 한참 뒤에 알았어요. 한참 신촌블루스 공연 다닐 때 어떨 때는 비행기를 타고 다닐 때도 있고 그랬어요. 동아기획 김영 사장이 우리 와이프를 굉장히 좋아했었거든요. 현식이가 또 우리 와이프 얘기를 많이 했어요. 동아기획에 가서 얘기했나 봐요. 현식이가 우리 집에 와 있는 것도 알고 그러니까 동아 사장이 나한테 "엄 박사, 혹시 자네 와이프가 현식이를 부산으로 좀 데리고 갈 수 있을까? 공연하는 곳으로" 이러는데, 왜 그러느냐? 그랬더니 가만히 보니까 현식이가 내 와이프 얘기를 많이 한 대요. 동아 사장도 이렇게 보니까 현식이가 다른 사람 말을 안 들어도 우리 와이프 말을 잘 듣거든요. 모르겠어요. 왜 그랬는지는.

하여튼 현식이가 도망 와서 우리 집에 있을 때 밥도 잘 차려주고 그래서 그런지 몰라도 걔가 우리 와이프를 굉장히 좋아했었어요. 나는 미리 하루 전에 가 있었고. 그때 비행기 타려고 하는데 현식이가 술에 취해 있으니까, 주민등록증이 있어야 비행기를 타니까, 우리 와이프가 현식이한테 주민등록증 줘보라 했더니, 쭈뼛쭈뼛하면서 주민등록증을 주더래요.

박준흠 : 그런데 58년생이셨구나…. (웃음)

엄인호 : 우리 와이프가 그거 보고 "야, 얻다 대고 야자하고 그래? 우리 남편한테." 하니까 이거 비밀로 해달라고 하는 거예요. 그래서 앞으로는 동아 사장이 내게 엄 박사, 엄 박사 할 때 자기는 엄 선생이라고 부르겠다고… 그렇게 된 거예요. 재밌죠.

박준흠 : 그 이후에는 선생님을 형이라고 불렀나요?

엄인호 : 아뇨. 나도 그게 편했어요. 엄 선생님. 형이라고 부르니까 더 이상하더라고요. 걔 친구들하고 나하고도 친구가 된대요. 54년생이나 이런 친구들이요. 그런데 갑자기 형, 그러면 이상하잖아요.

박준흠 : 옛날에는 다들 나이를 조금씩 올려서 얘기했나요?

엄인호 : 선배들도 거의 그랬고, 나만 빼놓고 다 나이를 다 속인 거야. 거의 이쪽 음악 하는 쪽에서는 적어도 2-3살은 다 올렸으니까요. 왜 그런가? 하고 가만히 생각해보니까, 미 8군의 마지막 오디션이 1952년, 53년생이에요. 거기에 자기를 갖다 집어넣기 위해서는 나이를 속일 수밖에 없었던 거지. 미 8군 출신이다, 그래야 알아줬으니까. 그때가 딱 그 나이 때거든요. 1952, 53, 54년생 이 친구들이.

이태원에서 그때는 공식적으로 미 8군 오디션이 끝났어요. 그러니까 최이철(前 사랑과 평화) 때가 공식적으로 끝났어요. 그러니까 미8군에는 들어가지도 않고 이태원에서 있다가, 간간이 부대 파티나 이런 데 술집에 가서 연주하고. 그때 미군을 상대로 했던 쇼단이 있었잖아요. 유니버설 뭐 이런 거. 거기에서 그때그때 필요하면 이태원 밴드들을 불러서 쇼를 붙였거든요. 그러니까 나이를 속일 수밖에 없었어요. 1954, 55 이런 애들이 자기도 미 8군에서 했던 사람이다. 그게 우리나라 그룹의 족보에 가장 중요한 부분이거든요.

박준흠 : 1976년에 처음 보시고, 이후에 자주 보게 된 건 김현식 1집이 나온 1980년 이후겠네요.

엄인호 : 이장희 스튜디오가 나중에 서라벌 스튜디오가 됐어요.

박준흠 : 그렇죠. 김현식 1집에서 사랑과 평화가 세션으로 참여하니까.

엄인호 : 그때 현식이가 거기 자주 왔었고, 어쨌든 서라벌에서 앨범을 냈으니까요. 그다음에 어디서 자주 봤냐 하면 CM송 하는데, 그런 데서 현식이가 CM송도 좀 부르고 그랬거든요. 그때 CM송 하는 선배들이, 뭐 후배도 있었지만, 당시에 나이들을 너무 속여서 선배인지 후배인지… 하여간 CM송 작곡해달라고 나한테 제의도 들어오면서 몇 개 만들어줬어요.

박준흠 : 혹시 기억나는 CM 있으세요?

엄인호 : 기억이 잘 안 나네요. 또 내가 곡을 썼어도 자기들이 조금씩 바꾸고 그런 거 있잖아요. 자기 이름으로 등록했는지 모르겠지만, 그때 당시에 CM송 녹음을 많이 했어요. 어느 날 서라벌 스튜디오에 있는데 현식이가 '동해 맥주'라는 걸 자기가 작곡했다고 갖고 온 거예요. 그래서 맥주는 또 뭐냐고 물었더니 자기 아버지가 술을 만든다나? 그래서 자기가 노래를 불러야 한다고.

박준흠 : 서라벌 스튜디오를 다시 한번 확인해보면, 광화문의 사운드랩 스튜디오 얘기하시는 거죠?

엄인호 : 그 전에 이장희 씨가 마지막으로 있었던 건 서울고등학교 옆의 지하실인데, 아주 큰 공간이 있었어요. 거기에 스튜디오가 있었거든요.

박준흠 : 그게 서라벌 스튜디오가 되고….

엄인호 : 그렇죠. 이장희 선배가 운영하다가 미국으로 갔고, 서라벌에서 거길 인수했는지 아니면 서라벌에서 돈을 대서 그 스튜디오를 이장희 씨한테 맡겼는지, 박 차장이라는 분이 그 스튜디오를 운영했고요.

박준흠 : 2층에 킹레코드가 있었고요?

엄인호 : 그거는 그 뒤의 일이고. 그 스튜디오에 물이 들어오기 시작해서 그걸 없애고, 계약이 만료됐던가? 그래서 이동하게 됐는데, 서라벌레코드사와 좀 더 가까운 곳으로.

박준흠 : 옮긴 건가요?

엄인호 : 기상청 쪽으로 올라가서 지하실에 스튜디오를 만들었고, 2층에 킹레코드사가 있었어요.

박준흠 : 이름이 둘 다 사운드랩 스튜디오인가요?

엄인호 : 그전에 우리가 갔을 때는 그냥 서라벌이나 스튜디오라고 그랬고… 현식이가 거기 자주 왔었다고 그러더라고요. 옛날에 이장희 씨가 스튜디오 했을 때요.

사나이 노래

박준흠 : '동해 맥주' CM송 얘기를 좀 더….

엄인호 : 현식이가 자기가 만든 곡이라고 CM송을 들고 온 거예요. 그게 동해 맥주예요. "사나이 가슴에 불을 지펴라". 반주를 우리보고 해달라고 그러더라고요. 그때가 장끼들 할 때거든요. 그때 CM송을 같이 녹음해주고 그러면서 막걸릿집에서 자주 만날 때예요.

박준흠 : 혹시 김현식 씨가 1984년에 [사나이 노래]라는 싱글앨범을 낸 게 있는데, 혹시 그 곡인가요?

엄인호 : 아마 그 곡일 거예요. 나도 그 얘기 들은 적 있어요. 제작한 친구가 CM 제작하던 친구였거든요. 이 친구가 아마 몇 곡 미발표곡들을 갖고 있었을 거예요. 몇 년 전에 방송국에서 우연히 만났는데 나한테 그러더라고. 현식이 노래가 있는데 자기가 음원을 가진 게 있대요. 그러면서 나보고 같이 한번 해보지 않겠냐고요. 현식이 엄마하고 연락이 되게 해달라는 얘기를 들었던 것 같아요. 그래서 나는 지금은 모른다고 했고. 어쨌든 현식이 엄마한테 허락받아야 하잖아요. 노래를 불렀으니까. 내 생각에는 안 만나는 게 좋을 텐데, 그랬거든요.

박준흠 : 김현식 씨는 1986년 레드제플린에서 다시 뭉치기 전까지는 같이 할 일이 없으셨던 거죠?

엄인호 : 그렇죠. 제가 서라벌에 있으면 가끔 놀러도 오고. 가끔 곡 좀 없어? 크크… 그때는 그래도 자주 만났어요.

박준흠 : 김현식 씨하고는 술친구로 알고 있는데, 같이 술을 많이 드셨나요?

엄인호 : 그렇죠. 애초에 만날 때부터 술을 마셨으니까. 유성이 형이 데리고 온 첫날부터 같이 술을 마셨거든요. 그때는 뭐 많이 마셨다기보다는 서로 즐겼던 거지. 내가 할 일 없으면 그냥 술집에서 만나서 마셨죠.

박준흠 : 김현식 씨하고 신촌의 막걸릿집 '경주집'에서 자주 만난 건 선생님 방위 시절 그때부터인 건가요? 1979년 7월에 군에 가셨잖아요.

엄인호 : 방위 끝나고 한동안 내가 아무것도 못 했거든요. 마누라가 애 낳고 그랬지만 저녁 일도 좀 하다가 그것도 못 하고, 그러니 맨날 경주집 가서 술 마신 거죠. 사람들끼리 그런 얘기가 있었어요. 팀을 만들자 해서 팀을 하는데 연습하고 나면 또 언제 저녁 일을 할까….

박준흠 : 대낮부터 드신 건가요?

엄인호 : 해질 때까지 같이 마시고, 통행금지까지 마시고 그랬죠. 어떨 때는 연대 뒷산에도 올라가고.

박준흠 : 보통 술집에서 대낮부터 드시면, 지루해서 8시간씩은 못 있으실 것 아니에요?

엄인호 : 그렇지 않았어요. 계속 새로운 사람들이 자꾸 들어오거든요. 술 멤버들이 바뀌는 거야.

박준흠 : 그때만 해도 핸드폰이나 그런 게 없으니까 그냥 거기 가면 엄인호, 김현식이 등이 있겠거니 하고….

엄인호 : 어떤 때는 신촌에 왔다 갔다 하는 화가들도 오고. 그나마 우리보다 돈 버는 사람들은 또 그런 사람들이니까. 또 어떤 때는 연극 연출하는 선배가 오고, 또 이렇게 있다 보면 어떤 여자애들이 오고….

박준흠 : 그러면 둘이 먹고 있는데 점점 사람들이 들어와서 판이 넓어지는 건가요?

엄인호 : 멤버는 계속 바뀌는데 돈 좀 있는 사람이 오면 안주도 제대로 된 것도 시키고 그런 식이지.

박준흠 : 고기 안주 같은 것도 시키고….

엄인호 : 특별한 경우 아니면 그 자리에서 계속 먹는데, 누가 오늘은 돈 좀 있으니까 어디 딴 집 가자 그러면 또 딴 집 가서 마시기도 하고.

박준흠 : 술 드셨다는 데가 경주집이죠? 조그맣다고 하셨는데.

엄인호 : 예, 조그매요. 테이블 한 4개? 구공탄 때는 테이블 있잖아요? 그거 네 개야. 그러면 우리가 보통 두 개 차지하고 간간이 시장에서 일하는 사람들, 노인네들이 와서 이쪽에서 막걸리 좀 먹고.

박준흠 : 거의 뭐 선생님이 경주집을 먹여 살린 거네요.

엄인호 : 뭐… 독무대니까.

박준흠 : 혹시 그때 주로 막걸리를 많이 드신 건가요?

엄인호 : 막걸리를 많이 마시죠. 안주는 별로 생각 없었어. 그런데 사람들이 이것저것 무슨 머리 고기도 시키고 노가리도 시키고, 거기 뭐 특별한 안주가 없어요. 맛있는 안주랄 게 없고 그냥 다 싸구려지. 어떤 놈은 소 오줌통인가 그거 시켜서 먹는 놈도 있고. 나는 안주에 대해서는 그냥 김치만 있으면 돼요.

박준흠 : 왜 그렇게 그 장소를 두 분이 좋아하셨어요?

엄인호 : 거기가 제일 편했어요. 그리고 일단 다른 손님이 없잖아요. 젊은 애들이 들어올 데가 아니거든요. 거기는 그야말로 시장 사람들이나 들어오는 곳이죠.

박준흠 : 재래시장 한구석에 있었던 그런 데인가요? 지금 위치가 어딘 가요?

엄인호 : 한번 옮겼는데, 두 번째는 완전히 시장으로 들어갔고, 맨 처음에 생긴 데는 시장에서 약간 벗어나서 이대 입구에서 신촌역 쪽으로 내려오는 길 있죠? 거기에 있었어요. 중간에 있는 조그마한 집이었어요. 그 당시엔 별 볼 일 없는 동네였거든요. 나중에 거기가 이것저것 액세서리 팔고 이런 거 저런 거 팔고 그런 데가 많이 생겼지만, 그 당시만 해도 거긴 아무것도 없었어요.

박준흠 : 두 분은 만나셨을 때 주로 무슨 얘기를 하신 거예요? 그것도 대낮부터. 대낮이라면 오후 2, 3시를 얘기하는 건가요? 그때부터 만나서 그냥 통금 전까지 계속 마신다는 얘기죠?

엄인호 : 예. 시시껄렁한 얘기서부터… 특별한 일 없으면 그랬어요. 이 남자는 올 때마다 대화가 또 달라져요. 그래도 음악 얘기를 많이 했

죠. 거기서는 자기 신상에 관한 얘기는 별로 안 했어요. 그때만 해도 사람들이 연애하던 시절이기 때문에, 여자애들을 데리고 오고 그러면 또 수다 떠는 거지. 시답지 않은 얘기 가지고.

박준흠 : 김현식 씨도 여자 친구가 오고 그랬나요?

엄인호 : 가끔. 그리고 내가 신촌에 있을 때 나를 좋아했던 멤버들이 왔어요. 그런 애들이 우리 보고 싶어서 오거든요. 여자애들이 대학 다니고 할 땐데, 학교 끝나고 오면 걔네들하고 수다 떨고 뭐 이런 얘기 저런 얘기하고. 나는 그런 적이 없는데 어떤 애는 눈 맞으면 또 어디 가서 자고 오고. 그러니까 완전히 웃기는 짓거리들을 한 거죠. 시답잖은 얘기면서도 또 은근슬쩍 인생에 관해서도 얘기하고 그랬던 것 같아요. 자기들만의 개똥철학, 개똥 인생 얘기… 철학 얘기 같은 것도 좀 하고.

박준흠 : 궁금한 건 음악 얘기거든요? 도대체 구체적으로 어떤 음악 얘기인지가 궁금해요.

엄인호 : 서로 공감대를 형성하기 위해서는 대화를 해야 하잖아요. 음악 하려면, 그룹을 만들거나 이러면 그게 시작되는 거예요. 자기는 이런 걸 하고 싶다. 그리고 누가 곡을 썼으면, 가령 박동률이 <사랑사랑

304

누가 말했나〉를 쓰면, 걔가 곡 쓴 것에 관해 나 같으면 편곡을 이렇게 해야겠다든가. 너 이건 날 샜어! 라든가, 어떤 곡을 들었는데 이거는 좋다든가… 〈사랑사랑 누가 말했나〉를 들었을 때 내가 이거는 괜찮네, 여자애가 부르면 좋겠다, 그런 얘기를 했고. 〈나그네의 옛이야기〉 같은 건 내가 나중에 했잖아요. 박동률이가 쓴 건데, 포크를 했더라고요. 쿵작 쿵쿠작쿵, "오솔길을 거닐며-" 야, 이거 날 샜어. 그런데 만약에 내가 편곡한다면 이런 식으로 안 하고 블루스로 하겠다고 그랬더니, 어? 블루스? 그래서 결국은 장끼들에서 블루스로 간 거예요.

그리고 〈골목길〉 같은 거 들려주면 다른 사람들이 뭐 리듬이 이상하네, 〈I Shot the Sheriff〉하고 비슷한데? 코드 진행도 비슷하니까 그랬겠지. 맞아, 인마, 내가 에릭 클랩튼 노래 듣다가 갑자기 곡이 떠올라서 만든 노래야. 그런데 똑같다고 생각하지 마, 난 표절하는 사람이 아니야. 야, 너희가 레게를 아냐? 뭐 이런 식으로 티격태격하고 그랬지. 어쨌든 레게는 내가 제일 먼저 알았으니까. 내가 밥 말리

(Bob Marley) 얘기 막 하고 그랬더니 현식이가 밥 말리에 관해서 관심을 두더라고요. 나중에 현식이가 나한테 밥 말리 앨범 같은 것도 빌려가고 그랬어요. 그러더니 달라지기 시작하더라고… 밥 말리 특유의 그 유연한 애드리브 같은 거 있잖아요. 밥 말리 노래 들어보면 참 묘하잖아요. 뭔가 이렇게 늘어지는 듯하면서도, 굉장히 강렬한 기분이 느껴지거든요. 그런데 현식이도 나중에 〈골목길〉 라이브 할 때 보니까 이게 밥 말리 노래 듣더니 분위기가 좀 이상해졌네. 약간 늘어지는 듯하면서도, 또 나름대로 판하고는 완전히 다른 느낌이더라고.

2) 김현식의 건강 악화 - 술과 마약

박준흠 : 장끼들 해체되고도 김현식 씨를 자주 만나셨겠네요?

엄인호 : 예. 현식이도 내가 곡 쓰는 스타일이 마음에 들었나 봐요. 그러니까 신촌블루스 만들기 전부터 가끔 우리 집에 찾아와서 나 악보 좀 그려줘. 자기가 앨범을 내야 하는데 악보 그릴 줄 모르거든요. 그때의 나는 악보 그리는 게 너무 재미있었고요. 동아기획에서 앨범 낼 때 현식이 악보를 그려줄 수 있는 사람이 나밖에 없었거든요. 나에게 연락이 와서 악보 좀 그려달라고 그러면서 굉장히 친해진 거죠.

악보 그려주고 끝나고 나면 같이 술이 떡이 되도록 마시고 그랬어요. 결국은 공연 다니면서도 현식이하고 가장 많이 한 짓이 술 먹는 거야. 현식이가 지방 같은 데 가고 그러면 여자애들한테는 관심 안 가졌어요. 다른 데서는 어땠는지 모르지만, 우리하고 같이 다닐 때는 팬이라고 찾아오고 그랬어도 우리에게서 이탈해 어디 가서 자고 들어오고 그런 적도 없었거든요. 걔는 항상 나하고 같은 방에 있고, 같이 술 마시고, 아침에도 같이 깨고. 그러니까 굉장히 인기가 좋았을 때도 우리하고 같이 다닐 때는 여자애들한테 전혀 그런 게 없었으니까 희한하죠.

밴드 애들은 그냥 눈에 불을 켜고 어떻게든 형이 나서서 좀 엮어 달라고 해서 가끔 내가 엮어주고 그런 적은 있어요. 밴드하고 여자애들하고 우르르 있는 데서 같이 술 마셔주고, 내가 말을 재밌게 하니까, 재미난 얘기도 해주고 그러다가 나는 쓱 빠지는 거지.

박준흠 : 김현식 씨하고 두 분은 오로지 술로….

엄인호 : 그랬던 것 같아요. 둘이 뭐 큰 계획이나 이런 얘기를 한 게 아니고 그냥 잡다한 얘기나 하고. 외국의 어떤 가수는 뭐 어떻더라. 그리고 그거 판 있어? 그럼 나 좀 빌려줘. 뭐 이런 식으로… 그리고 별로 말이 없어요. 내가 가만히 회상해보면 술집에 가잖아요? 그러면 가능하면 사람이 없는 술집을 가요. 둘이 있을 때는요. 이대 입구에 있는 대현 시장 이런 데 가면 그냥 초라한 경주집 같은 데 들어가서 둘이 함께 그냥 안주 하나 시켜놓고 소주에… 안주도 안 먹어요. 걔도 안 먹고 나도 안 먹고. 오비 글라스 잔에다가 확 반반씩 따라서 원 샷. 그리고 기껏 먹어봐야 소금.

박준흠 : 그런 술버릇 때문에 김현식 씨의 건강이 급격하게 안 좋아진 거 아닐까요?

엄인호 : 아니요. 원래는 그렇지 않은데 마약 후유증이죠. 사실 필로폰으로 몇 번 걸렸잖아요. 그런데 그걸 한번 하기 시작하면 거기서 헤어나지 못해요. 집에서도 정신병원 이런 데에도 강제로 입원시킨 적도 있고 그랬는데도 쉽게 못 끊어요. 그런 데는 또 그런 사람들끼리 모여요. 그럼 어떻게든지 병원에서도 구해서 한다니까. 내가 보러 가서 답답하겠다! 그랬더니, 아니야 재밌어, 하는 거예요. 뭐가 재밌는데? 재밌잖아, 저 여자애. 왜? 기가 막혀서… 어디서 귀신같이 구해 갖고 온다. 이거지. 누가 면회 왔을 때 진짜 몰래 넣어주는 거야. 개인 정신병원이니까 허술하잖아. 그래서 야, 너도 해? 아니야 저 안 해요, 어쩌고저쩌고하는데….

박준흠 : 마약 하면서 간이 굉장히 안 좋아졌던 건가요?

엄인호 : 그렇죠. 주사기도 없고 하니까 막 서로 돌려 맞잖아요. 그러면 특히 제일 위험한 게 간염. 또 한 가지는 그걸 하면서 다른 약을 또 먹잖아요. 약을 이것저것 막 먹는 거야. 그러면 간이 망가지죠. 그런데 마약 안 하고 그 기분을 살리기 위해서 술로 가려면… 항상 그 몽롱한 상태를 술로 해결하려면 온종일 마시고 있어야 해요. 그러니까 간이 급격히 나빠지는 거죠. 거기다가 술만 하나? 신경안정제 이런 거 있어요. 발륨(valium)이라는 거, 노란색. 그걸 같이 먹는 거예요. 그러

면 어느 정도 그런 효과가 나타나는 모양이지? 그러면 치명적인 게 간이에요.

  내가 의사들한테 얘기 듣기로는 엄인호 씨같이 그렇게 술 마시면 간이 완전히 망가질 때까지는 한참 걸린다고 그랬어요. 나한테 그렇게 걱정 안 해도 된다. 단, 우루사같이 간에 좋다는 약은 술 먹고 난 다음에 꼭 먹어라. 자기들도 먹으니까. 의사들도 술 많이 마시는 사람 있잖아요. 그런데 그 사람들이 얘기하는 게 술만 가지고 그렇게 간경화까지 올 정도면 그건 엄청나게 마셨다는 얘기다. 최근에는 저도 거의 매일 마시다시피 했지만, 엄인호 씨처럼 술 마시는 사람이 간경화나 이런 거로 죽으려면 몇십 년 걸린다고 그러더라고. 그러니까 제가 지금 몇십 년째 살아있는 거예요.

박준흠 : 김현식 씨가 마약에 손을 댄 건 언제쯤인가요?

엄인호 : 현식이가 밤일할 때, 어떤 여가수하고 바람이 난 적이 있어요. 내가 지금 추측하기에 그 가수가 중독이었던 것 같아요. 내가 알기로 걔가 뽕은 좀 늦게 시작했어요. 신촌블루스 하면서 맨 처음에는 뽕이 아니에요. 마리화나는 걸린 적이 있어도. 아마 그때가 크라운호텔에서 한참 밤일을 혼자 하고 그럴 때거든요. 뭐 클럽에서 얻었을 수도

있고, 아니면 그 여가수하고 그런 관계일 때… 다 추측이에요. 언제인지 모르겠는데 현식이도 심의를 넣어야 하니까 악보를 좀 그려달라고 해서 내가 갔는데, 이렇게 보니까 현관에 여자 신발이 있더라고. 청담동인가 삼성동인가 하여튼 조그마한 아파트가 있었어요. 봉원사 있는데.

 내 기억에 그때 현식이가 이혼하고 얼마 안 됐을 때인데. 신발이 있는데 고급스러운 신발이야. 아무튼, 거기서 같이 악보 그리면서 같이 술 마시고 그랬는데, 내가 따로 물어보진 않았어요. 안방이 굳게 닫혀 있더라고. 거기에 여자애가 있었던 거지. 술 마시다가 시원한 물 좀 없냐? 그랬더니 냉장고에 있다고 해서 냉장고를 딱 열었는데 거기서 주사기를 본 거야. 뭐야? 왜 주사기가 있어? 그때는 내가 설마 뽕이라는 생각을 못 할 때지. 좀 이상한 생각이 들더라고. 그러다가 악보 다 그렸으니까 이제 밖에 나가서 또 술 마시자 하고 나오다가 내가 신발을 신으면서 왜 여자 신발이 있어? 그랬더니 현식이가 몰라도 돼, 하는 얼굴로 나왔거든요.

 내가 나중에 얘기를 들으니까 그때 여가수하고 같이 거기서 지낸 모양이에요. 그 여가수네 집이야. 당시에 그 아파트가 제법 비쌀 때예요. 내가 누구한테 들었냐면 어떤 밴드 하는 애한테 들었던 기 같아요.

크라운호텔인가 타워호텔인가 어디서 일할 때지 싶은데. 그놈이, 현식이 알죠? 현식이 요새 잘 나가요, 그러더라고요. 그래서 내가 뭘 잘 나가? 그랬더니, 어떤 여가수랑 동거하고 있다나? 그래서 가만히 생각하니까 아, 그거구나 싶더라고. 그 가수 때문에 아마 뽕을 하게 됐을 거야. 그리고 걸린 거지. 아마 거기서부터 뽕이 시작된 거예요. 그전까지만 해도 현식이 걔는 대마초도 매일 하지는 않았어요. 일을 해야 했으니까.

박준흠 : 김현식 씨가 대마초 정도에서 끝났다면 건강이 그렇게까지 안 나빠졌겠네요?

엄인호 : 그렇죠. 결국에는 뽕 때문에 인생이 바뀐 거지. 죽음의 길로 가는 거야.

박준흠 : 선생님도 청년 시절에 대마초를 하셨다고 했는데, 언제 끊으셨나요? 70년대?

엄인호 : 아니요. 80년대 초반까지는 했죠. 다른 사람들 모르게. 특히 외국 가서는 많이 했고. 그런데 내가 안 하기 시작한 건 뭐냐 하면, 현식이 우리 집에 자주 왔었는데 신촌블루스 같이 하면서 몇 번 잡혀갔

잖아요? 대마도 대마지만 뽕(필로폰) 때문에… 그래서 결국은 내가 끊을 수밖에 없었던 거죠. 나까지 하면 현식이가 맨날 우리 집에 와서 같이 하자고 그럴 거고, 지방 가서도 같이 하자고 그럴 거고. 그래서 아예 그때부터는 내가 안 했어요.

　나는 현식이한테 "너 우리 집에 올 때 그런 것 좀 갖고 오지 마라. 왜 남의 집에 와서 우리 꽃밭에다가, 정원에다 물을 주냐고?" 그랬거든. 조그마한 정원이 있었는데, 내가 좀 수상했거든. 어느 날, 딱 보니까 콩나물 같은 게 여러 개가 나오는 거야. 거기까지는 내가 그냥 오케이 그랬는데, 조금 더 있으니까 이제 이파리가 나오잖아요. 작지만 그게 대마 잎이라는 걸 내가 금방 알아챘거든요. 그래서 "야, 이거 다 뽑아가-" 그랬지. 현식이가 왔다 갔다 하니까, 그다음에 우리 집에서 주사기가 나오고 그러니까 아마 쓰레기 청소부가 신고했나 봐요.

박준흠: 김현식 씨가 선생님 댁까지 와서 필로폰을 했단 얘긴가요?

엄인호: 그럴 수도 있거든요. 대마는 냄새가 나니까 자기 몸에 숨겨 가지고 있다가, 내가 나가고 그러면 자기가 숨겨놨던 뽕을 했을 수도 있어요. 그런데 그걸 내가 단정을 못 하는 게, 우리 집에서 강아지를 많이 키워서 우리 와이프가 강아지 약 같은 기 놔두고 있었거든. 개네

들은 그냥 피부에다 놓는 거니까. 그래서 주사기도 있었거든요. 그러니까 내가 단정을 못 하는 거예요. 그런데 항상 불안했지. 거기다 경찰이 찾아와서 너희 집에서 주사기가 나온다고 그러니까. 현식이가 우리 집에 자주 드나들면서 그런 사건이 벌어진 거고.

검은색 지프차가 골목 끝에서 계속 우리 집을 지켜보고 있고 잠복근무하고 그러니까, 현장을 덮치려고. 그래서 그때부터 내가 안 한 거예요. 무서워서. 우리 아들도 있지 뭐 와이프도 있고, 동네에서 국회의원부다도 내가 가장 유명한 사람인데… 괜히 이거 개망신당할 것 같아서. 현식이가 우리 집에서 자고 가면, 그 방에 가서 하다못해 베개속까지 다 뒤져 봤다니까요. 그리고 꽃밭에 돌이 있는데, 그런 것도 내가 들춰보고 그랬어요.

박준흠 : 대마초는 당시 흔하게 구할 수 있었나요?

엄인호 : 사실 그 당시만 해도 신촌에 대마초가 널렸을 때예요. 하다못해 연대 뒷산이나 그런 곳에다 심기도 했었고. 나도 거기다 심었으니까. 선배들이라는 사람들도 다 그렇고.

박준흠 : 심었다는 건, 자기 자리가 있었다는 건가요?

엄인호 : 그렇죠. 아무도 모르는 연대 뒷산, 지금 연대 안산이지. 내가 어렸을 때부터 워낙 그 산을 잘 알기 때문에, 사람들이 모르는 장소를 알거든요. 거기 가서 내가 대마초를 피워도 사람들 눈에 띄고 그런 적이 없었기 때문에, "아 여기는 내 명당이다." 했지. 햇빛도 잘 들고 하니까 거기다 심고 그랬던 거고. 그 당시에, 70년대부터 사실 대마초가 엄청나게 많았어요. 신촌에서 자칭 음악 하는 애들… 그런 애들은 다 대마초가 있었고, 그걸 또 공급하는 놈들도 있었고. 돈 받고 파는 놈도 있었어요. 음악 하는 선배들도 그렇고, 연대 다니던 밴드 하는 선배, 그 사람들이 막 지방에서 갖고 올라오는 거예요.

그러니까 뭐, 인심 좋지. 그 당시에 대마초 인심이 제일 좋을 때 아니야. 물론 다른 애들은 사서 피웠지만, 우리는 그냥 쉽게 얻었거든요. 그러니까 원래 대마초를 다 했었어요. 그 당시에 현식이를 만난 1976년 그때만 해도 선배들이나 이런 분들이 록 음악 들으면서 다들 대마초 했던 선배들이고. "형, 좀 줘-" 그러면 "어, 그래-" 그냥 편하게 주고 그랬지.

315

박준흠 : 대마초를 했던 아티스트들, 나이 많으신 분 중에 신중현 선생님이라든지 얘기를 들어보면 음악 창작에 도움이 됐다, 안 됐다, 얘기가 분분하거든요. 선생님이 생각했을 때는 어떤가요?

엄인호 : 나는 몰라요. 그거 피우고서 내가 작업을 해본 적이 없거든요. 무대에 선 적은 있어도. 물론 뭔가 감각이 좀 새롭죠. 음악만 들어도 벌써 내가 평소에 못 듣던 소리까지 다 들리는 것 같거든. 아주 세밀한 소리. 그런 것 때문에 음악을 들으면서 또 나름대로 상상도 하고, 그런 맛에 대마초를 피우는 거였고. 그런데 그게 창작으로까지 이어진 분도 있었겠죠.

박준흠 : 신중현 선생님은 그런 얘기를 하셨어요. 대마초를 피우고 음악을 만들면, 그때는 대단한 것 같은데 한참 뒤에 깨고 나서는 별로였다는. 마치 한밤중에 일기를 쓰면 당시에는 막 도취해서 글을 쓰지만, 아침에 멀쩡한 정신으로 보면 좀 계면쩍고… 그런 느낌일까요?

엄인호 : 나도 그런 걸 느꼈어요. 무대에서 나는 굉장히 잘한 것 같은데, 나중에 얘기 들어보면 밑에 있는 사람들은 "야, 오늘따라 기타가 되게 이상하더라." 그러니까… 혹시 내가 실험을 했을 수도 있는 거예요. 대마 피우고 무대에 서면, 갑자기 뭔가 내가 평소에 안 했던 그런

게 느껴지거든요. 사이키델릭 스케일 자체가 그렇잖아요. 뭔가 사람들 상상을 불러내는 그런 음악이거든요. 그래서 인도 사람들 스케일 같은 거, 이런 걸 많이 쓰잖아요.

박준흠 : 하모닉 마이너 스케일.

엄인호 : 그런데 대마초를 워낙 어렸을 때 많이 했으니까, 신촌블루스를 하면서부터는 조심했어야 했는데… 신촌블루스 당시 내가 굉장히 조심시켰어요. 현식이에게도 "야, 너 신촌에서 진짜 조심해라." 그랬어요. 경찰들이 막 잡으러 다녔으니까.

박준흠 : 경찰들이 특히 선생님을 많이 주시했나요?

엄인호 : 예전에는 신촌에서 엄인호만 잡으면 다 소탕할 수 있어, 이런 식으로 얘기가 돌아서… 그때 아는 애들이 나한테 전화해서 "형이 제일 꼭대기로 올라가 있다"라고 하는 거야. 그래서 내가 화실에 있다가 결국은 부산으로 도망갈 수밖에 없었던 거예요. (1973년 여름) 집에도 있기 싫었고. 경찰들은 이미 우리 집을 다 파악해 놓고 있었거든요. 내가 집에서 나왔기 때문에 걔네들이 나를 못 잡은 거지. 그때가 우이동 살 때인데, 평소에 얘(엄인호) 동선이 신촌이다, 이런 거 다 파악하고

있었어요.

그래서 그때부터 내가 집에 안 들어갔거든요. 거의 가출 비슷하게 선배네 화실에 있었어요. 그러니까 경찰들이 거기까지는 나를 못 찾은 거예요. 만약에 그 화실까지도 경찰들이 알았으면 나는 벌써 옛날에 잡혀갔을 거예요. 그러니까 내가 주로 가는 카페나 꾼들이 가는 카페나 이런 데에 들이닥쳤는데, 나는 희한하게 운이 좋았던 거죠. 내가 빠져나오고 난 다음에 덮치고… 그래서 나는 참 운이 좋다고 생각했어요.

그런데 현식이는 제일 문제가 뭐냐 하면, 걔가 약을 얻는 애들이 문제였어요. 그놈들이 아주 치사한 놈들이거든. 뭐 장사 비슷하게 하고. "형, 나 돈 좀 만들어줘. 내가 이거 줄게." 완전히 장사죠. 그런데 만약에 얘네들이 잡히잖아요? 그러면 현식이를 다시 불어. 왜? 자기도 변호사 비용을 대줄 사람이 필요하거든. 그렇게 같이 뭉치는 거야. 그리고 경찰들이나 마약반들은 연예인이 제일 목표거든. 돈 만들 수 있는… 그리고 직업적으로나 뭐로나 가장 타격을 많이 받는 사람들이 연예인이거든요. 그러니까 마약반이 이런 잔챙이들 말고 연예인 불어! 그러면, 불게 되죠. 지금 이런 얘기는 좀 그렇지만, 회유를 해요.

그리고 현식이 같은 애는 유능한 변호사가 있으니까 경찰이나 검사도 그쪽으로 유도를 하는 거지. 그러면 현식이 같은 경우는, 한번 잡혀가면 그 당시 돈으로 한 1,000만 원? 800만 원? 낼 수밖에 없어요. 나오려면 어쩔 수 없어요. 그럼, 그놈도 나와요. 같은 사건이기 때문에. 그러니 현식이가 몇 번 걸린 거고, 전인권도 마찬가지고. 내가 누군지는 다 알고 있거든. 어떤 놈인지. 그런데 내가 그거는 그냥 얘기 안 할게요.

박준흠 : 저는 김현식 씨가 대마든 필로폰이든 약물을 한 그 자체에 관심이 있는 게 아니라, 하게 된 이유가 궁금합니다. 지난 선생님의 인터뷰 중에 김현식 씨가 개인적으로 굉장히 괴로운 삶 때문에, 약물을 시작했다고 제게 말씀하셨거든요. 또 "현식이 자체가 돈을 벌어야 하는 사람이기 때문에"라고도 말씀했습니다. 그런데 김현식 씨의 가정형편이 그렇게 어려운 집은 아니었던 것으로 알고 있었는데.

엄인호 : 그거는 뭐 보지는 않았지만, 그때는 이미 집이 좀 힘든 상황이었던 것 같아요. 그래서 현식이가 돈을 벌어 와야 하는 상황이었어요. 그러니까 엄마가 좀 그런 스타일이에요. 폼생폼사. 그 당시에 이촌동에서 아파트를 월세로 살 정도였으니까.

박준흠 : 비싼 아파트에서 월세를 살았다는 얘기죠?

엄인호 : 좀 이해가 안 가는 거죠. 원래 주택공사에서 만든 아파트가 있었어요. 4층짜리인가? 5층짜리인가. 반포하고 같이 비슷한 시기에 만든 곳인데, 처음에는 거기에 살았거든요. 그런데 형편이 힘들어졌는데 더 좋은 아파트로 간 거야, 현식이가 돈을 잘 벌었으니까. 그런데 월세야. 그 당시에 한 달에 월세가 백몇십만 원, 그러니까 현식이가 돈을 벌 수밖에 없었던 거예요.

박준흠 : 김현식 씨 성격이 좀 세지 않았나요?

엄인호 : 센데, 나도 이해가 안 가는 게 이상하게 엄마한테는 꼼짝을 못 하더라고요. 진짜 이해가 안 가는 거야. 그놈이 신촌에서 애들한테 하는 행동 같은 걸 봤을 때는 굉장히 자존심도 세고, 그리고 아무래도 나이 먹은 사람들하고 같이 어울리다 보면 굉장히 센 척하고 그랬을 거 아니야. 그런데 희한하게 집에서는 꼼짝을 못 하더라고.

박준흠 : 그런 상황이 김현식 씨가 필로폰까지 하게 된 이유와 연관이 있나요? 돈 문제로 깡패들이 김현식 씨가 노래하던 나이트클럽까지도 찾아오고 그랬다고 저번에 말씀하셨잖아요.

엄인호 : 신촌블루스가 연습하는 데까지도 찾아왔다니까요. 당시 '2

시의 데이트' 진행했던 김기덕, 그 양반이 우리를 좋아해서 영등포 쪽에 연습실을 만들어 놨어요. 그때 우리가 한참 공연하러 다닐 때지. 물론 다 동아기획 소속이고. 그때 깡패들이 칼 들고 찾아왔다니까. 그래서 내가 그 친구들한테 뭐라고 그랬냐면, 얘가 지금 무슨 돈이 있겠냐, 내일 동아기획으로 와라. 그래서 동아기획으로 찾아왔더라고. 그때 내 생각으로는 동아기획 밖에 이 문제를 해결할 사람이 없는 거야. 내가 알기로는 동아기획 사장이 해결해 준 거로 알아요. 나를 원망의 눈초리로 쳐다보면서 왜 이리로 끌어들였나 그랬지만, 그렇지 않으면 우리 공연 못 하거든. 걔네들 맨날 찾으러 오고 연습을 못 하겠는데 어떡해….

그런데 그때 내가 그 깡패들하고 얘기해 보니까, 김현식 부모님이 돈을 썼다는 거예요. 그 당시에 나도 내 정신이 아니었어요. 깡다구가 좀 있었지.

박준흠 : 저도 사실 지난번에 선생님과 인터뷰하기 전까지는 김현식 5집(1990년)에 있는 〈향기 없는 꽃〉, 〈넋두리〉 같은 노래들이 '아티스트의 고뇌'에서 나온 노래라는 것까지

는 알았지만, 그 '이유'가 뭔지 너무 궁금했습니다. 정말 절망에 빠져서 부르는 노래잖아요. 비탄의 심정으로. 그래서 김현식의 그런 심정이 어디서 기인했는지가 궁금해서 자료를 찾아봐도, 별다른 자료는 없었어요. 김현식 씨가 도대체 그 당시에 어떤 상황이었길래 그런 노래를 불렀는지 너무 궁금했습니다. 그래서 다들 추측했던 게, '음악적인 고뇌' 뭐 이런 쪽으로만 생각했었죠. 그래서 술을 그렇게 많이 마셨다고만 생각했고요.

엄인호 : 그때가 나하고 같이, 신촌블루스하고 가장 많이 활동할 시기였거든요. 그때 이미 걔는 약도 했었어요. 이미 중독돼 있던 상태였어요.

박준흠 : 다른 사람은 아니더라도 김영 사장님은 김현식 씨 부모님께 "이렇게 하면 안 됩니다", 라고 얘기를 해줄 수 있었을 텐데요?

엄인호 : 했죠. 했는데, 현식이를 병원에 입원시켜도 결국은 현식이가 밖에서 활동을 안 하면 집이 힘들거든. 그러니까 솔직히 얘기해서 그거예요. "나한테 미리 돈을 줘라. 공연하기 전에. 그러면 현식이 부모님은 보호자니까 현식이를 빼줄게." 공연할 수 있게끔. 그럼 나오는 거죠. 그리고 다시 병원 들어가고.

박준흠 : 당시 필로폰은 어느 정도로 유통이 되었나요?

엄인호 : 이미 걔가 나이트클럽에서 일할 때부터, 당시에는 이미 필로폰이라는 게 아주 유행일 때예요. 밴드들도 다 했고. 이미 나이트클럽 등 일하는 데는 아주 그냥 횡횡했던 거지. 대마초 수준을 넘어서서⋯ 대마초는 귀찮거든. 이게 갖고 다녀야 하고 걸릴 확률이 높죠. 그런데 필로폰은 주사 한 방으로 끝나거든. 그러니까 밴드들이 그때부터 뽕을 하기 시작한 거라고요. 이미 나하고 공연 한참 잘 다닐 때 1987년 1988년, 그때 이미 걔는 뽕에 대한 경험이 많이 있었던 거죠.

박준흠 : 김현식 씨가 대마초를 좋아하기는 했지만, 필로폰으로 넘어간 1987년도 그 무렵, 사생활, 집안 문제, 부모님과의 관계 이런 문제들이 있었다는 거죠?

엄인호 : 그렇죠. 와이프와 이혼하고 양육비를 줘야 하니 자기가 힘들게 일을 할 수밖에 없었거든요. 여하튼 나는 그런 문제가 가장 큰 거라고 알고 있어요.

그리고 처가 집안도 좀 유별난데⋯ 남자들은, 나도 그렇지만 바람을 좀 피우기도 하잖아요. 길든 짧든. 그런데 현시이가 이혼하기 전, 니

이트클럽에서 일하고 있는데, 장모가 그냥 손님이고 뭐고 다 필요 없고 무대로 올라와서 "야 이 XX야, 일로 와 봐." 막 이런 식으로 가니까. 이북 사람이에요. 내가 알기로 세던 분이지. 그러니까 현식이가 그런 거로 굉장히 힘들어했고.

박준흠 : 이런 얘기를 들으니까 김현식 씨가 약물과 여자를 밝히는 분으로 그렇게 오해할 수도 있는데….

엄인호 : 현실도피 같은 거죠. 그래서 지방공연 하러 갈 때는 현식이가 밖에 못 나가게 하려고 내가 감시자로 오태호(1990년대 초중반 발라드 계의 최고의 작사가이자 작곡가로 명성을 날린 대한민국의 레전드급 뮤지션. 기본적으로 작사 / 작곡은 물론이거니와 기타리스트로도 빼어난 실력을 겸비한 작사. 작곡가)를 붙여놓은 거예요. 〈내 사랑 내 곁에〉를 현식이가 부르게 된 이유가, 맨 처음에 오태호가 우리 팀에 들어왔을 때 내가 현식이하고 같은 방을 배정해 줬다고. 나도 술 많이 마실 때니까, "나 모르게 쟤 어디 못 나가게 네가 항상 나한테 보고해라. 날 깨워도 좋고." 그러니까 현식이로서는 감시자인지는 몰랐지. 자기도 편하니까. 오태호가, 똘마니가 하나 있으니까. 호텔이나 뭐 여관방에서 술과 안주 좀 사 와라, 시키기도 하고.

박준흠 : 그래도 선생님 말씀은 잘 들었나요?

엄인호 : 내 말은 잘 듣는 편이었어요. 특히 우리 와이프 말은 더 잘 들었고. 내가 볼 때 현식이가 바람피우고 그런 것도, 당연히 여자가 유혹하면 그렇게 갈 수 있었겠지. 원나잇도 할 수가 있지만, 걔가 그렇게 막 추접스럽게 놀고 그러지는 않았던 애거든. 단지 현식이가 나하고 같이 공연하는 게 중요한 거지. 그리고 걔가 우리 앞에서 절대 그런 얘기를 안 했거든요. 자기가 바람피우는 얘기 같은 거. 그냥 항상 힘들어하던 게 자기 아들의 양육비. 그거 안 주면 장모가 바로 또 찾아오니까.

박준흠 : 김현식 씨가 당시 음반도 꽤 많이 팔고 공연도 잘 되었고, 당연히 나이트클럽에서도 출연료가 셌을 텐데, 돈 문제가 그렇게 힘들었을까요?

엄인호 : 지금 내가 얘기했잖아요. 엄마가 방만하게 쓰지 않았나? 하는 얘기. 워낙 여기저기서 빚을 많이 지고. 그 당시에 그게 다 사채일 거 아니에요. 그러니까 현식이가 돈을 안 벌어 오면 안 되는 거야.

 그리고 이미 동아기획에서 레코드를 내기 전에 엄마가 다 '마이킹'하고 그랬다고 하네요. 그걸 먼저 받아 갔기 때문에 현식이는 힝싱 돈이

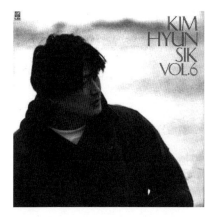

없었다니까. 현식이 자체가 돈을 만지지를 못했어요. 동아기획 사장이 얘기하는 거 들어보면 그랬던 거지. 현식이 엄마가 먼저 갖고 가는 거야. 그래서 오죽하면 현식이 죽기 전에 마지막 앨범 6집(1991년, 〈내 사랑 내 곁에〉 수록) 나오기 전에 동아 사장이 각서를 받았다고 그러더라고요. 현식이 엄마한테 동아에 더는 돈을 요구하지 않겠다는 각서까지 받았다고. 나한테 보여준 적도 있어요. 현식이가 만약에 인세 관리만 잘했어도 그렇게까지 힘들어할 일이 하나도 없는 거거든. 내가 알기로는 동아 사장이 쓸 때는 쓰거든요. 다른 사람들은 잘 모르겠어요. 봄.여름.가을.겨울 에게도 그랬고, 이소라한테도 그랬고, 현식이한테도 당연히 그랬을 거라고 알고 있어요.

박준흠 : 선생님한테는요? (웃음)

엄인호 : 나만 그렇지 않았던 것 같아요. 물론 나도 돈 갖다 쓴 게 많죠. 밴드들 악기 사고 뭐 그런 것 때문에. 그만큼 자기가 줄 만큼은 줬던 거로 알고 있어요. 뭐 동아 사장에 관한 얘기들이 많긴 많은데… (전)인

권이도 그렇고 "나는 뭐 받은 적이 없어", 그러는데… 믿어지지 않는 얘기예요.

박준흠 : 김현식 씨와 그렇게 오랫동안 같이 술도 드셨는데, 본인의 집안이나 부모님 얘기는 별로 안 했나요?

엄인호 : (고개 끄덕) 걔도 그런 얘기, 집안 얘기 같은 거 가급적 안 했지. 가만히 생각해 보면, 나한테 준 느낌을 내가 읽을 수는 있는 거지. 현식이가 자기 주변 이야기라든가 자기 얘기를 간간이 우스갯소리로 툭 하는데, 내가 그 느낌을 받았던 것 같아요.

현식이는 그냥 툭 던지지. 나는 아버지가 제일 무서워, 집에 가기 싫어, 엄마 아버지가 무서워. 그냥 현식이는, 대화를 아주 단편적으로 해요. 대화를 길게 이어가는 게 아니라 그냥 툭 던지듯이 얘기하거든요. 술 마시다가 갑자기, 나는 집에 가기 싫어. 왜? 엄마도 무섭고 아버지도 무섭고… 자기는 아버지한테 지금도 맞는대요. 나로서는, 이해가 안 가는 거지. 그런데 더 이상 대화가 안 되는 거야.

그 이후로 집안 얘기에 대해서 나도 별로 물어보고 싶지 않고. 그렇게 단편적으로 얘기해요. 그때 얘가 집에 안 가는 이유기 있구나 하고, 나름대로 추측하는 거예요. 굉장히 하기 싫은 얘기였을 텐데, 나한테 얘기할 수밖에 없었던 거예요. 나도 궁금했거든. 너 집에 왜 안 가냐? 왜 바깥으로 이렇게 떠돌아다니냐? 어떤 때는 내가 귀찮기도 했고… 이 새끼, 집에 좀 갔으면 좋겠는데. 그래서 나를 이해시키려고 그랬던 거죠. 그런데 더는 얘기하지 마, 내가 이렇게 얘기했으면 됐지. 현식이가 이런 스타일이야. 나도 뭐 그렇게 길게 얘기하고 싶지 않고. 그렇잖아요? 걔가 힘들어하는 얘기를 내가 굳이 꼬치꼬치 알 필요도 없고.

현식이 죽고 난 다음에 노인네가 얘기하는 걸 들어봤을 때, 또 전혀 다른 얘기거든. 물론 그런 얘기를 해요. 이놈이 맨날 술에 취해 아침부터 술 마시고, 그럼 자기가 방문 열고 욕을 하고 막 그랬다는 거. 그러니까 현식이가 나를 조금 이해시키려고 그랬던 거야. 왜 자기가 집에 안 가려고 그러는지. 나는 이미 그 전부터 알고 있었거든. 그 집안에 대해서. 별로 얘기하고 싶지는 않은 건데 나한테만큼은 그 정도는 얘기했던 것 같아요. 자기 지금 상황이 이러니까 그 정도만 얘기하고, 더 이상 나한테 묻지 마. 이런 스타일인 것 같아요.

3) 김현식의 결혼과 이혼

박준흠 : 김현식 씨에 대한 이미지는 1986년 4월에 신촌 레드제플린에서 신촌블루스가 태동하고, 그해 백밴드 봄.여름.가을.겨울과 함께 김현식 3집을 발표한 시기로 경계가 나뉘는 것 같습니다. 1981년 무렵, 신촌의 술집 경주집에서 두 분이 자주 술을 마셨다는 얘기는 무척 흥미롭습니다. 어떻게 보면, 두 분 모두에게 순수했던 시절이기도 하고요.

엄인호 : 노가리나 하는 거지… (웃음) 내가 볼 때는, 나하고 맨 처음 만나고 그럴 때만 해도 집이 그렇게 어렵지는 않았어요. 아버지가 사업을 했었고 그때만 해도 걔가 굉장히 밝았거든, 표정이 항상 밝았어요. 그러다 우리도 모르게 결혼을 한 거예요.

박준흠 : 팬하고 결혼한 거였나요?

엄인호 : 그렇죠. 그 당시에 팬이었겠지. 당시에 이대 근처에서 뭔가 가게를 하고 있었던 거로 소문을 들었어요. 그런데 그게 탐탁지 않은 결혼이었지. 솔직히 현식이 집에서 엄마가 봤을 때는 더 부잣집 딸하고 결혼할 수도 있었는데… 그런 식으로 현식이 엄마가 현식이를 컨트롤을 했다고요. 그때부터 애가 힘들어지기 시작한 거야. 그전까지

만 해도 밝고 자유로운 영혼이었는데, 결혼생활 하면서부터 엄마가 여러 가지로 좀 힘들게 만든 거지. 원치 않은 결혼을 했을 거고, 엄마도 그렇고, 그런 데서 현식이가 스트레스 많이 받고 그러다가 아버지 사업이 망하고 뭐 이렇게 되다 보니… 사업이 망했다는 건 뭐예요? 빚까지 졌다는 얘기거든. 그런데 현식이 엄마 스타일을 봤을 때는, 아버지 빚도 빚이지만 엄마도 돈을 너무 썼다, 이거죠.

그러니까 현식이한테 엄청나게 기대를 크게 했던 거지. 얘는 돈이다. 진짜 돈으로 보이는 거야. 동아기획에서 2집 막 나오기 시작하면서, 자식을 돈으로 보기 시작하면 이제 힘들어지는 거거든요. 거기에다 양가 집안끼리의 갈등… 현식이는 맨날 압박받는 거야.

그런데도 우리는 아무도 몰랐어요. 걔가 결혼하는 것조차도. 그 얘기 듣고 맨 처음에는 나도 깜짝 놀랐어요. 하루는 술 마시다가 현식이가 "나 이촌동에서 피자집 해. 그래서 나 피자 배달하러 가야 해." 그러더라고. 정말 웃기는 사건이었거든요. 현식이 집에서 생각할 때는 이게 말이 안 되는 얘기거든. 어디 클럽에서 노래하면 수십 배를 벌 수 있는 놈인데. 그러니까 현식이를 뭐 엄청나게 쪼았겠죠.

박준흠 : 이혼했을 때 상황은요?

엄인호 : 이혼했을 때는, 진짜 굉장히 중요한 얘기인데, 현식이 이혼 당시, 애가 있으니 걔를 데려다 키우면 됐던 거 아니냐? 이거지. 그런데 굳이 안 키웠다니까. 그쪽 집에다 맡기고. 물론 뭐 그건 자기네들 사정이니까 잘 모르겠지만, 현식이 집에서 볼 때는 애까지 있고, 결혼했었고, 이혼했다는 이야기가 이쪽(언론)에 나오면 안 됐던 거예요.

지금이야 뭐 이혼도 쉽게 하고 그게 문제도 아니고 그러지만, 그 당시만 해도 그렇잖아. 그러니까 현식이가 양육비 때문에 고민하는 얘기를 한다는 그 자체가 웃기잖아요. 현식이가 나이트클럽이나 이런 데 가서 노래하면 충분히 그 양육비를 주고도 남았는데, 오죽했으면 우리 마누라한테도 돈 좀 빌려달라고 그랬을까. 그런 거 봤을 때는 이미 현식이 엄마가 돈을 다 긁어 간 거야. 그러니 자기가 벌지 않으면 양육비도 못 주는 그런 상황이었던 거죠. 그때부터 엄청나게 힘들어하고 그랬으니까요. 그래서 뽕을 하지 않았나 하는 생각이 들어요. 술도 많이 마시고⋯ 그러다 잡혀 들어가고 정신병원에 있다가 또 나오고.

박준흠 : 결혼에서 이혼까지 순탄치가 않았네요.

엄인호 : 내가 느낄 때 현식이가 자기 와이프와 싫어서 헤어진 게 아니라 집안끼리 감정싸움이 붙은 게 아닌가. 나이트클럽 일하면서 바람을

피운 것도 그냥 집에 가기 싫고 그러니까, 여자애들 보고 가자 그러면 같이 자고 갈 수도 있었고… 내가 얘기 듣기로는 그래요. 그러니까 걔가 우리 집에 자꾸 오는 이유가 뭐였냐 하면, 집에 들어가기 싫은 거야.

이건 인제 와서 얘기하는 건데, 내가 기자들하고 인터뷰할 때는 굉장히 좋은 얘기만 했어요. 그런데 이젠 좀 싫다 이거지. 내가 뭐 그런 거까지 계속 감춰야 할 이유가 있나? 현식이가 나한테 고민을 털어놓는 거 보니까, 맨날 자기는 힘들어 죽겠는데… 이건 진짜 내가 직접 들은 얘기예요. 막판에는 자기가 몸도 아프고 하니까 집에서 좀 쉬고 싶은데… 걔도 성격이 있는 앤데 희한하게 엄마나 아버지한테는 꼼짝을 못 하더라고요. 그러면 아픈 몸 이끌고 또 클럽 가서 일을 하고… 타워 호텔이나 이런 데. 그러니까 마약 같은 걸 막 하기 시작하는 거지.

박준흠 : 그럼 김현식 씨가 돌아가실 때까지 대략 그런 상황이었던 건가요?

엄인호 : 그렇죠. 그런데 죽기 전에 현식이가 우리 와이프한테 그랬대요. 난 좀 쉬고 싶고 저녁 일도 하기 싫고, 이제 난 진짜 죽을 것 같다. 그러니까 자기에게 돈 좀 빌려달라고 했대요. 현식이가 우리 와이프하고 굉장히 친하거든요. 내가 샘이 날 정도로. 어떤 때 보면 이게 누

구 마누라야? 크크… 내가 "야, 이놈아 너는 도대체 내 마누라하고 무슨 관계야?" 하면서 부러 장난으로 물어보기도 했거든요. 너 왜 집에 안 가? 그랬더니, 아이, 나는 형수가 밥해주는 게 맛있다고. 너 밥도 안 먹잖아? 그러면 우리 마누라가 술은 주는데 밥은 좀 먹으라 해요. 그러면 이제 깨작깨작 먹는다고. 술 먹기 위해서.

우리 집 식탁에 걔가 앉는 자리가 있어요. 너는 왜 항상 그 자리에 앉냐? 그랬더니, 우리 마누라가 이렇게 음식 하는 모습이 참 좋다고… 슬픈 얘기잖아. 사실 자기는 자기 와이프에게 그런 모습을 기대했었는데 그걸 못하고 헤어졌고. 그리고 현식이 와이프의 친정집에서 애를 볼모 비슷하게 잡은 것 같아요. 돈 벌어 갖고 오라고 그랬다나. 두 집 다 그랬던 거예요. 그래서 우리 와이프한테 그러더래. 돈 좀 빌려달라고.

그래서 왜 그러냐 했더니 자기가 양육비를 줘야 하는데 한 달 빼먹었더니 와이프 친정집에서 저녁에 일하는 데까지 찾아오더라 이거지. 그래서 우리 마누라가 돈도 빌려주고 그랬다고 그러더라고.

박준흠 : 김현식 씨의 5집 〈향기 없는 꽃〉, 〈넋두리〉 같은 노래는 본인 이야기를 하는 거네요?

엄인호 : 그런 상황에서 그런 곡들이 나올 수밖에 없는 거죠.

박준흠 : 김현식 씨가 5집을 만들었을 때 사람들은 추측은 했거든요. 뭔가 굉장히 힘든 이유가 있는데 그게 뭘까? 사실 이런 얘기는 처음 듣네요.

엄인호 : 현식이가 다른 사람들한테는 얘기 안 했거든요. 나한테만 했어요. 자기 어려운 얘기 같은 건 우리 와이프나 들었을까? 동아 사장이 우죽하면 현식이가 말 안 듣고 그러면 우리 와이프에게 전화가 온다니까. 현식이 거기서 자죠? 요즘? 그래서 그렇다고 하면 엄 박사 부인이 현식이 좀 잘 설득해 달라고.

박준흠 : 김현식 씨가 봄.여름.가을.겨울과 1986년에 3집을 발표할 때도 정신적으로는 상황이 좋지는 않았겠네요?

엄인호 : 그렇죠. 티는 안 냈는데, 나도 1987년까지는 그 집안에 대해서는 확실하게 몰랐어요. 다만 동아 사장한테 들은 얘기는 좀 있었는데, 그 집안이 보통이 아니라고. 현식이도 그런 얘기는 전혀 안 했는데 자기가 아파지기 시작하면서 우리 집에 와서 푸념으로 얘기하는 걸 내가 들은 거였죠.

박준흠 : 김현식 씨가 급격하게 아파지기 시작한 게….

엄인호 : 1988년이에요. 나하고 만날 때도 이미 술을 잘 마셨어요. 나도 잘 마시고. 당시는 그렇게 아프거나 얘가 어디가 안 좋다는 느낌은 못 받았거든요. 그런데 같이 공연 다니면서 보니까 1988년 무렵에는 거의 알코올 중독이 됐더라고요. 지방 같은 데 가서 저녁때는 나도 같이 술을 마시죠. 그런데 아침밥 먹으러 가자고 그랬는데 밥을 못 먹더라고. 그냥 나는 술이나 마실래 하면서 소주 시켜서 오비 글라스에 따라서 마시고. 그게 알코올 중독이거든요.

박준흠 : 그 정도가 되면 밥이?

엄인호 : 그렇죠. 밥을 못 먹는 거지. 먹어도 갑자기 토하고. 부산이나 이런 데 가면 거기 어디야? 광안리나 이런 데 가면 시락국(시레깃국)이라고 아주 시원하거든요. 그거 먹으면 속이 다 풀리니까 가자고 하고 그랬는데… 그거 먹으면 땀 좀 흘리고 나서 술이 좀 깨는 것 같거든요. 그리고 들어가서 좀 더 자요. 그러면 술이 깨거든요. 요즘에 내가 그런 스타일이에요. 술이 안 깨면 나는 억지로라도 밥 먹어요. 아침에 조금이라도. 그리고 한두 시간 이렇게 있으면 술이 깬다기보다는 머리는 어느 정도 정신이 맑아지죠. 몸은 피곤할지도 몰라도.

그런데 현식이 걔는 야, 밥 먹어! 해도 김칫국물 같은 거 아니면 무슨 재첩국 같은 거, 그냥 국물만 깨작깨작 먹고 난 소주 마실래 그러고. 그래서 국이라도 다 먹고 소주 마셔라, 그러고. 내가 산에도 데리고 간 적 있었거든요. 걔를 좋아했던 후배들이 몇 명 있었는데 에베레스트에도 가고 산에 다니는 그런 친구예요. 오대산 이런 데 가서 형님 간 안 좋을 때는 이런 게 최고예요, 그러면서 인진 쑥 같은 거 막 다려주고 더덕 그런 거 캐 가지고 현식이 보고 먹으라고 그러고. 또 나는 추어탕이 좋다면서 같이 먹으러 가면, 그냥 깨작깨작… 그리고 술만 마신 거야.

내가 오죽하면 "너는 이제 아주 죽으려고 작정했구나?" 그랬어요. 왜 그렇게 얘기하냐 그러지. 너 눈을 보면 넌 이제 초점을 잃었어. 그걸 어떻게 아냐고. 나는 알지. 옛날하고 좀 달라진 게 눈에 초점이 없다…
같이 술 마시면서 눈을 이렇게 보잖아? 그럼 죽은 사람 눈이야. 에이,
뭐 그렇게까지 심하게 얘기하냐고… 그런데 내가 봤을 때는 죽기 몇
달 전에, 한 5, 6개월 전에도 눈을 이렇게 딱 보는 순간에 눈이 완전히
초점을 잃었구나 싶더라고. 물론 술 마신 것도 있지만, 눈이 황달이 껴
서 노랗고. 너 맛이 갔다, 내가 볼 때는 6개월 안으로 죽어, 인마. 에이
무슨 소리 하냐고. 내가 봤을 때는 벌써 구제 불능이에요. 뭐, 병원에
들어가도 안 되고, 이미 끝난 거지. 그래서 나도 가끔 내 눈을 내가 봐
요. 나도 괜찮은지, 초점이 없어졌는지.

박준흠 : 보시면 어떠세요?

엄인호 : 술을 심하게 마시고 난 후, 내 눈도 이렇게 보면… 이거 초점
이 없네….

4) 김현식의 백밴드 봄.여름.가을.겨울 결성

박준흠 : 김현식 씨가 2집까지는 솔로 가수로서 세션이 붙는 형태였 잖아요. 1집은 사랑과 평화가 세션을 맡았고, 2집에서도 최이철 씨나 이런 분들이 세션을 했고. 이제 3집부터는 본인이 백밴드를 만들어서 음악을 했던 거였는데, 그때의 얘기를 한번 들어보고 싶습니다. 왜 본인의 밴드를 만들고 싶었는지. 그리고 3집은 장르적으로도 2집하고 많이 다르잖아요. 그게 백밴드로 참여한 4명의 음악적인 색채가 녹여져서 그럴 수도 있는데.

엄인호 : 내가 알기로는, 봄.여름.가을.겨울하고 뭉친 것도 현식이가 나이트클럽에서 일하기 위해서 밴드가 필요했던 거예요. 그런데 애들이 실력이 좋았으니까 앨범도 같이 내고 그랬지만. 현식이가 나 밤일해야 한다고, 그래서 밴드가 필요하다고 그랬어요. 그래서 신촌블루스하고 같이 있으면서도 걔는 밴드가 필요했고, 그래서 유재하나 이런 애들 데리고 온 거라고요. 종진이나 태관이나. 그런데 걔네들은 업소에서 일하는 걸 원치 않았거든요. 군대 제대하고 한창 놀고 싶어 하는 애들인데.

박준흠 : 이유는요?

엄인호 : 그런대로 다 먹고 살 만한 애들이었거든요. 그러니까 현식이 형 때문에 우리가 왜 나이트클럽에서 개고생하면서 일을 해야 해? 걔네들로선 그럴 필요 없었거든. 동아에서도 최고의 대우를 받고 있는데. 그러니까 현식이 뜻대로 안 된 거죠.

박준흠 : 구체적으로 어떤 불만이 있었을까요?

엄인호 : 현식이는 자기가 원하는 대로 아이들이 안 하니까, 솔직히 얘기해서 현식이가 봤을 때는 얘네들 되게 건방지네, 그랬던 거지. 지금 자기가 동아기획이나 뭐 이런 데 가서 힘들게 해서 돈 주고 악기도 사주고… 그런데 자기가 원하는 대로 그렇게 가지 않고.

박준흠 : 자기 음악을 하고 싶어 했었으니까… 김종진 씨나 전태관 씨도 그래서 독립을 한 거잖아요.

엄인호 : 그 전에, 현식이가 다 꼴 보기 싫어! 그러면서 막 패고 그랬거든….

박준흠 : 그때는 그랬었나요?

엄인호 : 현식이 엄마가 미리 나이트클럽에서 돈을 먼저 받아 가든가 그러면, 밴드들에게 돈이 제대로 못 가잖아요? 약속을 못 지키는 게 되는 거지. 그러니까 현식이로서는 절박하거든. 일해야 하므로. 그런데 걔네들이 너무 돈돈, 하니까 현식이는 열 받고, 나중에 다 이리로 와! 해서 막… 그런 식으로 그랬던 얘기는 현식이가 나한테 했어요. 말 더럽게 안 듣는다고. 걔네 세대하고 우리하고는 좀 다르거든요. 걔네들은 칼같이 돈 얘기를 하는 애들이거든요. 우리 때만 해도 선배가 돈 안 주고 그래도, 몇 달씩 밀려도 그냥 감히 말도 못 하고 그럴 때인데, 당시에 우리가 볼 때는 걔네들은 신세대야.

박준흠 : 봄.여름.가을.겨울이 해체한 이유 중 하나겠네요.

엄인호 : 일을 해도, 현식이가 걔네들 줄 돈이 없는 거예요. 동아에서 김현식과 봄.여름.가을.겨울해서 공연도 여러 번 소극장에서 했는데, 그게 무슨 큰돈이 돼? 아무것도 아니지. 동아 사장으로서는 자기가 되려 돈을 주고, 밑져 가면서도 공연했다니까. 봄.여름.가을.겨울을 키우기 위해서, 봄.여름.가을.겨울을 알리기 위해서 우리 앨범 2집에도 한 곡 들어갔는데, 그건 동아 김 사장이 나한테 부탁한 거예요. 걔네들하고 같이 다니면서, 솔직히 얘기해서 좀 키워 달라는 거지. 그 당시만 해도 내가 봤을 때는 애들이 아주 빠릿빠릿하고 음악이 아주 좋았거든. 그래서 애들도 잘하네, 그러면서 내가 신촌블루스 공연할 때, 봄.여름.가을.겨울도 같이 끼워서 했던 거예요.

 내가 김현식 반주도 해준 적이 있지만… 어떤 곡은, 괜히 밴드가 나와서 같이 하니까 나로서는 점점 더 힘들어지는 거지. 출연료가 더 올라가니까. 그런데 그때는 공연이 됐잖아요. 1,000석 이런 데를 꽉꽉 채웠으니까. 소극장은 견적이 안 나오거든요. 그런데 1,000석 이상 되는 큰 공연장은 나만 욕심 안 부리면 돼요.

박준흠 : 김현식 씨는 1987년 무렵부터 개인적으로는 굉장히 힘들었지만, 음반은 예술적으로 잘 나왔잖아요. 김현식 4집, 5집 둘 다 명반名盤입니다.

엄인호 : 현식이는 굉장히 뛰어나요. 곡 선정하는 것도 그렇고 뒤에서는 이제 힘들어지기 시작했는데 또 동아 사장님이 녹음하기 전에나 이럴 때 어느 정도 들어보거든요. 동아 사장님도 뛰어난 사람이니까. 이 곡은 히트다, 아니라는 것을 다 알거든요. 그러니까 굉장한 두 사람이 만났으니 선곡 같은 게 대단한 거지.

 동아 사장이 유일하게 참견 안 한 팀이 내 밴드예요. 앨범이 실패하든 안 하든. 신촌블루스 3집부터는 사실 실패한 거나 마찬가지거든. 2집에 비해서 별로 안 팔렸어요. 그래도 나한테는 참견은 안 했어요. 내 솔로 앨범 내는 것부터 다 그랬어요. 다른 애들은 녹음 들어가기 전에 일일이 자기가 체크를 다 하거든요. 하다못해 통기타를 쳤던 거라도 카세트에 담아서 동아 사장이 들어본다고. 나중에 보면 동아 사장이 나하고 같이 음악을 들어요. 뭐 김현철, 이소라 등. 나보고 어떻게 생각하냐? 그러면, 나는 관심이 없었거든요. 그런 애들 음악 나는 잘 모르겠네? 그럼 김 사장이 나한테 엄 박사는 그걸 모른다는 거야, 이렇게 얘기했죠.

박준흠 : 어떤 걸 모른다는 건지?

엄인호 : 그러니까, 이건 흥행성이 대박이라는 거지. 나는 뭐 별로라

그러고. 그런데 그 말이 맞았을 수도 있지. 그런데 나는 당시에 김현철의 음악이라든가 이런 거에 관한 관심이 없었어요. 또 쟤가 들어왔었지. 부활에서 노래하는 박완규. 걔도 제작하려고 그래서 아마 돈까지 다 줬을걸요. 내가 알기로는 계약까지 다 했는데, 동아 사장이 녹음을 안 했어요. 안될 거 같으니까. 그러니까 박완규가 열 받은 거지. 후에 박완규가 어느 정도 뜨고서 동아 사장이 이제 판 내자 그러니까 박완규가 반감이 일어나는 거지. 인제 와서 내가 왜 거기서 판을 내요? 그런 갈등이 있었던 거로 알고 있어요.

박준흠 : 공연할 때의 김현식은 어땠나요?

엄인호 : 현식이랑 공연 다니면서 내가 느낀 게 뭐냐 하면, 다른 가수에 비해서 그 음감이나 어떤 필이 걔를 따라갈 사람은 없어요. 진짜 얘 천재구나… 자기 스스로 애드리브로 막 만들어서 부르는데, 〈골목길〉 녹음할 때와 나중에 라이브 할 때가 완전히 달라요. 자기 특유의 스타일로 부르는데 묘하더라고요. 얘가 밥 말리 영향을 받았나? 어떤 때는 무슨 창唱 하듯이 노래가 나오고. 이거 진짜 완전 매력적인데, 깜짝 놀라는 거죠. 〈골목길〉 할 때마다 다르게 부르는데, 어떤 때는 밥 말리 흉내처럼 필을 냈다가, 어느 순간에는 창 하고 〈골목길〉하고 막 섞어서 노래하고. 그래서 저거 웃기네, 대단하다고만 생각했지. 한영애는 짜여진 노래지만 판이나 라이브나 거의 비슷했잖아요. 그런데 얘는 부를 때마다 완전히 다르게 부르는 거야. 〈환상〉도 그렇고. 대단한 놈이구나 싶었죠. 〈이별의 종착역〉도 자기 나름대로 툭툭 던지면서 부르는데, 그것도 술이 떡이 돼 가지고.

5) 김현식, 그리고 마지막 〈이별의 종착역〉

박준흠 : 1990년, 신촌블루스 3집과 김현식 5집이 나오는데, 김현식 씨가 5집 녹음하기 전에 선생님과 본인의 음반에 관해 이야기했던 게 좀 있나요?

엄인호 : 조금. 내 곡을 2곡 정도 부르고 싶어 했었어요. "에이, 곡 좀 줘" 그러더라고요. 난 그때 김형철이 있었잖아요? 이미 김형철이 벌써 두 곡인가를 찍어놓은 거야. 차마 그걸 뺏어서 현식이에게 줄 수는 없었어요.

박준흠 : 주고는 싶었는데, 그러지 못했다는 얘기죠?

엄인호 : 사실은 그랬죠. 그랬으면 내가 지금, 이 나이 먹어서 이 고생 안 하고 있겠죠. (웃음)

박준흠 : 신촌블루스 4집에서 김형철 씨가 〈내 마음속에 내리는 비는〉, 〈기적소리〉, 〈밤마다〉 이렇게 불렀죠.

엄인호 : 4집에서 두 곡인가를 김현식을 줬으면 내가 이 고생을 안 히

고 있다니까요. 〈내 마음속에 내리는 비는〉하고 〈서로 다른 이유때문에〉라고 신나는 록 음악곡이 있어요.

박준흠 : 〈서로 다른 이유때문에〉는 정희남 씨가 부르게 되었죠.

엄인호 : 4집에서는 내가 신중현 선생의 〈잊어야 한다면〉, 〈당신이 떠난 뒤에도〉 같은 진한 블루스… 굉장히 긴 곡이죠, 〈비 오는 날의 해후〉를 불렀죠. 그다음에 〈서로 다른 이유때문에〉라는, 약간 산타나 스타일의 곡이 있다고요. 하여튼 그때만 해도 사람들이 〈내 마음속에 내리는 비는〉, 〈서로 다른 이유때문에〉 이 두 곡을 딱 들었을 때, 야, 이거는 진짜 대박이라고 했지. 현식이가 나한테 자기 앨범 내야 하는데 곡 좀 달라고 그랬죠.

박준흠 : 〈내 마음속에 내리는 비는〉은 김현식 씨하고 잘 맞았을 것 같은데.

엄인호 : 나중에 권인하도 불렀죠. (1995년 권인하 5집) 그런데 걔는 그 노래의 분위기가 안 나와요. 〈서로 다른 이유때문에〉도 내가 잘 쓴 곡이거든. 아주 멋지게. 그 당시에 산타나 같이 라틴 스타일로 착 달라붙는, 그런 곡이 어디 있었어요? 완성도 있는 곡인데, 가사도 좋고.

박준흠 : 김현식 씨는 뭐라고 했나요?

엄인호 : 김현식도 오기가 생겨서, 아 됐어. 내게 곡 주기 싫구나? 그러더라고.

박준흠 : 그냥 김현식 씨도 부르고 김형철 씨도 부르고 하면 좋았을 텐데.

엄인호 : 당시에는 그렇지 않았거든요. 김형철이가 굉장히 그 곡에 대해서 기대를 많이 했기 때문에. 그런데 그때 현식이에게 줬어야 하는 거예요.

박준흠 : 그러면 지금 저작권 수입이 늘어났겠죠. (웃음)

엄인호 : 그렇죠. 꽤 나오고 있겠지. 이 고생을 안 하고 있지. (웃음)

박준흠 : 당시부터 저작권 관리는 잘하셨나요?

엄인호 : 그럼요. 그래도 동아 사장이 저작권 협회에서 굉장히 파워가 있었거든요. 어찌 됐든 나도 젊은 나이에 정 회원이었으니까.

박준흠 : 신촌블루스 3집에서 김현식 씨가 〈이별의 종착역〉도 불렀지만, 본인 5집에서는 〈향기 없는 꽃〉, 〈넋두리〉가 들어가 있고. 들어보면 굉장히 어두운 노래잖아요. 나중에 김현식 씨가 사망한 다음 그 음반을 들었던 사람들은 "아, 이게 죽기 전에 만든 음반이구나"라는 암시가 될 정도로 어두운 노래들이었습니다.

엄인호 : 그렇죠. 마지막에 보면 특히 더 심했죠.

박준흠 : 저는 개인적으로 굉장히 좋아하는 앨범이기도 한데, 선생님은 그 앨범 듣고 얘기 안 해 주셨나요? 왜 이렇게 어둡게 만들었냐고.

엄인호 : 에이, 뭐 그런 얘기는… 나는 단지 그런 생각을 했지. 차라리 곡을 주고 나도 기타를 몇 곡 쳤으면, 그런 생각을 하고 있었어요. 내가 곡을 줬으면 기타를 한두 곡은 내가 쳤을 텐데, 이게 이제 후회가 되는 거지. 에이 울적해지네….

박준흠 : 김현식 씨가 신촌블루스 3집에서 한 곡만 부른 이유가 이미 그때는 건강이 안 좋아서인 건가요?

엄인호 : 너무 안 좋아서. 사실은 시키지 않으려고 그러다가….

박준흠 : 그래서 〈이별의 종착
역〉 한 곡 부른 거예요?

엄인호 : 그날 녹음을 해야 하
는데 〈이별의 종착역〉을 내가
부를까 하다가, 내가 불러보
니까 너무 자신이 없는 거야.
그래서 내가 그냥 한번 넌지시 신촌블루스 3집 낼 때 현식이에게 네가
한 곡만 좀 해보면 안 되냐? 그랬더니, 무슨 곡이냐? 그래서 〈이별의
종착역〉. 어, 최희준? 그러면서 걔가 최희준 씨 흉내를 막 내더라고. 〈
진고개 신사〉 뭐 이런 거 흉내를 내더라고요. 사실 노래를 착각한 거
죠. 자기가 어렸을 때 최희준 씨를 엄청나게 좋아했었다고 그래요. 그
래서 내가 블루스로 편곡을 한 거예요.

  동아 사장도 은근히 기대했을 거예요. 신촌블루스 3집에서도 현식
이가 한두 곡을 좀 했었으면 했을 거예요. 한영애는 이미 마음이 떠났
고, 그래서 내가 동아 사장한테 가서 현식이 노래한다고, 둘이 같이 하
기로 했다고 했어요. 그래서 내가 한두 곡 부탁했다고 그랬더니 잘됐
다고 하더라고.

그런데 결국 한 곡만 부르게 됐던 거예요. 그때 현식이 상황이 너무 안 좋았거든. 걔가 그냥 맨날 술에 절어 있을 때고. 거기가 성수동인데, 노래해야 하는데 현식이가 없는 거야. 그래서 그냥 끝내고 오려고 그랬거든. 그때 현식이가 내 음반에서 노래를 부르려고 온 거라기보다는… 누구죠? 아, 김정호 유작 앨범 내는데, 그 매니저하고 무슨 약속 같은 걸 했나 봐요. 그런데 술이 떡이 돼서 자가 아들을 데리고 이렇게 왔더라고. 김정호 노래 중에 '간다- 간다-' 뭐 그런 노래 있잖아요. 그걸 자기가 부르기로 했대요. 내가 속으로는, 이놈 무슨 곡을 또 그따위로 불러서, 너두 갈라고 그러냐? 그랬거든.

"야 인마, 너 오늘 〈이별의 종착역〉 부르기로 했잖아?" 그랬더니 "어, 그렇지…" 그래요. "술이 떡이 됐는데, 너 노래 할 수 있겠냐?" 그랬더니 가사만 좀 적어달래요. 가사가 아리까리하다고, 기억이 잘 안 난대요. 그래서 거기서 가사를 내가 바로 적었죠. 받아 보고는 "알았어, 노래하고 갈게" 그러더니 녹음 부스에 혼자 딱 들어가더니 마이크 테스트하고 그냥 단칼에 불러버리는 거야. 그런데 혀 꼬부라지는 소리도 안 나오고. "어때? 한 번만 더 할까?" 그랬는데, 내가 그냥 오케이, 끝내자 한 거예요. 그야말로 단칼에 녹음한 거야. 나도 깜짝 놀랐어요. 녹음하고 나오면서 한다는 말이, "나 죽으라는 노래 같은데?" 딱 그러더라고요. 그때 속으로 좀 뜨끔했어요. '간다- 간다-' 부르더니, 또 '이별의 종착역'까지 부르고. 속으로 약간 뜨끔했죠.

박준흠 : 그때는 병원에 많이 있었던 때였죠?

엄인호 : 굉장히 힘든 상황이었죠. 그때는 이미 거의 회생 불능, 막판에 이제 그냥 술이나 마실래, 이랬던 거예요. 누구 얘기도 안 듣고. 걔눈 보면서 내가 그런 얘기를 했다니까요. "내가 봤을 때 너 오래 못 간다. 지금 너, 눈에 죽음이 있어." 듣기 싫었겠지. 험한 말 오가고 막 그랬는데… 그때는 아예 내가 우리 집에서도 술 마시게 했어요. "그냥 마셔, 그 대신에 나도 같이 마실게" 그러면서 내가 술김에 그 말을 한 거예요. 그때 내가 걔 눈을 보면서 그걸 느꼈다니까요. 아, 얘는 몇 달 못 사는구나. 그래서 그때는 안 말렸어요. 그 대신 국물이라도 먹어라. 밥 먹으면 화장실 가서 바로 토하니까. 그래도 국물이라도 먹어라, 우리 마누라가 뭐 이렇게 콩나물국이나 김칫국 끓여 놓으면 그거라도 먹으면서 술을 마시라고 그랬지.

박준흠 : 병원에서는 분명 입원하라고 얘기했을 텐데요.

엄인호 : 그렇죠. 그런데 걔는 이미 포기했기 때문에, 벌써 이미 그냥 본인이 나는 죽을 거야, 그 생각을 했죠.

박준흠 : 그때는 김현식 씨가 이혼한 상태니까, 혼자 사셨던 건가요? 아니면 부모님하고 사신 건가요?

엄인호 : 부모님과 살았죠. 동부이촌동에 럭키아파트라고 비싼 집. 나는 이해가 안 가는 거예요. 그 비싼 동부이촌동에 월세 백몇십만 원? 게다가 그 엄마가 손에다 물을 안 묻혀요. 파출부 두고. 암튼 그렇게 살았어요.

박준흠 : 지금으로 환산하면 천만 원이 넘는 돈일 텐데.

엄인호 : 동아 사장이 자기도 기가 막히니까 나한테 그런 이야기를 하는 거예요. 그때까지만 해도 나는 그걸 잘 몰랐어요. "세상에 월세 살고 있고, 엄마가 돈을 매일 챙겨 갔는데…" 동아 사장이 나한테 하소연하는 거예요. 월세가 100만 원이 넘는다고 그러고, 그리고 파출부 두고 있고… 세상에… 그때 내가 현식이 엄마가 어떤 사람이라는 걸 제대로 알게 되기 시작한 거지. 대책 없이 쓰는구나. 그러니까 동아 사장도 그때는 이미 지쳤을 때예요. 자기가 생각할 때, 이건 너무 심하다, 그러면서 각서를 보여주시더라고요.

박준흠 : 진짜 위대한 아티스트인데, 지금까지도 김현식 씨를 제대로

그린 영화가 안 나왔다는 게 의아합니다.

엄인호 : 그렇죠. 나도 개인적으로 그래요. 그 영화 〈비처럼 음악처럼〉 때문에 동아 사장님하고 나하고 사이가 틀어지기 시작했어요. 뭐 이런 영화를 찍게 그냥 놔두나? 싶어서 좀 원망스럽더라고요. 내가 시나리오를 딱 읽어봤을 때, 아니 이런 걸 영화라고 찍어? 그리고 나하고 인터뷰도 제대로 하지도 않았고. 당시 작가도 감독도 마찬가지고. 나는 출연까지 해줬잖아요. 라이브 하는 거로.

 그래서 동아 사장이 음악 쪽으로 해서 돈을 얼마 받은 것 같아. 그런데 그 당시에 나한테 600만 원을 주더라고요. 일단 영화가 너무 김이 확 새 가지고, 내가 동아 사장한테 뭐라고 그랬더니 인호 씨, 다 잘될 거야, 그러더라고. 잘 되기는 뭘 잘 돼요? 그래서 동아 사장한테 "나는 죽은 놈 가지고 돈 안 벌어요" 하고 확 나왔던 기억이 나거든요.

박준흠 : 김현식 씨가 죽음이 임박했을 때, 선생님 보시기에는 살고 싶은 욕망이나 그런 게 있었던 거로 보이세요?

엄인호 : 아뇨. 없었어요.

박준흠 : 자포자기自暴自棄?

엄인호 : 예. 그때 한국일보 기자들하고 인터뷰할 때거든요. 육상효가 했어요. 최규성도 같이 있었고.

박준흠 : 육상효 씨가 당시 신문기자였죠. 지금은 영화 감독을 하는데. 최규성 씨는 당시 한국일보 사진기자였고.

엄인호 : 그때 육상효나 최규성한테 얘기 들어보면 이미 완전히 다 포기를 했대요. 사람들도 못 알아보고, 뭐야? 니네들… 하면서 술에 취해서 인터뷰 오늘 못해, 나 너무 힘들어… 그러고 헛것을 보고 막 몇 번 그랬다고 하더라고.

6) 1990년 마지막 여름, 김현식

박준흠 : 김현식 씨는 1990년 11월 1일에 사망합니다. 그 이전의 상황을 듣고 싶습니다.

엄인호 : 죽기 몇 달 전에 이렇게 가만히 보면요, 얘가 완전히 다른 놈이 돼버린 거야. 그냥 아무한테나 시비 걸고, 자학이지 자학自虐. 누구에게든 맞을 거 뻔히 알거든. 자기는 힘이 없으니까. 패거리들한테 혼자서 시비 걸고 그럼 맞는 거야. 술이 그렇게 취해서… 신촌에서도 내가 여러 번 그랬어요. 내가 야, 그러지 마, 너 지금 싸움도 안 되잖아, 술에 취해서, 몇 명 있는 애들한테 그러면 되겠냐? 그랬더니 아, 괜찮아 나는 다 이길 수 있어! 그러더라고. 웃기는 소리 하지 말라고, 하도 내가 꼴 보기 싫어서 어떤 때는 야, 너 오늘은 너희 집으로 가라 그러고 난 우리 집으로 딱 들어와 버리잖아요? 그럼 한참 있다가 어디서 하모니카 소리가 쫙 나는 거야.

박준흠 : 김현식 씨가 하모니카를 갖고 다녔어요?

엄인호 : 〈한국 사람〉(1988년 김현식 4집 수록곡)에서 불었던 그 마이너 하모니카, 그걸 항상 갖고 다녔거든요.

박준흠 : 선생님 집으로 찾아온 거예요?

엄인호 : 그렇죠. 그래서 너 왜 집에 안 갔어? 그랬더니 에이 뭘 그래, 여기 있을 거야. 그러는 걸 차마 어떻게 보내요. 내가 오죽하면 그랬다니까, 카페에 있는 사람들이 다 김현식이라는 거 알고. 저 사람은 엄인호라고 다 아는데 당연히 쳐다보죠. 둘 다 술에 취해 있으니까. 여자애들도 어머 김현식이야, 어머 저건 엄인호다. 그러고 있는데, 남자애들도 마찬가지고. 그런데 현식이가 여자애들한테 X년들아 왜 쳐다봐? 그러면 남자애들도 같이 있는데 그건 봐줄 수가 없는 거거든요. 걔네들도 자존심이 있는데 아무리 유명한 가수라도 술에 취해서 자기 여자들한테 욕하고 그러면 참겠어요? 거기다 자기네는 쪽수도 많고 우리는 둘밖에 없는데. 그런 거에서 나중에 막 스트레스받더라고. 뜯어말리고 내가 가서 대신 사과하고 그러면 아니 뭐 유명한 가수면 가수지 뭐 배때기에다 철판 깔았어? 그러는 거지. 그럼 나도 이제 욱하는데, 일단 얘가 먼저 잘못했으니까 내가 사과하고 데리고 나오면서 야, 제발 좀 그러지 마라. 왜 술 먹으면 나한테 시비를 거냐? 창피스럽게 내가 뭘 잘못했니? 그러면, 다 자기가 이길 수

있다는 거예요. 그래서 에이 씨, 너 가! 그러고 집으로 오거든요. 그럼 어디서 또 술 마시는 거야. 아는 카페에 가서.

박준흠 : 그리고 결국은 선생님 댁 골목에서 하모니카 불고.

엄인호 : 우리 집 대문 앞에서 차마 문을 두드리지 못하니까 하모니카 불고 있는 거지. 우리 마누라가 현식 씨 왔나 봐. 그래서 어쩔 수 없이 나가서 너 집에 가라고 그러는데 왜 왔어! 하고.

박준흠 : 혹시 김현식 씨가 하모니카 불 때 어떤 곡을 불렀어요?

엄인호 : 그때 리 오스카(Lee Oskar)거. 그런 거 불렀던 것 같아요. 워(War)라는 밴드 있죠? 거기에 리 오스카가 있었잖아요?

박준흠 : 한국에서도 리 오스카의 인기가 많았죠.

엄인호 : 그러더니 어느 날부터 이상하게 구슬픈 멜로디를 막 불더라고요. 그래서 저게 뭐야? 어디서 많이 듣던 곡인데 했는데 나중에 알고 보니까 〈한국 사람〉인 거야. 그 하모니카 가지고… 참 매력 있다 싶었죠. 리 오스카도 마이너 하모니카 이런 걸 불렀어요. 그래서, 저 하모니카 소리 매력이 있는데? 했지.

박준흠 : 김현식 씨가 집 밖에서 하모니카 불던 상황이 그려지네요.

엄인호 : 비가 추적추적 오는데 밖에서 하모니카 소리가 나는 거 있지. 그때 그 마이너 하모니카, 〈한국 사람〉 같은 노래 자기가 부르고 다닐 때예요. 우리 마누라가 현식 씨 왔나 봐요, 그러는 거야. 아, 저 새끼 어떡하나 해도 뭐 들여보내야지. 왜 왔어? 그냥 끝 방에서 나 잘게 그러더라고… 우리 아들 방이거든요. 그런 게 참 안쓰러웠던 것 같아요. 아, 얘 진짜 집에 못 가는구나, 가기 싫구나. 우리 마누라한테, 나 여기서 한 달만 있을게 그러고. 내가 옆에서 듣고 있다가, 야, 이놈아 네 마누라냐? 내 마누라지. 내가 나가면 너도 같이 나가야 할 거 아니야? 그랬더니, 아이, 우리는 그런 사이 아니라고… 나 혼자 나갔다 오래.

 그런데 나중에 얘기 들었는데, 우리 와이프가 감추고 있었는데, 이놈이 발작이 일어나서 집에서 쓰러졌대요. 숨도 못 쉬고 막 식은땀 흘리면서… 그게 급성 알코올 중독이거든요. 온몸에, 피에 알코올이 너무 많은 거야. 이게 나도 두어 번 경험했거든요. 그래서 우리 와이프가 이불 덮어주고 막 온몸 마사지해주고 그랬다고 그러더라고요. 그거 잘못하면 죽어요. 그런데 내가 들으면 기분 나쁠까 봐 우리 마누라가 얘기를 안 했던 거지. 죽고 난 다음에, 나한테 그런 얘기를 하는 거예요. 우리 집 옷장 문을 탁 열어서, 어, 이 옷 나 좋은데? 나한테 맞겠는데? 그러고는 자기가 이제 입고 나가는 거야. 자기 옷은 벗어놓고. 그래서 현식이 죽고 난 다음에….

박준흠: 김현식 씨 사망 후에 있었던 일도 있나요?

엄인호: 이건 그냥 에피소드인데, 죽고 난 다음에 계속 꿈에 나타나는 거예요. 우리 와이프한테도 그렇고. 우리 와이프가 나한테 그러더라고요. 어저께 꿈에 현식이가 우리 집으로 왔더래. 식탁에 걔가 항상 앉는 자리가 있거든. 나는 우리 마누라 등지고 앉아있고, 걔는 항상 우리 마누라를 보고 있어. 음식 만드는 모습이 좋대. 자기는 그런 걸 받아본 적이 없잖아. 참… 가슴 아픈 얘기지. 꿈에 현식이가 배고프다고 우리 집으로 왔더래. 그런데 그날, 같이 꿈을 꾼 거예요. 나도 꿈에서 현식이가 나한테 찾아온 걸 느꼈거든.

그래서 옆집 무당한테 가서 내가 물어봤어요. 그랬더니 혹시 집안을 잘 찾아봐라, 그 사람이 입었던 옷이 있을 거라고 그러더라고. 그런데 있었어요. 까만 양복이야. 그리고 청바지가 하나 있었고. 그래서 내가 그 무당한테 그 당시 돈 100만 원인가 주고 천도제遷度齋 좀 지내주라고 했어요. 그런데 나는 꿈이 아니라 잠결에 그랬어요. 실제로 자다가 소변이 마려워서 일어나서 화장실에 가는데, 식탁 주방이 이쪽에 있었거든. 거기 옛날 양옥집 같은 데 이렇게 해서(손동작) 식탁은 안에 있잖아. 지나가는데 내가 깜짝 놀란 게, 현식이가 앉는 자리에 걔가 거기에 앉아 있는 거예요.

박준흠 : 잠결에 보신 거예요?

엄인호 : 그래서 내가 깜짝 놀라서 화장실 가서 소변보면서 한참 고민을 했다니까. 저거 귀신 아니야? 이상하다. 그런데 눈을 마주치기가 싫더라고. 그래서 다시 그냥 휙 들어와서 비몽사몽 또다시 잠을 잤는데, 그다음 날 아침에 우리 와이프가 현식이가 배고파서 왔었다고 그러는 거야. 그래서 옆집 무당을 찾아간 거예요. 나하고 친했거든. 나도 그런 쪽에 굉장히 관심이 많아. 그 무당도 나한테 참 잘했고, 그래서 물어봤더니, 우리 집에 아직 혼이 머물고 있다. 그러니까 천도재를 지내야 한다고 그러더라고요. 그래서 우리 집에서 살았기 때문에 분

명히 옷이나 뭐 이런 것들이 있을 거라고. 내가 마누라한테 물어보니까 현식이가 내 옷 입고 가고, 양복 벗어놓은 게 있다고 그러더라고. 그리고 청바지 하나 있었고.

　현식이 죽고 난 다음에 그거를 안 버리려고 했던 게 뭐냐 하면, 나도 가끔 장례식을 가야 하거든. 사실 내가 까만 양복이 필요가 없잖아요. 그런데 가끔 장례식에서 까만 양복이 필요하더라고. 그래서 그냥 놔뒀거든. 그런데 무당이 그거 다 갖고 오라고 그러더니 자기가 저 인왕산 가서 천도재 올리면서 태운다고 하더라고. 내가 100만 원인가 줬던 기억이 나요.

박준흠 : 그 뒤로는 꿈에 안 나타났나요?

엄인호 : 예. 걔가 하여튼 그 양복을 입고 왔었던 거예요. 아마 장례식이나 어디 뭐 그런 것 때문에 입고 갔다가 그걸 우리 집에 벗어놓고 내 옷을 입고 간 거지.

박준흠 : 선생님 집에서 신세를 많이 졌네요.

엄인호 : 신세라기부다는… 나는 우리 마누라한테 항상 현식이를 감

시하라고… 동아 기획 사장도 우리 와이프한테 전화를 해서 그 이야기를 했어요. 현식이 좀 잘 봐 달라고.

박준흠 : 김영 동아기획 사장님은 김현식이 생전에, 병상에서 마지막으로 녹음한 〈외로운 밤이면〉, 〈그대 빈들에〉를 비롯한 21곡이 수록된 음반 [김현식 2013년 10월]을 2013년에 발매했습니다. 당시, 동아기획 사장님이 언론 인터뷰를 굉장히 많이 했는데요, 인터뷰를 보면 김영 사장님이 김현식에 대한 그리움, 애정 이런 거가 굉장히 많이 묻어나는데….

엄인호 : 그건 맞아요. 김 사장으로서는 현식이 자체는 동생 같고 굉장히 좋은데, 그 엄마가 관계를 자꾸 부숴 버리는 거예요. 동아 사장이 나하고도 얘기할 때 보면 현식이에 대해서는 굉장히 좋게 받아들이고 있더라고요. 물론 돈도 벌게 해줬지만.

박준흠 : 저는 김현식 음반 중에서 5집을 가장 좋아합니다. 그런데 5

집이 왜 저렇게 처절한 노래들을 담고 있을까? 라는 생각을 많이 했거든요. 김현식 씨가 왜 계속하여 마약과 술에 빠져서 결국에는 자포자기하듯 살다가 갔는지에 대한 이유를 몰랐던 거예요.

엄인호 : 동아 사장하고 나는 아는 거지. 그게 흔히 얘기해서 '연민의 정'이라고 그러죠. 아주 사람을 피곤하게 만드는 데도 이런 거 저런 걸 생각했을 때 나는 이해가 가는걸요. 어떻게 보면 측은하게 생각도 들고… 우리 와이프도 그렇게 느꼈고. 김현식하고 공연하려고 그러면 현식이 엄마가 그새 알고 전화가 와. 항상 얘기하는 거 보면 굉장히 부잣집 딸이라는 걸 강조하고 옥천 출신인데.

박준흠 : 김현식이 만든 노래 저작권은 현재 누가 갖고 있나요?

엄인호 : 팔았어요. 어떤 재일 교포한테 팔았다가… 그것도 얘기가 많아요. 여러 얘기가 있는데, 아마 저작권 협회에서 재일 교포 누구를 소개해 줬나 봐요. 총 저작권 금액으로 5억 원을 받았다는 얘기도 있고요. 현식이 아들한테 내가 물어보니까 걔는 그렇지 않다고 하고. 그런데 그 저작권을 또 현식이를 알던 팬들이 다시 샀어요. 그래서 얼마 전에 뮤지컬도 하고 그랬죠. 내가 당신들이 어떻게 저작권을 갖고 있냐? 그랬더니, 자기네가 이건 이대로 두면 안 되겠다, 자기네가 관리히지

해서 몇 명이 모여서 저작권을 샀다고 그러더라고요. 어쨌든 김현식 뮤지컬이든 영화든 뭐 이런 걸 하려면 그게 필요하니까. 내가 어떻게 아냐 하면, 현식이에 관련된 영화든 뮤지컬이든 하려면 내 곡을 써야 하거든요. 그러니까 내가 모르는 부분은 걔네들이 얘기하죠.

박준흠 : 김현식 씨 아들을 최근에 보신 적이 있으세요?

엄인호 : 몇 년 전에 봤어요. 누가 꼬드겼는지 모르지만, 김현식 추모 공연을 또 했는데, 자기 아버지 공연을 자기가 기획해서 한다고 했는데, 아이돌 그룹만 데리고 공연했다가 완전히 실패했어요.

박준흠 : 김현식 씨와 선생님하고의 관계는 이제 어느 정도 들었는데, 그러면 김현식하고 이정선, 김현식하고 한영애, 이렇게는 어떤 사이였나요?

엄인호 : 현식이가 굉장히 짓궂었거든요. 그때만 해도 현식이가 인기가 앞서 나가고 있었고, 동아 사장 생각도 마찬가지고 제 생각도 김현식 때문에 한영애가 더 컸다, 도움을 많이 줬다고 생각해요. 같이 무대에 서니까. 듀엣 같은 것도 하고, 동아 사장이 좋아했던 건, 신촌블루스 때문에 김현식도 다시 올라설 수 있었고 한영애도 어느 날 보니까

이제 스타가 되기 시작했거든. 그거는 동아 사장이 나한테 굉장히 고맙게 생각해요. 솔직히 그런 얘기를 나한테 했으니까. 한영애가 그 당시에만 해도 거의 포기한 상태였거든요. 〈건널 수 없는 강〉이 있는 솔로 앨범(1986년)을 오세은 형이 제작한 거예요. 한영애하고 사이가 틀어져서 〈건널 수 없는 강〉 앨범을 동아 사장한테 그냥 떠넘기듯이 넘겼다고. 그러니까 동아 사장으로서는 나하고 같이 공연 다니는 게 자기가 봤을 때는 절호의 기회야. 그렇게 몇 달 지나니까 진짜 반응이 오거든.

박준흠 : 이후 한영애 2집(1988년)도 굉장히 많이 팔렸죠.

엄인호 : 그런데 한영애라는 친구한테 내가 섭섭한 거는, 그래도 좀 더 나하고 같이 갔었어야 한다고 생각했던 거예요. 내가 후배 때문에 옛날 한영애 매니저를 만난 적이 있어요. 예전에 박보라는 친구가 왔을 때, 나는 통기타 갖고서 말도 안 되는 공연을 했는데, 저쪽 구석에서 나보고 술 한잔하라면서 양주를 마시고 있길래 가서 보니까 어디서 많이 보던 여자야. 그 여자가 한영애 매니저였어요. 순하게 생기고. 그 여자분이 나를 찾아왔던 게, 그때가 한영애가 위태로웠을 때거든요. [바라본다] 앨범(1988년) 나오고 나서는 잘 안 됐단 말이에요. 솔직히 얘기해서 트로트 앨범(2003년 [Bchind])도 완전히 실패했고. 내

가 알기로는 빚을 엄청나게 졌을 거예요. 서울 음반에서 겁 없이 녹음을 백몇 십 프로씩 쓰고 막 그랬으니까. 그 당시에는 매니저도 책임이 있어요. 레코드사에서 한영애한테만 돈을 주는 게 아니거든. 매니저를 보면서도 돈을 주는 거지. 그러니까 그 여자분도 아마 굉장히 힘들었을 거야.

서울음반은 동아기획하고 완전히 달라요. 내가 어느 정도 그 당시 스타일을 아는데, 거기는 회사 체제이기 때문에 앨범이 어느 정도 안 팔리잖아? 그러면 배상해야 해, 계약 조항에 그런 게 있었어요. 서울음반처음 생겼을 때 내가 거기에 잠깐 있었거든요. 백순진 선배 때문에. 그때만 해도 그렇지는 않았는데, 나도 이후에 서울음반에 갈려고 그랬다가 주춤했던 이유가 뭐냐 하면 그런 계약 조항이 걸리는 거예요. 그러니까, 돈은 주는데 방만하게 돈을 쓸까 봐 그랬을 수도 있어요. 동아기획 사장과 오리엔트 나현구 사장 같은 분들 정도가 그렇지 않았어요.

그때 그 매니저분이 나한테 찾아와서 뭐라고 그랬냐 하면, 한영애 씨가 사실 굉장히 힘들다고, 그러니까 그분이 나한테 한영애 씨하고 다시 뭉칠 수 있겠냐? 지금 너무 힘들다, 한영애가 지금 이런 상태로 가면 안 된다고 스스로 판단해서 나한테 온 거예요. 그래서 나는 오케이, 나도 그러고 싶다고 얘기했었거든. 그런데 그게 무산된 게, 아마 내 생각에는 한영애가 노(NO) 했을 거야.

박준흠 : 그러면 두 분이 서로 통화를 해볼 수 있었잖아요. 왜 안 하셨어요?

엄인호 : 매니저가 있으니까.

박준흠 : 그래도 개인적으로 전화를 하시지….

엄인호 : 아니에요. 나는 그런 문제에 있어서는 매니저를 굉장히 존중하는 편이거든요. 비밀로 왔을 때는 한영애와 얘기 안 하고 나한테 왔을 수도 있는 거거든요. 내가 속으로는 생각했어요. 아마 한영애는 안할 수도 있겠다. 이런 건 다 감추고 싶은 얘기거든요.

　그래서 한영애에 대해서 내가 지금도 가진 감정은 묘해요. 한편으로는 욕을 해주고 싶기도 하고, 한편으로는 그래, 그렇게 살아야 하는 거구나.

박준흠 : 이정선 선생님은 술을 못 하시던가요?

엄인호 : 전혀 못 해요.

박준흠 : 그래서 김현식 씨하고는 약간 좀 덜 친했던 건가요?

엄인호 : 덜 친하고 그런 게 아니라, 정선 형은 편하게 해줬거든요. 그런데 현식이가 막판에 술 먹고 막 찾아오고 그러니까 피곤했던 거지. 정선 형 같은 경우는 너무 조용하게 사는 거야. 뭐 다른 얘기는 그렇더라도, 우리같이 이렇게 술 먹고 막 이런 꼴을 별로 좋아하지 않지. 스타일이 그래요. 자기두 대학교 다닐 때 술은 좀 마셔본 적은 있다고 그러는데, 우리처럼 이렇게 술 먹고 그런 걸 그 형은 좋아하지 않아요. 그나마 내가 술 먹는 거는 조금 봐주는 편이야. 큰 실수를 안 하니까. 그런데 현식이는 그렇지 않는단 말이에요. 걔는 막판에, 술에 취하면 아무나 보고 막 욕하고 그랬으니까.

 뭐, 상태가 안 좋을 때예요. 자포자기하고. 유일하게 나한테만 그나마 깽판 안 친 거예요. 왜냐하면, 자기도 피난처가 필요하니까. 유일하게 자기 피난처를 내가 갖고 있었기 때문에. 그리고 내가 가능하면 굉장히 편하게, 좋게 얘기를 해요. 그 친구를 걱정하고 그런 사람이 나밖에 없었던 것 같아요.

7) 김현식 영화, 음악영화

박준흠 : 아직 개봉이 안 됐는데, 김현식과 유재하를 다룬 〈너와 나의 계절〉(감독 정다원)이라는 영화가 있습니다. 2021년인가에 제작됐는데, 제가 알기로는 김현식 씨가 죽기 전 마지막에 병상에 있을 때, 유재하와 있었던 일들을 회상하면서 얘기를 풀어내는 방식의 영화라고 합니다.

엄인호 : 내가 볼 때는, 그냥 극적으로 이야기를 썼을 것 같아요. 비단길이라는 영화사인데, 거기서 나한테도 곡 사용을 허락해 달라고 해서 내가 허락을 해 줬는데… 내가 알기로는 그쪽에서는 사람들과 인터뷰를 한 게 아니라, 그냥 작가 하나 붙여서 어떤 극적인 걸로만 영화를 만든 것 같아요. 상상으로. 물론, 유재하나 현식이 하고 관계는 있겠죠.

박준흠 : 유재하와 김현식은 어떤 관계였나요?

엄인호 : 신촌블루스에서 같이 할 때였는데, 아, 그때는 신촌블루스란 이름이 없을 때였고요. 그때 현식이가 유재하를 데리고 왔거든요. 그러면서 뭐 곡 잘 쓴다고 어쩌고저쩌고… 그리고 피아노를 치는데 잘

쳤어요. 노래도 좀 묘한 매력이 있었고. 그런데 내가 볼 때, 걔는 그렇게 관심이 없었던 것 같아요. 벌써 느낌이, 아 얘도 꾼이구나. 마약 하는 놈. 걔네 소문을 내가 다 듣거든. 걔네는 방배동에 주로 있을 때인데, 그쪽 방배동에 현식이 같은 애들이 당시에 다 꾼들이었어요. 그런데 거기에 자주 모인다? 그럼 이건 보나 마나 그거야. 그렇게 생각했죠. 그래서 내가 그렇게 가까이 가지 않았거든. 유재하한테 별로 관심을 안 보였어요. 그러니까 걔도 거의 나한테 접근을 안 했지.

박준흠 : 이 말씀을 드리는 이유는, '김현식과 유재하' 영화도 나오는데… 김현식과의 관계를 음악적으로나 인간적으로나 생각해 보면, 선생님처럼 이렇게 긴밀하게 가졌던 분이 없잖아요. 그래서 '김현식과 엄인호' 아니면 '엄인호와 김현식'이라는 드라마가 나오면 어떨까 하는 생각이 들었어요.

엄인호 : 그런데 그 영화사에서 생각한 거는 어쨌든 둘 다 요절했고 그러니까… 뭐 글로 풀던, 픽션이든 논픽션이든, 그런 요소가 뭔가 사람들의 흥미를 끌 거로 생각하고서 썼을 거예요. 그래서 그 영화를 찍었겠지. 하지만 내가 볼 때는, 옛날에 〈비처럼 음악처럼〉(1992년, 감독 안재석)도 마찬가지지만, 영화음악도 내가 했지만, 영화 보고 나서 너무 실망스러웠던 거지. 괜히 극적으로 만들려다가 실제 김현식의 모

습은 별로 없고, 그냥 아무 이유 없이 술이나 마시고, 그냥 그런 거로 표현을 해버린 거죠.

박준흠 : 이건 좀 논외의 얘기인데, 왜 한국에는 뮤지션을 소재로 하는 음악영화나 뮤지션을 다룬 음악 다큐멘터리가 이렇게 드물까요? 솔직히 잘 만들었다고 얘기할 수 있는 작품은 특별히 없고요.

엄인호 : 특히 현식이 모습은 여기저기서, 방송국이나 이런 데서 공연하는 것밖에 없어요. 남아 있는 게 없거든요. 나도 다 잃어버렸지만… 누가, 창원인가 어디 방송국에서 자료를 빌려달라고 그래서 빌려줬는데, 하여튼… 김현식이 평소에 인터뷰한 게 없어요. 그냥, 라디오 방송, 김기덕 프로그램 같은 데 출연한 것. 또 현식이 자체가 인터뷰하는 걸 아주 싫어했어요. 1992년인가에 쓴 책 그것도 억지로 마무리한 거지. 뭐, 완전히 술에 취해서 막 욕하고.

박준흠 : 다큐멘터리는 자료가 너무 없다 보니 만들기 힘들다고 하더라도, 뮤지션이 주인공이 되는 음악영화나 드라마는 해외 사례를 보더라도 연구만 좀 충실하게 하면 얼마든지 만들 수 있는데….

엄인호 : 그런데, 너무 쉽게 접근하는 거죠. 지금도 김현식, 유재하 나온다는 그 영화도 마찬가지겠지만, 어떻게 인터뷰를 한 번도 안 하고 영화를 찍어요? 그때도 소품 담당자가 오더니, 〈골목길〉 연주할 때 그 당시에 기타가 뭐예요? 그런 거 하나 물어보러 온 거야. 그래서 내가 그 친구한테 좀 뭐라고 그랬던 기억이 나거든요.

박준흠 : 원래 시나리오 쓰기 전에 해야 하는 작업인데, 거기서 뮤지션을 대하는 태도가 드러나죠. 영화계도 방송계하고 그리 다르지 않은 것 같아요.

엄인호 : 자기네들은 김현식의 리얼한 스토리를 쓴다면 자료도 없지만, 이야기도 별로 재미없을 거로 생각한 거겠지. 그냥 드라마틱하게 유재하와의 관계로 이렇게 해서 쓰면, 여자 배우도 괜찮은 배우 쓰고 그러면 분명히 이건 성공할 거로 생각하는 거겠지. 그런데 내가 얘기하는 건, 옛날에 그 누구예요? 임순례 씨인가? 〈와이키키 브라더스〉 만든 그 여자 감독이 나한테 찾아와서 그 당시 밴드 얘기들을 막 들려

달라고 그러더라고. 대구에 있는 카페에서 내가 만나서 얘기를 해준 거야. 그러니까, 갑자기 드럼 소리가 안 나서 뒤돌아봤더니 드럼 치는 애가 술이 떡이 돼서 뒤로 쓰러졌더라, 그런 얘기….

박준흠 : 대본 작업에는 고증이 많이 필요하죠.

엄인호 : 그럼요. 그런 얘기를 내가 해줬던 거예요. 그래서 영화 〈와이키키 브라더스〉를 보면서 그래도 내가 얘기한 것들이 많이 들어갔네, 했었죠.

박준흠 : 결국, 한국에 음악영화나 음악 다큐멘터리가 드문 이유는 대중음악에 대한 이해가 있는 영상작가들이 별로 없는 거지, "음악영화의 수요자가 별로 없다"라는 식의 영화나 드라마 시장의 문제는 아니라고 생각합니다.

엄인호 : 그럼요. 실화니까. 거기다가 그 당시에 그런 삶을 사는 사람이 거의 없었거든요. 외국에는 그런 작품들이 많잖아요. 기본이죠. 퀸(Queen)에 대한 영화 만든 거 보면, 정말 그 사람 삶에 대해서 다 느끼게 되고 그런 게 있는데, 우리나라는 그게 아니잖아요. 그냥 흥행이나 생각해서 아, 이런 얘기는 재미없어. 여기에 뭐 여지 하나 끼워서 러브

스토리 만들고, 별로 있지도 않았던 얘기인데 그걸 갖다가 억지로 연관시켜 여자 문제든 뭐 이런 거로 엮으려고 그러고.

나도 그런 게 못마땅했던 거야. 좀 전에 얘기했었지만, 그래서 내가 그 스탭한테 〈골목길〉에 썼던 그 기타가 왜 중요하냐? 했더니, 그 기타를 다시 구할 수 있냐? 라는 거예요. 누구 거였냐? 그래서, 종진이 건데 잭슨으로 알고 있다고 얘기했지. 나는 쳐다보기도 싫은 기타고. 그럼 그 기타를 소품으로 구할 수 있을까요? 그래서, 속으로는 좀 한심했어요. 내가 분명히 그런 얘기 한 적이 있어요. 내 음악을 쓰겠다고 그러길래, "여보쇼, 어떻게 인터뷰는 하나도 안 하고 영화를 만들어요?" 자기네들 나름대로 자료를 충분하게 갖고 있다나?….

박준흠 : 어떤 자료요?

엄인호 : 육상효가 쓴 책, 그런 거나 있겠지. 그리고 하다못해 김중만이라도 찾아봐야지. 현식이가 김중만하고 친했고, 사진을 그렇게 찍었고, 마지막 여행을 김중만하고 했으니까. 당연히 그 사진을 써먹으려면 김중만한테 돈을 줬겠죠. 그러면 김중만하고도 인터뷰해야 하는 거야. 나한테 곡 받으러 온 그 친구가 그래도 거기서 뭐 좀 하는 친구 같은데, 잘 모르더라고. 그래서 내가 얘기해줬어요. 김중만 찾아가고, 그

다음에 송홍섭이나 이런 친구들 만나보라고. 내가 모르는 얘기도 많이 알고 있다고. 스튜디오에서 반주하다가 서로 싸움 붙고 그래서 송홍섭이가 두들겨 팼다고 그러더라고. 그때는 얘가, 현식이가 힘을 못 썼대요. 송홍섭이 만나 보면 자기는 이제 그게 후회된다고 그래요.

8) 박동률, 이중산, 한영애

박준흠 : 장끼들을 같이 했던 박동률 씨 얘기를 좀 해주시죠. 1980년에 방위 근무할 때 경주집에서 자주 만났다고 들었습니다.

엄인호 : 그전에도 꽤 봤어요. 걔하고 장끼들을 처음 만든 건 아니에요. 걔는 이태원 클럽이나 이런 데서 연주를 많이 했었거든요. 연주는 나보다 훨씬 세고 아니, 훨씬 앞서가고 있었어요. 걔가 원래 기타리스트예요. 내가 부산에서 DJ 하고 있을 때, 박동률이 나를 데리러 온 거예요. 자기네가 대전에서 만년장이라는 굉장히 유명한 클럽에서 일하고 있는데, 베이스가 뭐 어떻게 됐다나 하면서 나보고 베이스 쳐달라고 하더라고. 그래서 뭐, 베이스는 어려운 거 없으니까 레퍼토리를 한번 적어볼래? 그랬더니, 레퍼토리가 그렇게 어려운 곡은 없더라고요. 내가 얼마든지 칠 수 있는 정도? 나는 어렵게 생각 안 했어요. 당시에 베이스 뭐 이 정도는 내가 칠 수 있지, 했어요. 며칠, 조금만 연습하면 된다고 생각했는데, 막상 갔더니 이 밴드가 그게 아니라 '이노꼬리 いのこり'라고 그래요. 그 당시에 꽁지가 잡혀있는 밴드야. 나는 돈도 못 받고 거기서 그러고 있어야 하는 거예요. 아니, DJ 잘하고 있는데 왜 나를 꾀어서 대전의 알지도 못하는 동네 나이트클럽에서 일하게 만들어 놓고… 그러니까 김이 확 샌 거죠. 며칠 하다가 그냥 나는 서울

갈 테니 다른 베이스 구해라 하고 서울로 올라갔어요. 대전발 0시 50분 기차 타고.

박준흠 : 그 이후에 이제 1980년에 만난 건가요?

엄인호 : 그 이후에도 이태원에서 걔가 일하고 있을 때 또 나보고 같이 하자고 그러더라고요. 걔가 서라벌레코드에서 〈사랑사랑 누가 말했나〉 들어간 자기 솔로 앨범(1980년)을 내기 전이예요. 살살 또 꼬시더라고. 베이스 치라고, 이태원에서 같이 팀 하자고. 이때가 몇 년도인지 기억도 안 나는데, 그래서 걔가 얻은 방에서 내가 또 연습도 했어요. 베이스 가지고 연습하고 그랬는데, 올맨 브라더스 같은 그런 곡을 연습할 때예요. 올맨 브라더스 들으면서 기타도 잘 치지만 베이스도 엄청나게 매력 있다고 생각했어요. 하여튼 기억나는 건 올맨 브라더스의 〈In Memory of Elizabeth Reed〉 같은 거 연습하고 그러다가 흐지부지된 거죠. 그래서 또 김새서 난 부산으로 다시 내려갔고… 뭔가 하려면 확실하게 해야지, 기타리스트 이중산이라는 애도 그랬거든요.

박준흠 : 이중산 씨는 언제 만나셨어요? 다 비슷한 시기에 만난 거예요?

엄인호 : 박동률 만나기 전에 만났어요. 신촌에서 누가 나보고 기타 잘 치는 애가 있다고, 이태원에서 유명한, 한국 애치고는 기타 잘 친다고 소문이 났던 애가 이중산이었거든. 걔가 나를 좀 보자고 그러더라고요. 그때 내가 서울에 있을 때였죠. 그래서 여관방에서 한 달인가를 같이 연습했어요. 내가 통기타는 쳤지만, 일렉기타를 안 쳐본 지가 너무 오래됐고, 그리고 이중산이 기타 치는 거 봤을 때 감히 내가 기타 칠 생각을 못 했어요. 그래서 내가 베이스 치겠다고 했죠.

그때는 이태원 클럽에서 그랜드 펑크(Grand Funk)나 막 이런 거 할 때예요. 또 한창 지미 헨드릭스 거 할 때인데, 〈Purple Haze〉니 이런 거. 지미 헨드릭스 베이스는 그렇게 어렵지 않았어요. 그 당시 기타만 난리 쳤지. 미치 미첼(Mitch Mitchell)하고. 베이스는 그냥 평범한데, 노엘 레딩(Noel Redding)이라는 사람이었죠. 원래 이 사람도 기타인데, 지미 헨드릭스 때문에 베이스를 치기 시작한 거예요. 그래서 이 정도 베이스는 나도 그냥 할 수 있어 얼마든지….

그런데 이것도 한 달인가? 연습을 했는데, 이중산이 클럽 알아보러

다닌다고 그러더니 어느 날 보니까 다른 팀에 딱 들어간 거예요. 그래서 뭐 하냐고 그랬더니 일단은 먹고 살아야 하니까… 그러면서도 내가 계속 너희들하고 연습하겠다고 하더라고. 그때 드럼 치는 애하고 나하고는 없는 돈에 여관방 돈을 냈다고요. 말이 여관이지 연탄불 때고… 그때 내가 이중산한테 배신감을 느꼈어요. 뭐 이런 놈이 있나. 연습해놓고 자기 혼자 딴 팀에 들어가서 기타 치면서 뭐 하루 이틀 오다가 그다음부터 안 오더라고. 소문에 의하면 우리가 실력이 없어서 자기하고 안 맞는다고 그랬대요. 그럼 솔직하게 그런 식으로 얘기해야죠. 두 사람이 고생했는데.

박준흠 : 여관방에서 드럼 연습은 어떻게 합니까?

엄인호 : 책 쌓아놓고 방바닥 두들기고. 그때는 연습실이 없으니까. 베이스도 마찬가지예요. 그냥 전축에 잭 꽂고. 아니면 뭐 그냥 생으로 연습하고.

박준흠 : 아….

엄인호 : 그래서 이중산이라는 친구도 그렇게 해서 그냥 "에이 됐어, 나는 또 부산으로 내려갈 거야."

박준흠 : 한영애 씨는 어떻게 만났나요?

엄인호 : 한영애는, 이광조 만나기 바로 직전에 그러니까, 같이 뭉치기 직전에 내가 가진 곡을 한영애를 통해서 발표하면 어떨까? 라는 생각을 했어요. 그래서 내가 한영애를 만나러 간 거죠.

박준흠 : 1978년이네요.

엄인호 : 짧은 순간에 알았어요. 한영애한테 같이 연습해 보지 않겠냐고 내가 먼저 제의를 했던 것 같아요. 그때 이미 해바라기는 끝났잖아요. 그래서 한영애를 내가 찾아갔던 것 같아요. 하여튼 내 의견을 전달했어요. 내 곡을 당신이 좀 불러줬으면 좋겠다. 나는 어느 레코드사든 어떻게든지 앨범을 한번 만들 수 있지 않을까? 라는 생각을 했거든요. 내 곡 가지고 충분히. 그런데 한영애가 뜨뜻미지근하게 얘기하더라고요. 그래서 그냥 그렇게 없던 일처럼 돼버리고, 그다음에 이광조를 만나고 풍선이라는 걸 했고. 그다음에 가끔 무슨 녹음 같은 거 할 때나 한영애가 코러스 하러 오고 그랬을 때 그때 보고 그런 거 외에는… 한영애의 목소리를 내가 굉장히 좋아했었거든요. 저 목소리는 내 곡하고 잘 어울린다고 생각을 했어요.

박준흠 : 한영애 씨는 정규 1집 녹음이 1985년 말인데, 거기에 〈도시의 밤〉이 들어가잖아요? 그러면 1985년 이전부터 교류가 있었다는 얘기네요? 그 노래를 가져가서 녹음할 정도니까.

엄인호 : 거기에 그 곡이 들어가 있어요?

박준흠 : 네. 〈도시의 밤〉이 들어가 있고, 신촌블루스 1집에는 〈그대 없는 거리〉로 제목이 바뀌었습니다.

엄인호 : 그렇다면 누군가 그 곡을 추천했던가… 1985년이면 내가 서라벌 스튜디오에 있을 때인데. 아마 나한테 곡을 받아 갔을 수도 있겠네요.

박준흠 : 그럼 신촌블루스 멤버로 모여서 활동하기 전까지는 한영애 씨와는 특별한 만남은 없으셨던 거네요?

엄인호 : 아마 그런 것 같아요.

박준흠 : 한영애 씨를 처음 본 거는 그분이 20살 무렵 때였나요? 카페에서 멜라니 사프카(Melanie Safka) 노래 부르는 거 보셨다고 했네.

엄인호 : 명동 해바라기 홀에서도 버피 세인트 마리(Buffy Sainte-Marie)의 〈Until It's Time For You To Go〉 부르는데, 진짜 노래 잘하더라고요. "You're not a dream. You're not an angel-" 멜라니 사프카 노래도 굉장히 잘했지만, 버피 세인트 마리의 노래도 굉장히 잘했고… 내가 굉장히 마음에 들어 하는 목소리였었어요. 그 당시에 내가 그런 스타일의 곡을 쓰고 싶었거든요. 약간 블루지하면서 뭔가 한영애 같은 목소리가 내가 쓰는 곡에 어울리겠다는 생각을 한 것 같아요. 그래서 같이 한번 해보자고 했는데….

박준흠 : 제안했는데 거절당하신 거죠.

엄인호 : 한영애는 이주호 곡을 더 좋아했던 것 같아요. "마음 깊은 곳에 간직해놓고-" 이런 곡을. 그 곡도 좋아요. 한영애가 워낙 독특한 음색이었기 때문에. 〈마음 깊은 곳에 그대로를〉 그런 제목이었던 것 같아요.

박준흠 : 그러다가 한영애 씨가 1집을 녹음한 1985년도 말에는 〈도

시의 밤〉이 마음에 들었다는 얘기네요.

엄인호 : 그렇죠. 그리고 〈바람인가〉도 자기가 고른 곡 중에서 한 곡이에요. 그런데 안 알려졌지만, 그 뒤에 사람들한테 들은 얘기가 굉장히 좋은 곡이다, 마니아들 사이에서는 그런 반응이었어요. 한영애도 노래 잘했고 곡도 좋고. 어쨌든 서희덕씨가 제작을 했는데 이 바보 같은 친구가 〈아쉬움〉에 꽂혀서 〈아쉬움〉으로 밀었잖아요. 그래서 내가 지금까지 먹고사는 건지 모르지만, 이름도 알려지게 되고.

9) 노준명, 김석규, 김양일, 최우섭
그리고 김태화

박준흠 : 그러면 얘기 나온 김에 1970년대 한국의 기타리스트 중에서 선생님 마음에 드셨던 분이 누가 있을까요?

엄인호 : 이름은 다 잊어버렸는데, 어쩌다가 보면 깜짝 놀라는 기타들이 있었어요. 이수만 밴드에도 있었는데.

박준흠 : 노준명 씨요? 이수만과 365일 1집(1980년)에 참여했는데.

엄인호 : 맞는 것 같아요. 내가 이름을 들어봤거든요. 그때 영배가 이수만 하고도 같이 밴드를 했거든요. 노준명은 어느 업소에 나갈 때 내가 구경하러 갔거든요. 영배가 데리고 가서 이수만 하고 팀이 온다고 하길래 내가 가서 이렇게 봤는데, 이 친구가 굉장히 기타를 잘 치더라고요.

박준흠 : 예전에 한상원 씨하고 얘기하다 보니까 노준명 씨 얘기를 하더라고요. 이분이 좀 미스터리한 분이거든요. 연주를 엄청나게 잘하는데, 이후 종적을 모르겠어요.

엄인호 : 아마 당시 영배하고 트윈 기타를 했었던 것 같아요.

박준흠 : 앨범 크레딧에는 노준명(기타), 김세원(기타)으로 되어 있는데요.

엄인호 : 내 기억에 아마 영배가 같이 있었던 것 같아요.

박준흠 : 그리고 라스트 찬스, 송창식의 석기시대, 조용필과 위대한 탄생에서 활동했던 김석규 씨. 김석규 씨가 나중에 강허달림 1집에서 연주를 했던데요.

엄인호 : 나도 석규는 언뜻 본 것 같은데. 당시에 기타 참 잘 쳤던 친구죠. 그 친구는 밤업소로 바로 들어갔고.

박준흠 : 그리고 김태화 밴드 2집에 참여했던 김양일 씨.

엄인호 : 아, 양일이. 양일이도 나중에 미국 가서 보니까 영배하고 같은 교회에서 음악 하고 있더라고요.

박준흠 : 기타 잘 치시는 분들끼리 모여서 같이 활동했다는 얘기네요?

엄인호 : 양일이는 기타뿐만 아니라 건반도 잘 쳐요. 내가 미국 갔을 때 공연을 좀 해야하는데, 당시에 내가 미국에 있는 밴드들 소재가 파악이 안 되니까 영배가 어디 교회에 있다고 해서 영배하고 같이 공연을 했어요. 오렌지카운티, LA에서. 그때 영배한테 "누구 건반 치는 사람 없냐?" 그랬더니 "양일이 있어." 그러더라고요. 그래서 그때 미국에서 다시 만난 거예요. 김태화 밴드 할 때 내가 양일이를 봤거든요? "와, 기타 잘 친다." 했죠.

박준흠 : 1980년대 초인가에 TV에 김태화 밴드가 출연해서 어떤 노래를 하는데, 기타리스트가 기타를 치는 데 굉장히 잘 치는 거예요.

엄인호 : 이장희 씨 스튜디오, 그러니까 랩이죠. 이장희 씨가 미국에 가고 거기서 김태화 밴드가 연습을 했어요. 우리가 장악하기 전에요. 우리는 잠시 영화음악 때문에 거기 스튜디오에 간 거고, 당시에 그 녹음실에 있던 밴드가 김태화 밴드였어요.

박준흠 : 그러면 선생님은 그분들하고는 음악 스타일이 달라서 같이 활동을 하신 적이 없으신 건가요?

엄인호 : 양일이나 이런 친구들 보니까 이거 완전 프로예요. 그래서 깜짝 놀랐죠.

박준흠 : 선생님도 프로시잖아요.

엄인호 : 장끼들 그 당시에는 아직….

박준흠 : 이분들 지금도 보시나요?

엄인호 : 몇 년 전에 내가 공연으로 제주도에 가고 그러면 석규가 거기서 기타 치고 있고… 석규도 반갑죠. 석규는 어렸을 때부터 내가 봤으니까. 내가 김태화 씨하고 굉장히 친했었거든요. 클럽에도 놀러 다니고.

박준흠 : 그게 언제인가요?

엄인호 : 내가 화실에 있을 때 니까, 스무 살 이후. 그런데 김 태화 씨가 우리 선배하고 친구 니까 자주 놀러 오고 그랬어 요. 김태화 씨가 내가 기타 치 는 거 보더니 일렉기타 칠 수 있냐고 했어요. 그때는 뭐 일 렉기타를 조금 만져볼 정도지요. 어렸을 때니까. 새로운 밴드를 만든 다고 그러더라고요. 그래서 너 와서 연습해볼래? 그러더라고.

그때 나하고 같이 명동에 명성장 여관인가 거기에 온 친구가 석규예 요. 나보다 한 살 정도 어린 걸로 알고 있어요. 그런데 그 친구는 참을 성이 좋더라고. 그리고 나보다도 일렉기타를 잘 쳤던 거 같아요. 그때 라스트 찬스 매니저분이 나한테 엄청나게 못되게 굴었어요. 여관방 에서 밥도 안 먹이고 연습하라고 그러면 연습하고. 그럼, 밥은 줘야 할 거 아니에요. 맨날 판 따라고 해서 라스트 찬스 곡을 막 연습할 땐데, 그때 석규하고 둘이 있었거든요. 그런데 그 매니저 분한테 내가 대들 어서 난 그냥 와버렸어요.

그런데 석규는 거기 계속 있었던 거죠. 석규는 김태화 밴드에도 한동안 있었죠. 나중엔 서로 머리가 허옇게 돼서 어디서 많이 봤는데? 그 친구도 나를 이렇게 보더니 자기 모르겠냐? 그래서 이름이 뭐야 그랬더니 석규래요. 아! 알았어. 공연하러 갔을 때 그 친구가 내 뒤에 세션을 하더라고. 역시 잘 치는구나 했죠. 그다음에 그 또래 친구들이 김광석이라고 있었거든요. 다 비슷비슷하거든요. 당시에 걔네들은 다 저녁일 할 때니까.

박준흠 : 그러면 선생님도 김태화 밴드에 있었을 수도 있었네요.

엄인호 : 그럴 뻔했죠. 그 당시가 라스트 찬스였으니까. 내가 참고 그냥 있었으면 또 그럴 수도 있을 뻔 했죠.

박준흠 : 1990년에 나왔던 선생님 솔로 1집에 베이스로 김일태 씨가 참여하는데, 예전 무당의 베이스 말이죠. 무당의 최우섭(기타, 보컬) 씨가 김태화 씨하고 1970년대에 같이 활동한 걸로 알고 있어요.

엄인호 : 최우섭 씨는 나보다 선배고, 김태화 씨 친구고 그래요.

박준흠 : 1970년대 중반에 미국 LA에서 김태화, 최우섭 씨가 같이 활

동을 한 사진을 본 적이 있어요.

엄인호 : 미국에서 만난 모양이죠.

박준흠 : 1980년에 한국에 레이프 가렛(Leif Garrett)이 와서 서울 숭의음악당에서 공연할 때 무당이 오프닝 밴드로 섰죠. 이후 오아시스 레코드에서 무당 1집을 녹음했는데, 그 녹음에서 기타를 이중산 씨가 맡았어요. 최우섭 씨는 보컬만 하고.

엄인호 : 난 최우섭 씨가 그렇게 기타를 잘 치는 걸 못 느끼겠더라고요. 그래도 어쨌든 앞서가는 외국의 록을 했으니까. 지금도 만나면 서로 반가워요. 그런데 그 당시 봤을 때 기타는 내가 생각한 거에 비해서는 아니었던 거 같아요. 김태화 씨하고도 같이 무대에 나가고 그럴

때인데도. 아마 내가 알기로 기타는 다른 애가 막 치고 그랬던 거 같아요. 내가 볼 때는 최우섭 씨는 김태화 씨랑 둘이 친구지만, 기타를 혼자서는 안 되고 누군가 옆에서 같이 쳐주었던 거 같아. 그 앨범에서 이중산 씨가 쳤는지 모르겠지만 그 뒤로도 내가 이렇게 보면 지금 조용필 밴드에 있는 최희선 걔가 솔로를 다 하더라고요. 최우섭 씨는 노래와 세컨 기타만 치고. 그리고 최불암 씨 때문에 사촌 동생이라는 걸 알았어요. 나한테 직접 그런 얘기는 안 했는데 최불암 씨가 나하고 얘기하다 보니까 알게 되었죠. 그러고 보니까 진짜 무지하게 닮았어요.

박준흠: 최우섭 씨는 헤비메틀 쪽을 하고 싶어 했고, 원래 무당 1집도 본인은 헤비메틀을 하고 싶었는데 그렇게 못했다고 하네요. 인터뷰를 예전에 한 게 있거든요. 오아시스 레코드에서 LA에서 활동하고 왔다고 하니까 계약금을 먼저 줬다고 하더라고요. 그래서 녹음을 하려고 했는데, 자기 노래 가지고 이중산 씨가 이미 편곡을 다 해놨대요. 그래서 어쩔 수 없이 자기는 노래만 했다고 하더라고요. 그리고 1983년도에 나온 무당 2집은 최우섭 씨하고 김일태(베이스), 한봉(드럼) 씨가 참여하고, 보컬리스트는 지해룡 씨. 2집은 최우섭 씨가 혼자서 기타 쳤고.

엄인호: 지해룡은 그때 나하고도 몇 번 같이 술도 마시고 그랬는데 죽

었어요. 교통사고인가로. 그
런데 그때 우리는 별명으로 알
았던 거 같은데. 본명을 얘기
안 하고, 또 따로 얘기하는 이
름이 있더라고요.

박준흠 : 무당 2집 곡들은 대부
분 다 최우섭 씨가 노래를 하고, 라이브에서는 지해룡 씨가 노래했죠.

엄인호 : 그렇죠. 멋있었지. 지해룡이가 보면 아주 멋있었어요.

박준흠 : 선생님 솔로 1집에서 김일태 씨가 어떻게 베이스를 몇 곡 친
건가요?

엄인호 : 베이스 한번 쳐줄래, 그랬더니 친다고 그래가지고… 조용필
씨하고 같이 일을 하다가 뭐 별로 안 좋은 사건 때문에 걔가 거기서 나
오고. 들리는 소문에 의하면 제주도에도 있다는 얘기도 들은 적이 있
고 그래요. 걔가 대구에서 음향회사를 했었거든요. 그거 가지고 일태
가 조용필 씨 공연을 했었던 거예요. 그러다가 하여튼 안 좋은 사건이
있었나 봐. 난 정확하게 모르겠는데, 조용필 씨 돈을 많이 날렸나 봐요.

박준흠 : 1980년대 중반에는 스튜디오 세션이라는 게 전문적으로 시작되잖아요. 그 이전에는 대략 반주 개념에 가까웠고. 이제 세션맨 이름도 세세하게 음반에 명기가 되고. 스튜디오 엔지니어들도 기량이 어느 정도 높아진 상태였고. 그럼, 이전에는 스튜디오 세션 분위기가 어땠을까라는 생각을 해봅니다.

엄인호 : 그 당시에는 그룹 출신이나 이런 사람들은 연줄 아니면 스튜디오에 세션으로 들어갈 수가 없었어요. 왜냐하면 그쪽 세션맨들은 인정을 안 해주거든요. 지네들은 이것저것 다 넘어가잖아? 악보도 바로 보고서 그냥 초견으로 막 연주하고 그런 사람들이니까. 그 당시에 세션맨들하고 얘기해 보면, 어떻게 기타를 치면서 악보를 못 보지? 이런 식으로 나 들으라는 식으로 얘기하고 그랬다고. 당시에 서울스튜디오 세션맨들이 이호준, 변성용, 조원익 씨 등도 있었고 한데, 자기네끼리 얘기를 하고 그러는데 상당히 내가 듣기가 불편했어요. "요즘 애들은 말이야, 악보 안 보고 막 연주하데? 악보 갖다줘도 못 보고." 다 그랬어요.

　그때 그룹 출신들은 악보를 보고 초견에 연주할 수 있는 사람들이 거의 없었다고 생각해요. 다 자기 나름대로 미8군이나 이런 데서 연줄로 해서 거기서 활동한 사람늘이었어요. 득히 영배 그 또레들, 우리 또

393

래들은 이중산도 마찬가지지만, 전부 미8군에서 카피 밴드가 했던 그 걸로 했기 때문에 세션맨으로 뽑힐 일이 없잖아요. 그러니까 어디 가 서 세션을 못 하는 거예요. 그리고 본인 스스로도 그런데 가서 가수들 반주하는 걸 별로 좋아하지 않았고.

박준흠 : 그러니까 밴드로 공연 연주를 할 때는 굉장히 잘 친다는 입소 문이 있었는데, 음반에는 남은 게 별로 없으니까 이게 확인이 잘 안 됩 니다. 그리고 김양일, 노준명 등 아까 얘기했던 분들이 본격적으로 활 동했던 게 1970년대 말 정도인 건가요? 이 질문을 한 이유는 뭐냐면, 한국의 기타리스트들이 기량이 향상된 시기가 있는데, 제 추측으로 는 한 1970년대 중반이나 후반 이후가 아닐까라고 생각이 들었어요.

엄인호 : 왜냐면은 그때부터는 김태화 씨나 이런 사람들은 앨범 낼 때 는 자기 취향대로 록을 할 수 있는 그런 친구들을 알게 모르게 모으는 거죠. 세션맨은 그런 분위기가 안 나오거든요. 그런 사람들이 그런 기 타를 찾아서 녹음하지 않았을까 싶어요. 저녁 일 하면서도 알게 모르 게 커넥션이 있었거든요. 그런 친구들을 불러다 쓰는 거지. 가령 이중 산도 그때는 여기저기 잘 팔려 다니고 그랬었던 걸로 알고 있는데, 걔 도 또 성격이 문제가 있어요. 내가 알기로는 조용필 밴드에도 들어갔 다가 오래 못 버티고. 최이철도 마찬가지고. 당시에 최이철도 잘 치는

기타였거든요. 그런 사람들이 그룹 출신 선배들 앨범 내고 그럴 때 기타 쳐주고 그랬던 거죠. 결국은 현식이 앨범도 최이철 같은 친구가 가서 기타를 치고 그랬던 것 같아요.

07

신촌블루스 1986-1989년

"1980년대 당시 다른 앨범이나 다른 밴드의 기타리스트를 보면서 느낀 게 뭐냐 하면, 어떻게 자기네 곡을 하면서 기타를 남의 기타 세션이 기타 친 것처럼 치나?

그러니까 너무 잘 치려고만 그러는 거예요. 기타가 무슨 '누가 누가 잘하나'로만 보이고… 자기들 음악에 맞는 기타가 아닌 것 같은 생각이 들더라고요. 그래서 그때 무슨 생각을 했냐면, 내가 만든 음악은 내 기타하고 맥락을 같이 간다. 어떤 곡을 한영애가 불렀어도 그 앞의 노래하고 같은 맥락을, 그 브리지를 서로 이어야겠다는 생각을 한 거예요.

뭐 이렇게 많이 칠 필요가 없어, 그냥 간지間紙만 맛있게 넣자. 노래를 최대한 들으면서 맛있는 기타를 치자."

1) 1986년 4월. 카페 레드제플린, 신촌블루스 결성

박준흠 : 신촌블루스 초기 멤버들(이정선, 엄인호, 이광조, 김현식, 한영애)이 신촌의 카페 레드제플린에서 1986년 4월부터 잼을 시작했는데, 레드제플린 사장님과 선생님은 어떤 관계이신 거예요?

엄인호 : 그냥 선배죠. 개그맨 전유성 씨하고 같이 서라벌 예대 출신인가 그럴 거예요. 연극영화과 전유성 그 형하고 둘이 대학 친구죠. 유성이 형하고 나하고 부산에서 DJ로 잠깐 같이 활동한 적도 있었거든요. 유성이 형은 MC고, 나는 DJ박스에서 이것저것 말도 받아주고.

박준흠 : 레드제플린 카페는 언제 만들어진 건가요?

엄인호 : 1980년대 초? 그때 나는 음악 하느라고 정신없을 때니까 간간이 거기 가서 술도 마시고 오고. 가끔 내가 음악 틀고 싶으면 음악도 틀고 그럴 때죠. 그 카페 주인 형이 돈을 많이 날렸어요. 도박 같은 것도 하고, 좀 난해하게 살았던 형이에요. 그러니까 손님이 막 떨어지기 시작한 거지. 음악도 신경 안 쓰고. 그때 그 형이 나한테 거길 좀 맡아서 하라고 그랬어요.

박준흠 : 1986년 4월인 거예요?

엄인호 : 그보다 한두 달 전이예요.

박준흠 : 1986년 초에 성음을 나오시고 나서죠?

엄인호 : 거기 나오고 막 고민하고 있을 때예요. 벌어놓은 것도 없고 이제 내가 뭘 해야 하나? 그런 생각 하고 있었고. 그냥 좀 방황할 땐데, 그 형이 나부 고 카페를 맡아서 해달라고, 자기는 이제 하기 싫다고 그러면서 아예 저더러 사라고 하더라고요. 내가 돈이 있을 거로 알고 그랬겠지. 그런데 내가 돈이 어딨어요? 했더니, 그게 아니고 네가 맡아서 하다가 사라고.

박준흠 : 돈 생기면 사라, 이런 이야기네요.

엄인호 : 예. 내가 사람들한테 인심을 안 잃어서 친구들도 많고 그럴 때니까. 아마 그 선배가 주위에서 나를 도와줄 사람들이 얼마든지 많다고 생각했을 거예요. 그러니 나보고 그걸 맡아서 하고 나중에 돈이 생기면 자기한테 얼마를 달라고 그러더라고. 그래서 오케이, 그러면 그런 식으로 가되 어쩌고… 그런데 그걸 문서를 안 남겼지.

박준흠 : 아, 그래서 거기를 인수하셨다는 얘기도 나온 거네요.

엄인호 : 살짝 애매모호하게 인수하게 된 거예요. 그래서 우리 와이프가 주방에서 일도 하고 했죠. 그때 내가 손님을 다시 끌어모으려면 뭐가 필요한가를 생각했을 때, 여기서 라이브를 해야겠다고 생각한 거죠. 내가 할 줄 아는 게 음악이었고. 그래서 이정선 씨나 이광조, 김현식, 한영애 등 연락을 한 거야. 모이자. 어쨌든 한영애도 그때 특별하게 뭘 한 게 없었거든요. 김현식은 김현식대로 〈사랑했어요〉 가지고 뭔가 좀 되는 것 같았는데, 서라벌레코드사 사장님이 돌아가시는 바람에 공중에 떴고. 이광조만 이제 막 뜨기 시작할 때지. 그런데 이광조도 의리가 있지. 또 이런 데서 PR하는 것도 좋잖아요. 그때 공연도 많이 없을 때니까. 그래서 통

기타 가지고 모이기 시작한 거예요. 이제 슬슬 공연했거든요. 목요일 날. 그런데 이게 소문이 나서 그런지 몰라도 관객이 모이기 시작하는데 걷잡을 수 없었던 거야.

박준흠 : 처음에는 그냥 통기타 연주였나요?

엄인호 : 처음에는 이정선 씨 하고 통기타. 그러다가 어떤 때는 내가 일렉기타도 치고. 국산 시스템을 하나 갖다 놓고 마이크도 쓰고. 통기타는 그때 마이크 대고 할 때니까, 잭 꼽는 건 없었어요. 내 기억에, 당시에는 가끔 일렉기타도 시스템을 이렇게 꼽아서 치고… 낙원상가표 있잖아요? 옛날에 소극장에서는 다 그랬지 뭐. 그래서 관객이 모이기 시작하는데 진짜 정신이 없더라고. 관객이 많아지니까 그 선배가 또 다른 생각을 하고 있었던 거야. 내가 지금도 좀 섭섭하게 생각하는 게 그거예요.

박준흠 : 인수하라고 그랬는데 마음이 바뀐 거네요?

엄인호 : 자기는 손 떼겠다고 그랬던 사람이 손님이 점점 많아지니까 다시 나타나기 시작한 거죠.

박준흠 : 그냥 없던 일이 됐겠네요?

엄인호 : 아니, 다른 생각을 하고 있었던 거지. 한참 손님이 많을 때 그 선배가 권리금 받고 파는 거예요. 얼마나 기분이 나빠. 서울 대학로에서 공연 성공한 후 부산에 공연 갔을 때, 그 사람이 부산공연 수익금을 갖고 가버렸어요. 이정선 씨나 한영애한테는 아주 말도 안 되는 돈을 주고, 나는 아예 안 주고. 그때도 대박 터졌거든요.

박준흠 : 그분을 뒤에도 만나신 적이 있으세요?

엄인호 : 그럼요. 당연히 돈만 보면 도는 사람이에요. 그 뒤부터는 내가 같이 안 하려고 했죠. 그런데 나를 찾아와서 "야, 네가 이문세 공연도 좀 연결해 줄래?" 그러는 거야. 그래서 솔직히 싫었는데, 설마 앞으로는 실수는 하지 않겠지 했는데, 그 뒤로도 계속 다 실수했으니까, 한동안 내가 안 봤죠. 서울 공연에서도 말도 안 되는 돈을 나한테 줬는데, 그때 나는 공연이 성공한 것만 가지고도 굉장히 좋았던 거예요. 돈이 문제가 아니라 내가 기획을 해서, 내가 이 사람들을 데리고 공연했을 때 속으로 "봐, 나한테 이런 능력이 있었던 거야." 그렇게 자위하고 그럴 때거든요. "봐봐, 내 말이 맞지? 이거는 분명히 성공한다고 했잖아." 그때 부산도 성공했어요. 그런데 그 선배가 김새게 만든 거지.

박준흠 : 그해 6월, 대학로 샘터 파랑새 극장 공연은 어떻게 하게 된 건가요? 제가 선생님 공연을 처음 본 게 그 공연부터입니다.

엄인호 : 레드제플린 카페에 사람들이 너무 많이 오니까, 어디 앉을 자리도 없고 계단 1층까지 내려가야 하고 해서 소극장 공연을 하게 된 거죠.

박준흠 : 그래서 카페 주인은 소극장 공연 프로모터를 하고 싶었던 거죠?

엄인호 : 이거 공연하면 되겠다는 생각을 한 거죠. 그런데 속에는 딴마음을 갖고 있었던 건 나는 몰랐던 거죠. 그 사람은 돈밖에 안 보였던 거예요.

2) 1988년 신촌블루스 1집, 엄인호의 완성된 창작과 기타

박준흠 : 1988년 신촌블루스 1집 당시 선생님 기타 톤은 이전 장끼들하고는 다른데, 새로운 기타 톤을 어떻게 만드셨나요? 그리고 신촌블루스 1집의 기타 톤이 지금까지 계속 유지되고 있는 거잖아요? 한 10년 전부터는 좀 공격적인 톤으로 바뀐 연주도 하지만.

엄인호 : 원래 그때도 이펙터를 그렇게 많이 쓰지는 않았어요. 한데 한영애도 그렇고, 누구 것 반주해 주려면 이펙터는 필요하긴 하더라고요. 그래서 몇 개만 썼죠. 뭐 코러스하고 디스토션하고. 그런데 지금 생각하니까, 장끼들의 연장선인데 기타가 장끼들보다는 훨씬 정제된 스타일이었던 것 같아요. 어느 정도 일렉기타에 자신도 좀 붙고 해서. 또 한영애의 반주나 박인수 씨 반주해 주려면 내가 너무 튀게 나오면 안 될 거 같고 그래서 굉장히 이쁘게 치는 스타일로 갔어요. 당시에는 이정선 씨가 편곡을 많이 했기 때문에 가능하면 이정선 씨가 원하는 쪽으로 기타를 쳤던 거 같아요. 어쨌든 선배고, 이정선 씨가 편곡해 갖고 오잖아요? 그러면 내가 말 잘 듣는 학생이 되자 해서 가능하면 맞추는 거죠. 이정선 씨가 원하는 쪽의 그런 톤도 내고, 이쁘게.

박준흠 : 말 잘 듣는 학생이란 어떤 의미인가요?

엄인호 : 자기가 악보를 그려서 치는 스타일이었고, 내 곡은 악보를 그렇게 그리지는 않았어요. 그래도 어느 정도 코드 진행이라든가 이런 거는 밴드들이 해야 하니까, 그거는 악보를 그려 가지고 왔어요. 가능하면 당시에는 내가 부딪치지 않으려고 말을 잘 듣는 학생이 됐던 거죠. 이정선 씨가 나가고 나서부터는 이제 완전히 내 독무대가 되고, 내가 하고 싶은 대로 막 하고, 그게 3집이잖아요. 쓸데없이 그 형하고 나하고 괜히 그런 걸로 말썽 일어나는 것도 싫고, 내가 어지간한 건 양보를 다 했죠. "치세요. 나는 뒤에서 세컨만 칠게." 이런 식으로. 하다못해 〈아쉬움〉 같은 것도 이정선 씨한테 맡긴 거잖아요. 그다음에 박인수 씨가 들어왔는데 그분이 성격이 격하거든요. 엄청나게 신경질도 많고. 그래서 박인수 씨가 선배고 하니까 인정해주고 가자, 내가 괜히 신경 거슬리지 않게 기타를 쳐야겠구나, 그런 생각으로 1집에는 내가 얌전히 있었어요.

그런데 2집에서는 약간 반감이 일어나더라고요. 〈골목길〉을 이상하게 편곡해서. 물론 밴드들도 문제가 있었어요. 그 당시에 〈골목길〉 할 때만 해도 밴드들이 레게를 모르니까. 그런데 이정선 씨가 악보를 그린 걸 내가 가만히 보니까 이거는 무슨 이정선 기타 교실에 리듬 치듯이 그런 식으로 쳐놓은 거예요. 드럼도 막 그리고. 내가 생각하는 레게 리듬하고는 좀 벗어난 거지. 너무 가요스럽게 돼 있어서, 이거 뭐 굳이 악보를 안 그려도 되는데… 그렇게 생각했어요.

　레게를 완전하게 하려면, 또 내가 노래를 불러야 하면 그 레게 리듬을 치면서 노래 부르기가 굉장히 힘들더라고요. 그리고 옆에 세컨 기타가 있어야 하거든요. 그래서 록하고 레게하고 믹스한 거죠. 내가 하는 거는 지금도 그런 스타일을 많이 하고요. 요즘 애들은 레게를 많이 들어봤고, 어느 정도 맛을 또 내거든요. 하지만 그 당시에는 그게 안 돼요. 신촌블루스 2집 할 때만 해도 당시 밴드들이 레게를 몰랐으니까요.

박준흠: 이정선 씨의 〈골목길〉 편곡은 어떤 점이 문제였나요?

엄인호: 이정선 씨가 〈골목길〉 편곡을 해서 왔는데, 아무리 들어도 그 악보로는 드럼도 이렇게 하면 안 되는데, 뭐 뽕(?)레게도 아니고 이상하다 싶었어요. 차라리 옛날에 방미 세션맨들이 했던 반주가 훨씬 좋았던 것 같아요. 그때는 세션맨들이 알아서 약간 슬로우 펑키 같은 그런 스타일로 반주를 했거든요. 그런데 우리 밴드 친구들이 레게를 전혀 모르는 거예요. 솔직히 걔네들은 블루스도 모를 때야. 그러니까 얘네들이 이정선 씨가 악보를 갖고 오는 걸 그대로 치는 거죠. 이게

또 브라스까지 다 편곡해 왔기 때문에 어떻게 바꾸는 방법이 없어요. 그래서 그냥 조용히 내가 따라치는데, 솔로는 내가 해야겠다 해서 거기서 와와 같은 거 쓰면서 약간 엄인호 그 특유의 맛이 딱 나오죠. 〈바람인가/빗속에서〉도 마찬가지고. 블루스인데 이걸 꼭 블루스라고 할 수가 있을까? 이거 슬로우 록이지 해서 기타 솔로 같은 걸 내가 다 해 버린 거죠.

박준흠 : 그게 신촌블루스 1집하고 2집하고의 차이점이네요.

엄인호 : 예. 2집에서는 내가 어느 정도는 뭔가 내 색깔을 좀 만들어야 겠다 싶었어요. 1집 같은 경우는 가능하면 트러블 안 생기게 하려고 이정선 씨한테 다 맡겼으니까. 뭐 1집에는 그렇게 큰 불만은 없었어 요. 그냥 그런대로 유별나게 튀는 곡은 없었으니까. 그런데 〈아쉬움〉

같은 것도 "아, 저런 식으로 드럼 치면 안 되는데, 드럼을 왜 저런 식으로 치지?" 뭔가 편하게 가지 않고 좀 답답한 거 있잖아요. 하여튼 1집에선 그렇게 넘어갔는데, 2집에서는 이런 식으로 가다가는 이상해지겠다는 생각을 한 거예요.

박준흠 : 2집 때는 세션 하신 분한테도 선생님이 따로 주문하셨나요?

엄인호 : 어쨌든, 그때는 이제 내 밴드였어요. 신촌블루스 밴드였어요. 그런데 이정선 씨가 악보 같은 거 그려서 오면 걔네들은 굉장히 귀찮게 생각했거든요. 그러니까 걔네들은 나한테 얘기하죠. 이거 뭐야? 이런 식으로 치라고 그래? 그러면 야 그냥 해. 이미 전 늦은 거예요. 그래서 그때 녹음실에서 이정선 씨한테 내가 뭐라 그랬냐면, "이거 애드리브를 내가 할게. 〈골목길〉도 그렇고 〈바람인가/빗속에서〉나 이런 거. 내가 쓴 곡은 내가 솔로 할 테니 형은 형 것 신경 쓰세요." 이런 식이었던 거지. 결국은 기타가 둘이니까 〈산 위에 올라〉 이런 것도 내가 결국은 치게 되는 거지. 아마 그때 말을 안 했지만, 이정선 씨가 나한테 굉장히 불만이 많았을 거예요. 쟤는 왜 저렇게 막 하드하게 치는 거야? 했을 거예요. 보면, 애드리브는 그냥 악보를 새카맣게 그려 가지고 와서, 물론 이정선 씨도 집에서 생각하고 악보를 그렸겠지만.

박준흠 : 이정선 씨가 그려온 악보대로 안 치셨다는 건가요?

엄인호 : 뭐 솔로까지 이렇게 그려줘? 괜히 안 그려줘도 되고 바쁜데 언제 그 악보하고 똑같이 쳐요? 또 안 되는 게 뭐냐면, 그건 이정선 씨 생각하고 다르거든요. 내 스케일이 있는데 이정선 씨가 악보를 그려왔다고 해서 그렇게 치려면 나는 갑갑한 거예요. 연습했더라도.

박준흠 : 1집은 이정선 씨가 악보 그려온 대로 거의 하신 건가요?

엄인호 : 그렇죠. 그런데 한영애가 부른 〈그대 없는 거리〉, 〈바람인가〉 이런 거는 이정선 씨가 나보고 치라고 그러더라고요.

박준흠 : 〈아쉬움〉은 이정선 씨가 치고.

엄인호 : 그렇죠. 그때만 해도 내가 부를 노래가 아니었어요. 그냥 마음대로 해라, 누가 기타를 치든 나는 별로 관심 없었어요. 그런데 나중에 앨범 나오면서 가만히 생각하니까 이렇게 가면 나는 그냥 세션밖에 안 되는구나… 이제 조금은 내 기타를 보여줄 때가 됐다는 생각이 들었어요. 그때서부터 약간은 묘한 감정이 서로 있었던 거예요.

박준흠 : 2집 때 이정선 씨가 솔로까지 그려오신 악보 그대로 연주를 한 게 있었으면 재밌었을 거 같은데.

엄인호 : 이정선 공연 때는 그렇게 했어요. 이정선 씨가 악보 그려 가지고 오면 하루를 집에서 꼬박 그걸 외우느라고 그냥….

박준흠 : 이정선 공연 때는 왜 그렇게 하셨어요?

엄인호 : 어찌 됐든 자기 공연이니까 이정선 씨가 원하는 쪽으로 해줘야 할 거 아니에요. 공연할 때 세션으로 갔으니까. 그러니 이정선 씨가 원하는 악보대로 그냥 치는 거죠. 그런데 치면서도 항상 내가 느끼는 게, 이거는 녹음할 때나 이렇게 치면 몰라도 현장에서는 굉장히 뭔가 이상한 거야. 현장에서는 나름대로 그 공연 분위기가 있잖아요. 그런데 이런 식으로 악보대로 기타를 치면 뭐라 그럴까? 좀 어색한데. 물론 틀린 건 아니죠, 악보 그대로 치면. 그런데 이정선 씨는 자기가 악보를 그렇게 그려 와서 자기 솔로는 그렇게 칠지 몰라도 나만큼은 어느 정도 범위 내에서 내 마음대로 좀 칠 수 있지 않을까? 그게 현장 느낌이거든요. 그래서 내가 조금 유명해지기 시작했지. 사람들 사이에서 이정선 씨 뒤에서 기타 치는 저 친구가 보기보다 잘 치는데? 묘한 분위기던데 그러니까. 몰라요. 이정선 씨기 "야, 그기 악보대로 좀 치

411

면 안 되냐?" 그러면 내가 미안하다고, 치다 보면 그렇게 된다고 그랬
거든요.

박준흠 : 2집 편곡과 연주에 대해서 좀 더….

엄인호 : 2집 때는, 리듬 이런 거는 이정선 씨가 다 편곡해 왔지만, 기
타까지 이렇게 맡겼다가는 내가 완전히 주도권을 뺏길 것 같은 거예
요. 주도권이라는 얘기는 좀 이상하지만, 내 색깔이 너무 없어지는 거
지. 그래서 2집부터는 내가 〈골목길〉이나 이런 건 내가 치겠다고 한 거
죠. 사실 〈한밤중에〉 이런 곡이 1집에 있잖아요. 말은 안 하지만 솔직
히 이정선 씨가 약간은 좀 불편했을 거 같아요. 그렇다고 나를 안 쓸 수
도 없고, 또 한편으로 들으면 엄인호 기타도 자기하고 완전히 대비되
니까 저것도 괜찮다고 나중에 생각할 수도… 그랬을 거로 생각해요.

 그런데 그전까지만 해도 자기가 악보 그려온 대로 내가 안치면 딱 쳐
다보거든? 그러면 관객들이 봤을 때는 엄인호가 틀렸나? 물론 가끔
틀릴 때도 있지만 그게 아니라 어떨 때는 내가 악보대로 안 치거든요.
이정선 씨가 악보 그린 거는 이정선 씨 스타일이고, 어느 정도는 그 악
보를 기반으로 해서 내가 나름대로 내 거를 만들어서 치는 건데, 그런
데 딱 쳐다보더라고요.

박준흠 : 현재는 이정선 씨 옆에서 장재환 씨가 계속 같이 연주를 하잖아요.

엄인호 : 장재환 씨가 기타 칠 때, 야 쟤는 이정선 씨 악보 그리는 대로 가면 너무 재미없을 텐데. 이정선 밴드를 이렇게 보고 있으면, 야 그래도 쟤네들이 실력 있는 친구들인데 왜 이렇게 이정선 씨 틀에서 못 벗어날까. 그런데 요즘은 좀 달라졌더라고요. 장재환은 이정선 씨의 곡을 달달 외웠고, 또 재환이 스타일이 있으니까 요즘은 많이 벗어나는 거 같더라고. 그리고 가끔 이정선 밴드하고 나하고 공연할 때가 있잖아요. 그러면 내가 가만히 보면 사람들이 분위기가 확 달라져요. 내가 들어감으로써 건반도 그렇고, 기타도 베이스도 그렇고, 아휴, 이게 재밌네. 어떤 틀에 박혀서 연주하는 거보다는 내가 들어옴으로써 분위기가 완전히 달라지니까 걔네들은 좀 재밌어하는 것 같은데, 이정선 씨는 어떤 식으로 생각하는지 모르지만요.

박준흠 : 선생님 주변에 있던 김현식, 이정선, 한영애 이런 분들은 다 20대 때, 스타였거나 많이 알려졌던 아티스트였잖아요. 선생님은 1988년 37살에, 어떻게 보면 굉장히 늦게 알려지고 인정받고 상업적으로 성공했는데… 혹시 주변에 이정선이라든지 김현식이라든지 20대 때부터 잘 알려지고 스타가 됐던 뮤지션들을 보는 느낌은 어땠나요?

엄인호 : 한마디로 부러웠죠. 돈이 있든 없든, 그걸 떠나서 저렇게 편하게 음악을 했었다면 나도 충분히 저 대열에 낄 수 있었을 텐데 하는 생각도 했었죠. 돈이 있든 없든 그들은 뭔가 자유로웠거든. 나는 굉장히 그게 힘들었던 것 같아요. 내 스스로 만든 것도 만든 거지만, 굉장히 그게 부러웠다고요. 그네들 사정을 내가 자세히 모르니까 다른 게 있을 수는 있겠지만, 이정선 씨도 그 당시만 해도 굉장히 가난했어요.

박준흠 : 이정선 선생님이요?

엄인호 : (고개 끄덕) 가난했었지. 그렇게 편곡을 많이 하고, 한참 대학가요제 할 때 그 편곡을 전부 도맡아 하고 그랬잖아요. 워낙 힘들었어요. 가장이었기 때문에. 물론 그 당시에 나도 굉장히 가난했지만, 내 천성이 그런 것 같아. 그냥 내가 하는 것만큼 받으면 된다고, 그 정도만 생각했어요. 한영애에 대해서는 나는 잘 모르겠고, 현식이는 그때만 해도 내가 봤을 때는 아주 자유로운 영혼이었거든.

박준흠 : 선생님은 신촌블루스 1집 나오기 전에 그러니까 30대 후반이 되는 무렵에, 언젠가는 나도 인정받고 성공할 수 있을 거야, 뭐 이런 생각을 하셨나요?

[Leejungsun.com]

엄인호 : 그럼요. 그걸 내가 피부로 느꼈거든요. 이정선 씨 뒤에서 그
야말로 세션을 하는 입장이었을 때 사람들 반응을 내가 봤거든요. 사
람들이 나에 대해서 굉장히 관심을 두기 시작한다고 느꼈지. 이정선
씨가 그려준 악보대로 내가 솔로를 했다면, 그 당시에 사람들한테 안
알려졌을 거예요. 그냥 단순하게 지나가는 반주자 정도였겠지. 그런
데 나는 나름대로 굉장히 과감한 시도를 해 봤지. 악보를 벗어난 애드
리브 같은 것도 막 하고. 물론 정선이 형은 제가 별로 탐탁지 않았겠지
만, 나는 그걸 느꼈던 거예요. 그런데 그 당시에 이정선 씨가 반주자도
몇 명 없었죠. 나 같은 기타가 없었던 거지. 미안한 얘기지만, 그 틀에
박힌 악보의 음악만 듣다가, 누군지 모르지만 저기 기타를 아주 묘하
게 록 스타일로 막 치고 그러니까. 그러니까 사람들이 그때부터 나에

관해서 관심을 두기 시작하더라고요.

박준흠 : 이정선 선생님이 유일하게 악보대로 안 해도 되는 걸 허용하신 분이 선생님이셨던 거예요?

엄인호 : 지금도 그럴 거예요. 그런데 기타는 안 그러지. 이제는 자기도 경험했기 때문에. 지금 장재환이라는 친구가 있는데, 걔는 나보다 더하면 더 했지 그런 스타일이 아니거든. 내가 농담으로 정선이 형 아직도 악보대로 가라 그러냐? 하고 물었더니, 아이, 뭐 그냥 악보대로 치라고 그러면 치고요, 어떨 때는 그냥 아무 소리 안 하면 자기 나름대로 간다고 그러더라고.

박준흠 : 이정선 선생님은 왜 그렇게 악보대로 연주하는 것에 집착하

시는 걸까요? 이게 옳다 아니다 그런 게 아니라, 성향이신 것 같은데.

엄인호 : 그렇죠. 어떻게 보면 굉장히 꼼꼼한 거거든요. 그 당시에 나는 그렇게까지 편곡을 꼼꼼하게 그리는 사람 처음 봤어요. 물론 그 당시에 나는 악보도 제대로 볼 줄도 모르고 그릴 줄도 모를 때지만, 편곡하는 걸 내가 가서 사보 해주면서 깜짝 놀랐어요. 아, 이렇게 힘들게 일하는구나. 그러면서도 그다음 날 녹음실 가면 세션맨들에게 싫은 소리 듣고 그때 그 형은 어디 가서 일도 안 했잖아요. 그냥 오직 편곡만 하고, 작곡도 남들이 뭐 특별하게 이정선 작곡이라고 부른 적도 별로 없고. 그리고 그 형만큼 히트곡 없는 사람이 없어요. 희한하게.

박준흠 : 그래도 1970년대에 발표한 〈섬소년〉이라던가….

엄인호 : 그러니까 몇 곡. 노력한 거에 비해서는… 한마디로 좀 쉽게 얘기하면, 대중성이 없는 거죠. 그냥 듣기 편한 음악이지. 그런데 그게 그 형이 커왔던 과정일 수도 있어요. 군악대 출신이고 그러니까 악보에 충실한 거지. 군악대는 그런 거 있잖아요. 그러면서 가만히 보면 노력을 많이 하는 스타일이잖아요. 애드리브 같은 거 하는 거 보면 그렇거든요. 그런데 그걸 나 같은 사람한테 강요했을 때는 이게 머리에 쥐 나기 시작하는 거거든. 그걸 내가 벗어나려고 그랬던 게 이닌데, 하

다 보면 내가 실수를 할 수도 있거든요. 그럼, 그때부터는 나로선 어쨌든 그 악보를 놓쳤기 때문에 내 나름대로 어떻게든 채우고 가야 해요. 그랬는데, 그걸 사람들이 흥미를 보이더라고. 평소에 듣던 이정선씨 음악하고 기타가 다르거든. 그러니까 맨 처음에는 안 주려고 그러

다가, 아마 이정선 씨도 조금 느꼈을 거예요. 옆에 있는 놈이 그래도 그렇게 치니까 사람들이 관심을 두기 시작하는구나.

박준흠 : 신촌블루스 1집만 보더라도, 독특한 곡 중 하나가 〈한밤중에〉입니다. 이정선 씨 기타 솔로 나오다가 선생님이 치고 들어가고, 이런 부분들이 있잖아요. 〈한밤중에〉는 원래 이정선 선생님이 1981년도 6집에서 발표한 곡인데. 그 노래가 들어가 있는 음반이 이전의 음반들하고 달라요. 그 이전에는 포크적인 느낌의 음반으로 많이 갔

다가 이 무렵부터 일렉트릭 기타 연주가 들어가는 앨범을 만들었습니다. 그래서 오리지널 〈한밤중에〉와 신촌블루스 1집에 들어있는 거 비교해서 들으면 재미있거든요.

엄인호 : 그렇죠. 정선 형 같은 경우도 그걸 느꼈을 거예요. 1집만 해도 내가 가능하면 기타를 안 치려고 그랬어요. 경험도 좀 없었고, 통기타 치다가 그때 1집 녹음하면서부터 내가 일렉기타를 막 치기 시작할 때거든요. 오죽하면 〈아쉬움〉도 내가 이정선 씨에게 부탁한 거예요. 형이 나한테 좀 치라고 그랬는데 그때만 해도 솔직히 자신이 없었어요. 그때 이정선 씨는 네가 지금 왜 나한테 시켜? 그런 거지. 자기가 봤을 때는 내 스타일이 좋았겠지. 자기하고 좀 다른 색깔이니까. 〈한밤중에〉 같은 거도 후반부에서 들어와 그러고. 자기가 들어봐도 멋있거든, 좋거든. 트윈기타 타고 이렇게 가니까 나야 뭐 편하죠. 이정선 씨가 메인으로 솔로하고 뒤따라가면 되는 거니까. 특유의 내 기타 톤에다가 스케일은 뭐 별거 없고, 펜타토닉이니까. 그런데 기타 톤이, 내가 굉장히 매력이 있다고 나는 생각해요. 지금은 그 톤이 안 나오는 거예요. 굉장히 지저분해지고… 이번에도 내가 녹음하면서 느낀 게, 그 당시에는 기타를 국산 가지고 쳤는데 왜 그런 소리가 안 나오지? 지금은 기타를 좋은 거 갖고 있잖아요? 내가 요새 그 딜레마에 빠져 있어요.

그다음에 또 한 가지는 뭐냐 하면, 이제 대중들이 음악에 대해서 너무 많이 아는 거야. 그게 무섭다니까. 사람들이 나한테 그런 얘기를 해요. 댓글 보지 말라고, 잘 나가다가 꼭 삼천포로 빠지는 놈들이 있다고. 뭐 옛날이나 지금이나 엄인호는 변한 게 하나도 없네, 펜타토닉으로 그냥 다 뭉개네, 그래요. 그런데 그렇게 아는 척을 꼭 해야 하나? 몰지각한 사람들이라고 나는 생각해요. 그게 엄인호 스타일인데, 그게 남들은 다 좋다는데, 왜 혼자 이상한 소리를 하고… 요즘 애들, 버클리 나온 애들 기타에 영향받은 애들이겠지. 나는 그냥 무시해버리는 데두 신경 쓰인다 이거죠.

박준흠 : 신촌블루스 1집에서 대박 난 곡은 〈아쉬움〉이나 〈그대 없는 거리〉(〈도시의 밤〉이 곡명이 바뀜) 같은 노래들인데, 이정선 선생님은

이에 대해서 좀 섭섭해 하셨나요?

엄인호 : 말은 안 했지만, 속으로는 솔직히 좀 그런 감이 있지 않았을까? 라는 생각을 해요. 1집, 2집 타이틀곡이 다 내 곡이니까.

박준흠 : 2집에서는 〈골목길〉이 인기를 얻었죠.

엄인호 : 그래도 내 딴에는 굉장히 정선 형한테 의지를 많이 할 때거든요. 그런 거 보면 내가 대단히 착한 사람이에요. (웃음) 선배는 선배 대접하는 거거든. 그래서 돈 문제라든가, 음반에 대한 문제나 이런 거는 내가 정선 형한테 다 하라고 했어요. 공연에서만큼은 또 달랐지만. 공연은 내가 직접 하는 거니까.

 사실 당연하지 않아요? 자기 곡이 타이틀이 안 됐을 때는 섭섭한 감도 있죠. 후배인데, 물론 좋게 볼 수 있는 면도 있겠지만, 야, 그래도 역시 저놈이 이제 사람들한테 인정받기 시작하는구나 하고 좋게 얘기하면 그럴 수도 있고… 한편으로는 1집이든 2집이든 왜 내 곡이 다 뒤로 밀린 거야 할 수도 있죠.

박준흠 : 타이틀 곡은 누가 정하는 건기요?

엄인호 : 그건 뭐 제작자가 다 해주는 거고. 나는 타이틀 곡 정하는 것에 대해서는 그 당시에 일절 관심이 없었어요. 그냥 기타 치는 것만 해도 만족했거든. 내가 팀을 구상해서 만들었을 때, 거기에 멋진 가수들을 갖다 붙여서 앨범이 잘 팔리고 있다는 것만 해도 나는 만족했었어요. 그리고 이정선 형이 나한테 자신감을 심어줬고, 내가 기타를 칠 수 있다는 게… 통기타가 아니고 이제 일렉트릭 기타로도 나는 충분히 성공할 수 있다고 생각했거든요.

나중에, 무대에 섰을 때 사람들의 관심이 내 쪽으로 오는 걸 나는 분명히 느꼈어요. 그러니까 한편으로는, 신촌블루스를 같이 하는 게 나중에는 여기서 내가 이제 빠질 때가 된 것 같구나라는 생각을 했을 수도 있어요. 듣기에는 좀 불편한 얘기지만, 나는 공연하면서 관객을 보거든? 그 감을 잡으려고. 다음에도 내가 또 뭔가를 해야 했기 때문에. 그런데 이정선 형하고 같이 기타를 쳐보면, 그때 관객들 관심이 나한테 많이 쏠려 있는 걸 내가 느껴요.

박준흠 : 그 이유가 뭐였던 것 같습니까?

엄인호 : 이정선 씨 스타일은 레코드 판에서 듣던 그 소리, 기타 톤도 그렇고 스케일이나 뭐 이런 거 봤을 때도 거의 외우고서 치는 스타일

이거든요. 연주하다가 결국은 다 외우게 되지만. 그런데 나 같은 경우는 굉장히 즉흥적인 게 많았거든요. 물론 술 때문에 그렇게 했는지도 모르지만.

박준흠 : 선생님은 외형도 독특하시죠. 긴 머리에, 존 레논 비슷하니까.

엄인호 : 그 사람들의 관심이 이제 나한테 많이 쏠리기 시작하는 걸 내가 느끼거든요. 특히 한영애 씨가 노래할 때. 김현식은 뭐 히트곡만 했으니까, 반주할 때 레코드판에 있는 그대로 치지만, 한영애가 노래할 때는 이제 블루스거든. 〈건널 수 없는 강〉이라든가 〈루씰〉같은 거, 이런 거 할 때는 그때는 내 마음대로 치니까. 그때 사람들한테 그게 어필되지 않았나. 그런데 그게 역으로 생각하면, 한영애로서는 또 불편한 거야. 모든 포커스가 자기한테 맞춰줘야 하는데 분산되거든

요. 그래서 하기 싫은 얘기인데, 아마 한영애가 그런 걸 굉장히 의식을 많이 했을 거예요. 포커스를 자기가 다 받고 싶은데, 엄인호가 옆에 나오면 자기 나름대로는 상당히 좀 불편해지기 시작하는 거지.

3) 이정선의 신촌블루스 탈퇴

박준흠 : 신촌블루스 2집이 나온 해(1989년)에 신촌블루스 라이브 1집 나오는데, 이정선 씨는 참여를 안 하셨잖아요. 이정선 씨 대신 오태호 씨가 참여했는데. 그때 이정선 씨가 탈퇴하신 건가요?

엄인호 : 그렇죠. 왜냐면 밴드 친구들이 자꾸 나한테 그러더라고요. 이정선 씨가 굉장히 불편하다고, 걔들이 볼 때는 이정선 씨의 음악이 재미없었던 거지. 어쨌든 밤업소 일을 했던 친구들인데 이정선 씨의 음악이 좀 재미가 없는 거지. 그리고 이정선 씨가 밴드 애들한테 음악적으로 얘기하고 그러면 애들이 막 짜증 나는 거야. 같이 연습도 안 했고 리허설 할 때 갑자기 나타나서 뭐라고 그러면, 애들이 반감이 생기죠. 그래서 내가 형, 애들을 그냥 놔둬. 자꾸 뭐라고 얘기하면 걔네들이 안 좋아한다고 그랬더니, 어 그래? 그럼 나 빠지면 되잖아. 그렇게 된 거예요.

박준흠 : 그래서 그냥 나가신 거예요?

엄인호 : 예. 그 당시에 내가 그런 얘기 좀 했다고 삐져서. 그런데 자기는 아니라고 그럴 수도 있겠지만, 내 느낌에는 엄인호가 2집 때부터 밴드의 주도권을 완전히 잡았구나, 그랬던 것 같아요.

박준흠 : 선생님은 그때 이정선 씨가 그냥 삐져서 잠시 좀 안 나오는 거로 생각하신 거예요, 아니면 진짜로 나간 거로 생각하신 거예요? 그렇게 쉽게 나가는 것도 이상하잖아요?

엄인호 : 그런 식으로 얘기하더라고요. 나한테 "야, 이제 너 혼자 해. 나는 이제 내 거 할 거야." 그래서 처음에는 삐져서 그러나?

박준흠 : 이정선 씨는 신촌블루스 2집 끝내고 나서 발표했던 게, 우울하고 약간 트로트 음악도 들어가 있는 〈항구의 밤〉 등이 수록된 앨범입니다. 왜 갑자기 그런 음악을 발표했는지….

엄인호 : 그건 이정선 씨 마음이지. 그런데 그때부터 인터뷰에서 얘기하는 거 보니까 좀 이상하더라고요. 나는 "뽕 블루스야." 이런 식.

박준흠 : 뽕 블루스가 아니고 블루스 뽕에 가까운데.

엄인호 : 뽕 블루스가 뭐야. 그래서 기자들이 이정선 씨하고 인터뷰하고 나한테도 와서 물어보는 게, 아니 이정선 씨도 '뽕 블루스'로 쓰라고 그러던데요? 라고 하는 거예요. 그거는 이정선 씨 뽕 블루스고, 나는 아니다. 어떻게 그걸 뽕 블루스라고 나한테 얘기할 수 있냐? 이거지. 그런 거에서 서로 약간의 반목이 시작되는 거예요.

박준흠 : 왜 갑자기 음악적 취향이 바뀌었는지 궁금합니다.

엄인호 : 그런 곡을 쓰기 시작한 후 나온 자기 합리화일 수도 있어요. 최근에 이정선 형에게 전화 걸어 보면 나오는 배경 음악 있죠. "길을 걸어가다 갑자기 너의 이름을 불러보면-"(너의 이름) 이것도 가만히 들어보면 그 연장선이거든요. 그러니까 이정선 씨의 포크도 아니고 뽕도 아니고, 〈항구의 밤〉도 가만히 들어보면 이건 뽕도 아니고 블루스도 아니고… 내 음악은 전혀 뽕이 섞이지 않았거든요. 최근 들어서 이정선 씨가 곡 쓰는 게 나는 솔직히 좀 마음에 안 들어요.

박준흠 : 이정선 8집 [발라드]는 1988년에 나왔으니까 신촌블루스 1집과 2집 사이에 **녹음**한 것 같은데, 기기 보면 〈외로운 사람들〉이란

노래가 있잖아요. 가사를 보면 "혼자 있으면 외로우니까 헤어지기가 싫고…" 이런 가사입니다. 그래서 어떤 생각을 했냐면, 신촌블루스 1집 활동 당시에도 외로움을 느꼈나? 라는 생각입니다.

엄인호 : 이정선 씨한테 물어봐야지. 뭐 그냥 남자들끼리 얘기인데, 혹시….

박준흠 : 설마요. (웃음)

엄인호 : 그거는 모르는 거예요. 그 당시에 굳이 이렇게 얘기한다면, 내가 볼 때는 뭔가 묘한 어떤 감정을 느껴서 그런 걸 쓴 거 아닐까? 〈건널 수 없는 강〉도 내가 들을 때마다 항상 느끼는 게 그런 건데.

박준흠 : 〈항구의 밤〉도 괜히 나왔을 것 같지 않은 느낌이 있긴 있죠.

엄인호 : 곡을 왜 그런 식으로 썼는지 모르지만, 만약에 나보고 그걸 같이 공연에서 하자 그러면 난 안 할 거 같아. 어쨌든 〈항구의 밤〉 이런 노래부터 다행히 장재환이가 있더라고요. 그렇지 않으면 기타를 내가 칠 수도 있는데, 그래서 속으로 아우, 다행이다. 2집에는 〈빗속에 서 있는 여자〉나 〈황혼〉 같은 거는 내가 쳤죠. 〈빗속에 서 있는 여

자〉는 중간에 솔로는 이정선 씨가 쳤지만, 중간중간에 오블리가토 (Obbligato)나 이런 건 나도 들어가거든요. 그러니까 그런 정도까지는 내가 칠 수는 있는데.

박준흠 : 〈황혼〉은 원래 선생님이 좋아서 넣은 곡 아닌가요?

엄인호 : 예. 김창완 씨한테 가서 받아서.

4) 엄인호의 독보적인 기타 톤

박준흠 : 다시 기타 톤 얘기로 돌아와서요. 신촌블루스 1집에서 들을 수 있는 그 기타 톤이 엄인호 기타의 '완성된 톤' 형태가 된 건가요?

엄인호 : 그렇죠. 그때 장끼들부터 이어져서 오다가 신촌블루스 1집에서는 약간 예쁜 기타로 갔다가 2집부터는 본격적으로 와와(Wah Wah)도 쓰기 시작하고, 1집에도 썼었나? 당시 기타도 조금 좋은 거로 장만했고요. 그러니까 손이 근질근질했던 거죠. 내 기타 가지고 한번 소리를 내볼게 해서 그 깁슨 기타 가지고 '맛있는' 톤을 낸 거죠. 그거는 이정선 씨도 인정할 거 같아요. 기타가 바뀌니까 소리도 굉장히 좋은 소리를 냈거든요.

박준흠 : 새로 산 기타는 무엇인가요?

엄인호 : 이문세 씨와 LA 공연 갔을 때 사 왔어요.

박준흠 : 신촌블루스 1집 녹음하고 나서 LA 공연에 가신 건가요?

엄인호 : 아마 그랬을 거예요. 1집 때는 내가 일렉기타가 좋은 게 없었어요. 그래서 국산 가지고도 막 쳤던 것 같은데. 그때만 해도 공연할 때 삼익에서 기타를 빌려줬었거든요. 그래도 삼익에서 제일 좋은 국산 기타로.

박준흠 : 신촌블루스 2집 재킷에 선생님 모습과 기타가 보이는데, 그 기타가 그때 사 온 기타겠네요.

엄인호 : 그건 지금도 갖고 있는데, 이정선 씨가 기타 소리 들으면서 정말 소리 좋다고 했어요. 깁슨에서도 대표적인 기타예요. 이게 완전히 나무 소리가 나거든요. '우드톤'이라고 그러죠. 이때만 해도 이펙터를 그렇게 많이 안 쓸 때예요. 리버브(Reverb) 정도만 올린 거지. 와와 정도 쓰고. 오버드라이브(Overdrive) 같은 것도 안 쓸 때죠.

박준흠 : 그러고 보니 신촌블루스 1집하고 2집은 크레딧을 나열한 방식이 다릅니다. 1집은 세션 전체가 나열된 방식이고, 2집은 밴드처럼 되어 있습니다. 혹시 1집 때는 1집으로 그냥 끝나실 수도 있다고 생각하신 건가요?

엄인호 : 그때는 신촌블루스 밴드가 완전하게 틀을 못 갖출 때거든요. 그래서 영배가 데리고 있던 필리핀 애 베봇이 드럼을 쳤어요. 걔는 필리핀 사람이기 때문에 당연히 악보를 못 보는 아이고, 이정선 씨는 저런 애를 왜 쓰냐고 했죠.

박준흠 : 그러면 드럼 연주를 어떻게 주문하나요?

엄인호 : 그냥 내가 입으로 다 해주는 거예요.

박준흠 : 드럼에 정태국 씨도 있었는데.

엄인호 : 예. 2집부터는 정식으로 정태국이 드럼을 치기 시작했죠. 베이스를 친 김영진이가 정태국을 데리고 왔어요. 들어보니 파워 있게 잘 치더라고요. 그런데 이 친구들은 워낙 밤업소 일을 많이 해서 좀 뭐랄까… 이정선 씨도 별로 마음에 안 들어 했고요. 또, 얘네가 말을 더럽게 안 들으니까. 영진이도 그렇고.

박준흠 : 정태국 씨는 선생님하고 그 이후에도 계속 같이하셨잖아요.

엄인호 : 오랫동안 같이 했죠. 그런데 결국은 한영애 밴드로 갔다가 또

전인권 밴드로도 갔다가… 어디론가 사라져버렸어요.

박준흠 : 밴드 멤버였는데 다른 일도 계속했단 얘기죠?

엄인호 : 한영애하고 나하고 사이가 조금 안 좋을 때, 녹음하고 있는데 갑자기 어딜 가야 한대요. 어디 가냐고 했더니 한영애 반주해 주기로 했다고. 그래서 내가 화가 확 난 거예요. 너희 녹음하다 말고 한영애 공연을 가면 되냐고? 한영애한테 얘기 안 했냐? 그랬더니 뭐 어쩌고 저쩌고 날짜가 잡혀가지고… 내가 한영애한테 전화했죠. 내 녹음인데 어떻게 그럴 수가 있냐? 그렇잖아요. 이 애들도 나한테 미리 얘기를 해줬으면 스튜디오를 안 잡았잖아. 녹음하다 말고 가는 거예요. 그러니까 얼마나 화가 나. 그때부터 이것들 봐라 싶은 거지. 그때 한영애하고 약간 트러블이 생겼어요. 그렇게 나쁜 감정 같은 건 없었는데, 아니 그래도 그렇지. 세상에 녹음하다 말고 간다는 게 되게 웃기는 얘기잖아요. 무책임하고.

박준흠 : 그런데도 정태국 씨는 그 이후에도 계속 선생님 세션 하셨잖아요.

엄인호 : 얘네들은 갈 데 없으면 나한테 오는 거예요.

박준흠 : 기분 나쁘셨을 텐데, 그래도 같이 하셨어요?

엄인호 : 그렇죠. 뭔가 공연을 해야 하면 얘네들하고 연습을 많이 해놨기 때문에 밴드가 다른 애들로 바뀌면 그냥 엄청나게 답답한 거예요. 그나마 얘네들이 내 필을 많이 아는데, 다 연습해놓고 가버리면 다른 애들이 들어와서 드럼 치고 어쩌고저쩌고해도 내 마음에 안 드는 거죠. 이거 뭐 할 때마다 또 연습해야 하나 싶고. 얘네들은 여기저기 전인권한테도 갔다가 거기서도 그만두고 그러면 또 나한테 연락이 와요. 자기네 다시 쓰라고. 영진이도 그렇고. 영진이는 한 일고여덟 번 들락날락했을걸요. 정태국은 그 정도까지는 아닌데. 김형철이라고 있죠? 걔네들하고 또 모사謀事를 꾸며가지고… 아예 나가라 했죠. 김형철이는 나중에 얘기하겠지만, 사실은 좀 미안한 얘기지만 그때 걔를 내가 쓰지 말았어야 하는 거예요. 신촌블루스 4집(1992년)에 참여를 하는데.

박준흠 : 김동환 씨하고 신촌블루스 라이브 2집(1991년)부터 참여를 하죠.

엄인호 : 그때도 이미 4집 녹음할 때니까. 사실 그때 걔가 불렀던 곡 몇 개는 그 전에 김현식을 줬어야 하는 거예요. 그럼 내가 지금, 이 나이 먹어서 고생을 덜 하겠죠. 히트곡이 몇 개는 더 나올 뻔했던 거지. 〈내 맘속에 내리는 비는〉 같은 거. 또 〈서로 다른 이유 때문에〉나 이런 거는 그 당시에 잘 썼다는 얘기들은 곡이거든요.

박준흠 : 김현식 씨가 불렀으면 더 좋았을 텐데, 그 생각이 드시는 거죠?

엄인호 : 네. 그때 내가 판단을 잘못했다는 생각을 하죠.

박준흠 : 왜 김현식 씨한테 미리 안 주셨어요?

엄인호 : 왜냐하면 현식이는 자기 밴드를 하고, 거기다 툭하면 잡혀 갔다 오고 하니까 조금 실망스러웠거든요. 그런데 형철이가 자기가 부르겠다고 해서 그 앨범에서 데뷔하게 된 거죠. 그런데 현식이가 어떤 게 있냐 하면, 약간 자존심이 있어서 그런지 몰라도 이렇게 지나가

는 말 비슷하게 얘기해요. "나 곡 좀 줘." 뭐 녹음해? 그랬더니, "아 녹음하는데 곡 좀 줘", 그냥 그런 식으로 얘기하거든요. 나한테 확실하게 얘기를 안 하니까. 〈골목길〉도 마찬가지예요. 〈골목길〉도 2집에서 내가 노래해야 해? 그러더라고요. 그래서 너 〈골목길〉하고 〈환상〉이란 곡을 하라고. 〈골목길〉은 너도 잘 아는 곡이고 그랬더니, 한다, 안 한다 이런 얘기도 안 하고 대충 알았어, 하고 넘어가더라고요. 그래서 한다는 거야 안 한다는 거야? 또 나도 자존심이 있으니까 하든 말든 그런가보다 그러는데, 동아 사장님이 그러지 말고 현식이 데리고 하라고 해요. 이번에 현식이 확 띄우자고… 그런데 잘 된 거죠. 〈골목길〉 불러서 떴으니까. 하여튼 걔하고 나하고 약간 자존심 비슷하게… 내가 〈환상〉이라는 곡도 들려주고 그랬는데.

박준흠: 김현식 씨가 원래 다른 분한테도 그런가요?

엄인호: 다른 사람들한테는 어떻게 했는지 모르는데 나한테는 그런 게 있었어요. 항상 적극적으로 하는 게 아니고, 내가 부르려고 하면 자기가 부를게 하는 그런 태도? 그래서 속으로 에이 씨, 김새게 이렇게 자꾸 그러나… 그런데 동아 사장으로서는 김현식을 써야 하고. 그 당시에 종진이하고 태관이가 봄.여름.가을.겨울이라는 밴드를 만들었는데, 동아 사장님이 종진이네 봄.여름.가을.겨울을 한번 좀 집어넣어달라고 하고.

5) '완성된 기타 연주'에 대한 생각

박준흠 : 장끼들은 선생님의 완성작이 아니니까, 1988년 신촌블루스 1집에 실린 선생님 기타 연주가 완성작이라고 볼 수 있는 거잖아요.

엄인호 : 그렇죠.

박준흠 : '완성된 기타 연주'를 어떻게 정의定義하실 수가 있고, 그걸 만들기 위해서 어떤 노력을 하셨나요?

엄인호 : 음… 노력 같은 건 아니고요. 당시 다른 앨범이나 다른 밴드의 기타리스트를 보면서 느낀 게 뭐냐 하면, 어떻게 자기네 곡을 하면서 기타를 남의 기타 세션이 기타 친 것처럼 치나? 말하자면 너무 잘 치려고만 그러는 거예요. 그 당시에 록밴드의 시대가 막 시작됐잖아요. 부활이든 시나위이든, 이런 밴드들을 보면서 느낀 게, 기타가 무슨 '누가 누가 잘하나'로만 보이고… 자기네들 음악에 맞는 기타가 아닌 것 같은 생각이 들더라고요.

 그래서 무슨 생각을 했냐면, 내가 만든 음악은 내 기타하고 맥락을 같이 간다. 가령, 어떤 **곡을** 한영애기 불렀이도 그 앞의 노래하고 같은

437

맥락을, 그 브릿지를 이어야 하겠다는 생각을 한 거예요. 그러니까 한영애의 노래를 들으면서 거기에 맞는 기타를 쳐야겠다.

그리고 '맛있는' 기타를 치자. 그래서 신촌블루스 1집에 있는 이정선 씨의 〈한밤중에〉도 내가 뒤에서 솔로를 따라가는데, 이정선 씨 기타 솔로를 이어받아서 어떤 식으로 칠 건가? 내가 더 잘 치고 못 치고를 떠나 그런 것을 굉장히 생각을 많이 했어요. 박인수 씨 곡에서도 마찬가지고. 뭐, 이렇게 많이 칠 필요가 없어, 그냥 간지만 맛있게 넣자. 노래를 최대한 들으면서 맛있는 기타를 치자. 그래서 신촌블루스 때부터는 내 기타가 그 이전의 장끼들 때와 완전히 달라지기 시작한 거죠. 말하자면 노래와 같이 가자.

그런데 어디서 한번 막혔냐 하면, 한영애의 〈루씰〉에서. 그때 막 엄청나게 답답하더라고요. 그때 송홍섭이라는 친구가 편곡했는데….

박준흠 : 한영애 2집의 〈루씰〉을 얘기하는 거죠?

엄인호 : 네. 송홍섭이 편곡을 하고, 한영애가 노래를 불렀는데… 내 기타까지 빌려 갔어요. 맛있는 기타가 있었거든, 지금도 갖고 있는데.

박준흠 : 〈루씰〉을 다른 기타리스트가 연주했다는 말인가요?

엄인호 : 결국은 내가 쳤어요. 그런데 그 기타를 다른 사람들이 다 건드렸나 봐요. 송홍섭 밑에 있던 기타리스트들이. 그런데 다 마음에 안 드니까 결국은 내가 치게 됐는데, 거기서도 난 굉장히 당황했던 거지. 편곡이 내 것이 아니었기 때문에. 어떻게 쳐야 좋을지 모르겠는데, 주문은 많고. 아니, 나는 이렇게 치면 안 되는데. 한영애 노래에 맞게끔 내가 기타를 칠 수 있을 것 같은데, 이것저것 너무 많이 원하더라고. 그리고 믹싱 때 내가 안 갔는데, 기타가 너무 두리뭉실하게 나온 거예요. 많기는 엄청나게 많은데. 그래서 아, 이건 내가 다시 한번 해야겠다. 그래서 신촌블루스 2집에서 내가 다시 한 거예요. 이게 엄인호 스타일이야.

물론 신촌블루스 2집 녹음할 때만 해도 밴드들이 '블루스'라는 걸 잘 모를 때예요. 그냥 '약간 슬로우 같은 거' 이렇게 생각하지, 블루스의 어떤 필을 잘 모를 때라 이거죠. 밤업소 일을 주로 했던 밴드들이니까. 그러니까 연주하면서 굉장히 답답했던 거고. 걔네들은 되레 〈산 위에 올라〉나 〈환상〉 같은 게 더 편했을 거야. 그냥 신나게만 가면 되니까.

박준흠 : 예전에 선생님이 〈루씰〉을 가장 신촌블루스다운 노래라고 얘기하신 적도 있으시잖아요? 그리고 2018년에 '블루스 소사이어티'에서 〈루씰〉을 연주하셨잖아요. 저는 그 버전이 개인적으로 마음에 들었는데, 선생님이 마음에 드는 버전은 무엇인가요?

엄인호 : 어떻게 보면 그게 그중 괜찮은 라이브 같은데⋯ 후배들에게 얘기하기를, 블루스라는 거는 악보 위로 가지 말고 항상 나를 봐라. 내 기타를. 일례로 에릭 클랩튼이 연주를 하면 밴드 멤버들이 에릭 클랩튼의 기타에 맞춰줍니다. '블루스 소사이어티' 연주 때는 멤버들이 어린애들인데 그거를 어느 정도 이해했다고 봅니다.

박준흠 : 그래서 잘 나온 건가요?

엄인호 : 난 또 술에 많이 취했거든. 술에 많이 취하니까 그렇게 나오

는 거예요. 의식을 안 하니까. 그리고 그때 우리 밴드 멤버들이 내 아들뻘 되는 애들인데, 얘네들이 내 말을 이해한 거죠. 그러니까 집에서 블루스를 막 들어본 거지. 아, 선생님이 기타 솔로 할 때는 리듬은 똑같은데 내가 줄여서 가고, 이런 식으로 이해를 한 거죠.

박준흠 : 이 멤버가 2014년 신촌블루스 6집 [신촌Blues Revival] 멤버들이죠?

엄인호 : 예, 지금 거의 다 남아 있어요.

박준흠 : 이후 베이스는 바뀌지 않았나요?

엄인호 : 베이스는 바뀌고 건반도 당시엔 없었죠. 드럼과 보컬리스트들은 지금도 있고. 얘네들한테는, 야 〈루씰〉 같은 경우는 이런 앨범들을 들어보면서 참고해라. 얘네들은 어린애들이니까 그런 걸 참고하고 온 거예요. 아, 선생님이 얘기하시는 게 이거구나. 어느 순간에 갑자기 드럼, 베이스 사운드가 확 줄어들면서 기타가 맛있게 칠 수 있도록 해줘요. 예전에 〈루씰〉 녹음할 때는 밴드 멤버들이 처음부터 끝까지 그냥 아무 감각 없이 연주하니 막 스트레스받는 거였죠.

박준흠 : 한영애 2집 얘기하신 건가요, 아니면 신촌블루스 2집 얘기인가요?

엄인호 : 둘 다 마찬가지였어요. 그 당시에 밴드들이 블루스라는 걸 몰랐으니까. 이건 처음부터 끝까지 그냥 똑같은 파도야.

박준흠 : 믹싱할 때 손을 보면 안 되나요?

엄인호 : 그 필은 안 돼요. 그게 그루브(groove)라 하는 건데, 그거 안 되면 블루스가 안 되는 거지. 그러니까 에이 씨, 오늘도 똑같네, 지루한 거예요. 그러니까 이제 이런 곡들을 잘 안 하게 된다고.

박준흠 : 한동안 〈루씰〉을 안 하신 건가요?

엄인호 : 예. 그리고 내 솔로 1집 있죠, [Sing The Blues](1990년). 당시 회사에 있던 사람이 [Sings The Blues]라고 써놓아서⋯ 그다음에 2집에도 마찬가지예요. 뒤에 영어 표기 같은 거를 하나도 교정을 안 봐서 전부 엉망으로 나온 거야. 지금 생각하면 너무 창피스러워요.

박준흠 : 선생님은 솔로 1집을 매우 좋아하신다고 했는데.

엄인호 : 1집에 〈달빛 아래 춤을〉이라는 곡이 있어요. 내가 사이키델릭한 샌프란시스코 사운드를 굉장히 좋아하는데, 그 영향을 받아서 흉내 낸 거예요. (잠시 음악을 듣고서) 음… 좋다. 만약에 제퍼슨 에어플레인(Jefferson Airplane)이 녹음했다면 마티 발린(Marty Balin)이 불렀을 거 아니에요. 그러면 죽였을 거 같아. 나는 이 곡을 지금도 굉장히 좋아해요.

박준흠 : [신촌Blues 엄인호 Anthology/엄인호&박보 Rainbow Bridge](2002년)에서 〈달빛 아래 춤을〉은 조응수 씨와 기타 솔로를 나눠서 치셨잖아요? 어떤 곡은 선생님이 주도적으로 기타 치는데, 어떤 곡은 조준형, 문준호 씨 등과 나눠서 치고… 이를 어떻게 결정하시나요?

엄인호 : 내가 기타를 다 치면 또 똑같은 패턴 밖에 안 나올 것 같아서. 변화를 주기 위해서 패턴도 좀 바꿔보고, 리듬 패턴 같은 것도 바꿔보고 뭐 그러는 기죠. 그래서 악보는 똑같은 긴데 빨리 판단해야 해요.

아 얘네들한테 이날 세션에서 이런 분위기가 좋게 나오는구나, 그러면 내가 기타 치는 것보다 네가 쳐. 뭐 이런 식으로. 그리고 내 것도 없어지면 안 되니까 내 솔로도 걔 솔로를 들으면서 거기에 연결이 되게끔 내가 솔로를 치죠. 그러니까 순간적인 판단을 빨리 해야….

박준흠 : 대가大家들은 연습을 얼마나 할까요?

엄인호 : 어느 순간, 그런 생각이 들더라고요. 내가 뭐 하러 연습하지? 이제 내 것만 할 건데, 더는 연습할 필요가 없다. 내 친구들 보면 기타 잘 치는 애들이 있어요. 그런데 지금도 누가 어떤 기타 앨범을 낸다 그러면 그걸 엄청나게 카피하려고 하고… 그런데 난 그게 다 자기만의 오리지널리티가 없어서 그런지도 모르겠다고 생각하죠. 누구보다 실력이 떨어지면 안 되니까. 나 같은 경우는 이미 신촌블루스 시작할 때만 해도, 나는 오늘 연습 끝!

박준흠 : 신촌블루스 1집 나올 때요?

엄인호 : 예. 그때부터 내가 뭐 하러 외국곡 들으면서 카피하고, 새로운 주법이니 뭐니 이러고 하는 게 관심이 없는 거예요. 만약에 1970년대에 부산에서 DJ 하고 있었을 때 밴드를 했다면 그때는 달랐을 수는 있

어요. 장끼들 할 때도 다른 뮤지션 판 따는 거에 관심이 없었어요. "내가 뭐 하러 이걸 따? 재미도 없는 곡을…" 이런 생각을 했죠. 우리 음반 내거나 아니면 우리 밴드의 기타를 좀 특색 있게 치고 싶었던 거지.

박준흠 : 그럼 1982년 장끼들 당시, 선생님만의 기타 스타일이 어느 정도는 정립됐다고 생각하신 건가요?

엄인호 : 아니요. 굳이 저렇게 시간 낭비할 일이 뭐 있나? 그냥 내 스타일로 기타 치면 되는 거지, 이런 생각을 한 거죠.

박준흠 : 영향을 받은 기타리스트와 좋아하는 기타리스트가 다르신 거죠?

엄인호 : 그렇죠.

박준흠 : 일례로 로이 뷰캐넌(Roy Buchanan) 같은 경우, 좋아하는 기타리스트 목록에 들어가시는 건가요?

엄인호 : 그런데, 그 주법을 따라 하려고 생각해보니 이거 괜히 시간 낭비네, 그 스타일하고 똑같이 칠 것도 아닌데, 라는 생각을 하게 된 거죠.

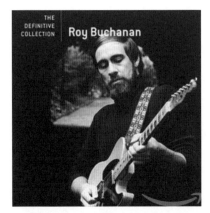

박준흠 : 그러면 적어도 1988년에 신촌블루스 1집이 나올 때쯤에는 선생님의 연주 방향성이 확고하게 정해졌다는 의미인가요?

엄인호 : 그렇죠. 이제는 남의 것을 흉내 낼 필요도 없고. 이제 신촌블루스 1집쯤에는, 이정선 씨가 생각할 때 나한테 기타 솔로나 이런 걸 맡기는 걸 약간 좀 두려워했었을 것 같아요.

박준흠 : 왜요?

엄인호 : 실패 확률이 높으니까. 내가 멋대로 막 치니까. 자기가 편곡했는데 기타를 내가 쳤을 때는 굉장히 불안한 거죠. 특히 솔로를 내가 쳤을 때.

박준흠 : 이정선 씨는 본인 편곡대로 안 하는 거를 싫어하시는 건가요?

엄인호 : 그렇죠. 그러니까 〈봄비〉라든가 이정선 씨의 곡을 빼놓고는 내가 쓴 곡은 내가 다 알아서 기타를 친 거거든요. 그때부터 자기가 쓴 곡은 자기가 기타를 쳤어요. 그런데 〈아쉬움〉도 솔직히 지금 와서 얘기하는데, 그냥 편곡을 딱 본 순간에 내가 기타 칠 거리가 하나도 없더라고요.

박준흠 : 무슨 의미인가요?

엄인호 : 내가 원하는 의도대로 나오지 않을 것 같았어요. 그래서 〈아쉬움〉은 내가 노래를 부를 게 아니니까 그냥 이정선 씨가 세션을 빨리 빨리 가려면 내가 기타 치는 거보다는 이정선 씨가 기타 치는 게 낫다고 생각했어요. 2집에서도 마찬가지예요.

박준흠 : 2집도 이정선 씨의 편곡대로 연주하신 건가요?

엄인호 : 그렇죠. 거기서 괜히 자꾸 얘기해 봐야 불협화음만 나니까. 〈골목길〉의 편곡을 이정선 형이 한 거고, 거기에 기타를 내가 따라갔는데 굉장히 힘들었어요. 그 리듬 자체가 내겐 뭔가 불편했고. 오리지널 레게가 아니었으니까. 그 편곡에 맞춰서 내가 리듬을 쳐야 하는 게 굉장히 힘들었다, 이런거죠. 이정선 씨 편곡을 보면 베이스이든 드럼이

447

든 이정선 씨 편곡대로 그려져 있거든요. 결국은 내가 따라가는 수밖에 없더라고요. 단 하나, 뒤의 솔로에서만 어떤 간지만 넣은 거지. 엄인호의 기타 간지.

그 외에 〈바람인가, 빗속에서〉 이런 거는 내 입김이 아무래도 셌죠. 거기다가 밴드 멤버들한테 내가 강력하게 얘기한 게 '블루스'라는 거는 이렇게 가야 해! 라는 좀 묘한 거죠. 〈환상〉은 김현식이 불렀기 때문에 내가 좀 특별히 신경을 썼어요. 밴드 애들한테 내가 막 참견하고. 그런데 결국은 디스코 비슷하게 나왔는데, 그래도 그렇게 써 나쁘진 않았던 거 같아요.

〈아쉬움〉을 지금도 이정선 씨하고 같이 연주를 하게 되면 신촌블루스 1집 스타일로 나와요. 너무 짜여져 있는 그 리듬 패턴으로 가니까. 내가 연주하는 스타일은 짜여졌다기 보다는 밴드들한테 많이 맡기는, 편하게 이렇게. 어떻게 보면 두리뭉실하게 넘어갈 수도 있죠. 이정선 씨 편곡 중에서 좀 답답한 거는, 이거 무슨 군악대 스타일도 아니고….

박준흠 : 이정선 씨가 군악대 나오셨잖아요. 당시 스윙 연주하시고. 신촌블루스 2집에 이정선 씨의 〈산 위에 올라〉 있잖아요. 제가 생각했을

때는 그 이전에도 없고 그 이후에도 없는 연주 스타일 같은데. 유일하게 그거 하나만 좀 다른 스타일과 톤으로 일렉기타를 친 거 같아요.

엄인호 : 어떻게 보면 비비 킹한테 영향을 많이 받은 거예요. 진행도 비비 킹의 〈The Thrill is Gone〉과 비슷하고요. 도시적인 블루스(Urban blues)라고 그러나? 그래서 비비 킹, 알버트 킹 이런 거 들으면 약간 리듬을 많이 살리잖아요. 아마 이정선 씨는 비비 킹 스타일로 하기를 원했을지도 몰라요. 그 당시 그 리듬 패턴 쳤던 밴드 멤버들이 다 내 후배들이었기 때문에 그렇게 나올 수밖에 없었던 거고. 약간 펑키하게.

박준흠 : 선생님은 당시 해보고 싶었던 음악 스타일이 또 있으셨나요?

엄인호 : 펑키가 약간 가미된 블루스를 하고 싶었던 것도 좀 있었고요. 그 당시에 기타리스트 중에 에릭 게일(Eric Gale)이나 이런 사람들이 있었어요. 그리고 펑키 기타, 재즈 기타 치는 사람인데 내가 굉장히 좋아했던 사람이 누구냐면 크루세이더스(Crusaders) 음반 세션도 했던 데이비드 티 워커(David T. Walker)가 있어요.

박준흠 : 에릭 게일이면 폴 사이먼(Paul Simon)의 [One-Trick Pony]

(1980년) 앨범에서 기타를 쳤던 분이죠.

엄인호 : 에릭 게일 기타를 내가 굉장히 좋아했거든요. 그러니까 퓨전재즈라고 해서 내가 들어봤는데 밥 제임스(Bob James) 이런 거 들어봐도, 다른 건 다 마음에 안 드는데 기타가 굉장히 매력이 있었어요. 내가 좋아하는 주법을 쓰더라고. 배울 것도 많고. 그 사람이 에릭 게일이에요. 데이비드 티 워커는 에릭 게일하고 맥을 같이 해요.

박준흠 : 에릭 게일은 독특한 연주를 하죠.

엄인호 : 그 기타 주법이나 이런 거 배우고 싶었어요. 그래서 〈환상〉, 〈산 위에 올라〉도 밴드 멤버들한테 이런 식으로 해라, 라고 막 얘기했던 거 같아요.

박준흠 : 〈산 위에 올라〉는 결론적으로 선생님이 조직한 밴드 멤버들의 연주에 이정선 씨가 맞춘 결과일 수도 있겠네요.

엄인호 : 아마도. 악보 위로 봤을 때 그렇게 하면 안 되는 거예요. 그런데 이것도 아니고 저것도 아니고 그래서 약간 펑키 스타일로.

박준흠 : 에릭 게일을 선생님이 좋아하시긴 하는데, 선생님도 그처럼 살살 치는 거 좋아하시던가요?

엄인호 : 그런데 에릭 게일이 어떻게 보면 살살 치는 기타가 아니에요. 굉장히 다이나믹하거든요. 그 사람 기타 치는 게 묘해요. 데이비드 티 워커도 그렇고. 어떻게 보면 굉장히 편하게 치는 것 같은데 굉장히 기타가 강렬하지.

박준흠 : (폴 사이먼의 〈One-Trick Pony〉 연주 영상을 보면서) 이게 〈One-Trick Pony〉 솔로 부분이거든요?

엄인호 : 비비 킹 주법 같으면서도 굉장히… 저 주법은 진짜 죽인다.

박준흠 : 저도 예전에 묘하다는 생각을 많이 했었는데.

엄인호 : 유명한 곡이죠. 정통 재즈에서 벗어난 사람들이에요. 그러니까 퓨전에서 선구자죠. 그래서 이런 스타일을 〈환상〉이나 이런 데서

기타로 보여주고 싶었던 거죠.

박준흠 : 신촌블루스 1집이 1988년에 나왔을 때, 제가 가장 놀랐던 게 마지막에 있는 〈바람인가〉이었어요. 노래나 연주가 특이하면서 좋고.

엄인호 : 내가 생각할 때, 그 앨범에서 베스트는 박인수 씨가 불렀던 〈나그네의 옛이야기〉 같아요. 그 곡에서 내가 살짝살짝 간질이는 게 있거든요. 그런데 그게 멋있었던 것 같아요. 그 당시에 내가 어떻게 저런 식으로 기타를 쳤지, 싶은 게 있어요. 그리고 한영애가 불렀던 〈그대 없는 거리〉. 이번에 강성희가 노래할 건데, 그때 그 피를 못 찾겠어요. 지금 들어도 간결하고 이쁘면서도 굉장히 여성적인 기타면서 맛깔나게 쳤던 거 같은데, 그게 지금 안 되더라고요. 내가 신촌블루스 초창기 때만 해도 기타가 굉장히 이뻤던 것 같아요. 정제되고. 뭔가 상당히 녹아드는 기타였는데 지금은 굉장히 거칠어진 거죠. 그런데 이제 그 옛날 분위기를 못 찾겠더라고요. 지금은 내가 왜 이렇게 달라진 거지? 술 때문에 그런가? 기타가 굉장히 거칠어졌어요.

박준흠 : 혼자서 기타 치시다 보니까 그런 측면도 있는 거죠? 신촌블루스뿐만 아니라 [Rain bow Bridge] 때도 보면 선생님이 있고 기타

리스트 한 명이 더 참여하는 식이었잖아요. 그게 기타리스트 한 명으로 합쳐지다 보니까 그런 영향이 생긴 게 아닐지.

엄인호 : 나도 잘 모르겠어요. 지금은 그냥 확 뱉어 버리는 스타일, 스트레스 쌓인 기타. 그런 것 같아요.

박준흠 : 그런데 요새 연주도 좋습니다.

엄인호 : 그래요? 그럼, 다행이고.

박준흠 : 옛날 연주는 옛날 연주대로 마음에 드는 게 있고, 요새 연주는 요새 연주대로 좋습니다. 저는 2016년 [신촌블루스 30주년 앨범] 좋아하거든요.

엄인호 : 내가 옛날에 좋아했던 그 샌프란시스코 사운드하고 지금까지 거의 변화가 없다고 생각해요. 거기에서 내 나름대로 기타가 몸에 붙어서, 스타일은 하나도 안 변한 것 같아요. 가끔 필요에 따라서 이펙터를 쓰지만, 아직도 특별한 경우가 아니면 약간 앰프 찌그러뜨리는 그런 소리 정도만 내고, 이펙터를 거의 안 쓰죠.

THE ERIC BURDON BAND
Sun Secrets

박준흠 : 에릭 버든 밴드의
1974년 앨범 [Sun Secrets]
에 수록된 〈Don't let me be
misunderstood〉 같은 헤비
한 블루스록에도 영향받지 않
으셨나요? 아론 버틀러(Aalon
Butler) 스타일의 기타 연주.

엄인호 : 비슷한 면이 있긴 있죠.

박준흠 : 이게 최근 들어 선생님 기타에서도 느껴지는데.

엄인호 : 그렇죠. 앨범에서 이런 스타일로 막 치기 시작하는 건 신촌
블루스 2집의 〈루씰〉 같은 거. 한영애 2집의 〈루씰〉 말고. 내 〈루씰〉
에서는 기타가 상당히 하드해지죠. 최근에도 이런 주법을 많이 쓰고.

박준흠 : 2026년이 신촌블루스 50주년이잖아요. 생각하고 계신 게
있으세요?

엄인호 : 아⋯ 살아 있다면, 공연하겠죠. 공연하면서 특별하게 뭐 내

세울 것은 없는데… 그렇게 해야죠.

08

신촌블루스 1990년 – 현재

"1990년에 녹음한 〈달빛 아래 춤을〉은 퀵실버 메신저 서비스를 들으면서 어떤 영감으로 그런 패턴을 내가 찾지 않았나….

그때 내가 한동안 잊고 있었던 1960-70년대 밴드들 음악을 많이 들었어요. 마크-알몬드(Mark-Almond)나 뭐 이런 것들. 그 밴드의 음악 형태 등을 가만히 듣다 보니까 이런 곡들을 다시 또 쓰고 싶다는 생각이 들었어요.

옛날, 다시 복고로 돌아가는 거죠. 내가 아주 어렸을 때 듣던 1970년대 음악, DJ 할 때 홍수진 씨나 이런 분들하고 교류하면서 듣던 마크-알몬드라든가 퀵실버나 그걸 다시 듣다 보니까 이제 막 악상이 떠오르는 거죠.

블루스나 어떤 장르에 얽매이지 않고 내가 쓰고 싶은 대로 써야겠다. 이게 솔로 앨범부터 그렇게 된 거예요."

1) 엄인호의 신촌블루스

박준흠 : 신촌블루스 3집(1990년)은 이정선 씨가 나간 뒤 선생님이 신촌블루스의 마스터가 돼서 첫 번째로 만든 음반이고, 이제 선생님이 생각하는 '가요화된 블루스'가 〈향수〉 같은 노래에서 아주 잘 나왔습니다. 그래서 '한국 대중음악 100대 명반'(2007년, 가슴네트워크와 경향신문 공동 선정)에는 신촌블루스 1집하고 2집이 선정됐지만, 신촌블루스라는 밴드만 놓고 보면 저는 오히려 3집과 4집을 대표작으로 생각합니다. 그리고 4집에는 처음 발표되는 창작곡들도 많이 들어가 있잖아요. 연주도 최상이고. 그래서 사실 노래만 놓고 보면 '엄인호 디스코그래피'에서는 4집이 가장 대표작이 아닐까 하는 생각도 드는데, 이를 어떻게 생각하세요.

엄인호 : 3집에서 기타 테크닉이나 톤, 이런 게 어느 정도 정리가 됐거든요. 이정선 씨가 없는 상황에서 나 혼자 다 해결해야 하니까. 결국, 신촌블루스 3집에 수록된 노래들도 중요했지만 제일 중요한 건 뭐

냐면, 내가 신촌블루스의 나름대로 색깔을 만든 거예요. 이제 이건 엄인호 앨범이야. 그러니까 기타 톤에도 신경 쓰고. 하여튼 선곡서부터 이제 혼자 다 해야 하는데, 3집이 그렇게 대단한 히트를 하지는 못했다고 하더라도 내가 볼 때 어떤 가능성을 나 스스로 본 거거든요. 그러니까 3집에서 이제 이런 식으로 가면 되겠다는 생각을 하면서 4집으로 넘어갔고, 4집에서는 진짜 엄인호 기타 특유의 애드리브하고 그 톤이 나오기 시작하는 거지. 그런데 내가 거기서 한 가지 실수한 게 있어요. 남자 가수가 있어야 하겠다고 생각했는데, 두 명 다 실패한 거지.

박준흠 : 그러고 보니 4집은 여자 가수가 없네요. 여자 가수를 참여 안 시킨 이유가 뭐였나요?

엄인호 : 정경화가 다른 회사와 얘기 중이었거든요. 그래서 김형철이라는 애를 내가 조금 가르치면 되겠다고 생각했어요. 그런데 역부족이에요. 내가 볼 때는 김형철이가 노래를 썩 잘한다고 생각하지는 않는데, 4집 낼 때 내가 약간 서두른 감이 있지 않나. 만약 김현식이 살아 있었다면 이 음반에 들어갔을 거예요. 예전에 봄.여름.가을.겨울이 백밴드에서 나갔을 때 내가 현식이 눈치를 많이 봤거든요. 또 현식이도 뭔가 얘기를 못 한 게 있었던 거지. 그게 가장 아쉬운 거예요. 그러니까 현식이가 죽기 전에 어느 날 와서 곡 좀 없어? 지나가는 말로 얘기할 때

사실은 있었는데… 이미 만들어 놨던 곡들이 있었어요.

박준흠 : 그러니까 일례로 〈내 맘속에 내리는 비는〉 같은 노래를 김현식 씨한테 줬어야 했는데, 그 말씀 하시는 건가요?

엄인호 : 그렇죠. 김현식이 살았으면 이 노래를 불렀으면 딱 좋았을 텐데. 그다음에 가령 〈밤마다〉도 있었잖아요. 이런 것도 현식이가 불렀으면 완전히 뒤집어 놓을 수도 있던 거거든요. 현식이가 잘하는 스타일이란 말이에요. 어떻게 보면 김현식을 염두에 두고 곡을 썼을 수도 있다. 이거죠.

그때 제이제이 케일(J.J. Cale) 곡을 한창 들을 때거든요. 그래서 그런 곡을 쓰고 싶었어요. 그리고 〈밤마다〉라는 곡은 원래 윤신애가 불렀어야 하는 곡이야. 그 곡을 당시에 유재학 씨, 옛날 조용필 씨 매니저가 나한테 연락이 왔어요. 윤신애가 자기네 회사로 왔으니 〈골목길〉하고 두 곡을 더 달라, 그래서 만나서 돈도 제법 받았어요. 그런데 문제가 있어서….

박준흠 : 한영애, 정서용, 정경화, 이은미 등의 여자 가수와 김현식, 김동환, 김형철, 정희남 등의 남자 가수가 신촌블루스의 봄반에 참여합

니다. 음반마다 이렇게 보컬리스트가 바뀌는 이유와 보컬리스트를 선정하는 관점이 궁금하거든요.

엄인호 : 일단 내가 곡을 썼잖아요. 한영애는 나갔고 정서용, 정경화가 있었는데, 〈마지막 블루스〉 때문에 정서용이 좀 삐졌었죠. 〈마지막 블루스〉를 들려주니까 정서용이 자기가 하고 싶었던 모양이에요. 그랬는데, 미안하지만 너는 이정선 씨의 곡을 불러라, 이 곡은 내가 볼 때 정경화를 줘야겠다. 왜냐면 정경화 노래를 내가 들었잖아요. 정서용이 기술은 좋지만, 좀 호소력 있는 목소리가 필요했기 때문에 정경화를 준 거죠. 나중에 얘기를 들었는데 정서용이가 정경화를 좀 안 좋게 대했다고 그러더라고. 후배인데. 자기는 그 당시에 이정선 씨의 곡보다는 내 곡이 더 마음에 들었을 수도 있어요. 그런데 자기 줄 줄 알았는데 정경화를 확 주니까. 정서용으로서 그냥 기분이 나쁜 거지. 정경화한테 엄청나게 스트레스 줬다고 그러더라고요. 질투라는 거지.

박준흠 : 〈마지막 블루스〉가 3집에 있잖아요. 그래서 그때부터 정서용 씨가 참여 안 한 건가요?

엄인호 : 그때 공연 다니다가 우리 밴드하고도 그렇고, 나를 좀 실망시킨 일이 있어요. 한마디로 얘기해서 동아기획에서 앨범이 나올 수 있

게끔 내가 만들어 줬는데… 동아 사장이 엄 박사가 그러면 하자고, 그 당시에 정서용에게 파격적인 돈을 줬어요. 녹음실 비용은 또 따로. 당시에 걔로서는 거의 파격적인 돈이거든요. 그리고 그때 신촌블루스 2집 내고 한참 우리가 뜰 때니까, 이거 엄 박사가 정서용이나 이런 애들을 잘만 더 끌고 다니면 좋겠다. 그런데 정서용이 언제부턴가 나에 대해서 안 좋은 감정을 품었던 것 같아. 돈 문제도 그렇고. 사실 이렇게 공연하고 그러면 나는 거의 망하는 수준이었거든요. 소극장에서 하루에 2회 공연해 봐야 견적이 안 나오는 거예요. 한영애, 이정선, 김현식 또 정서용 이런 사람들 출연료 다 주고 나면 나는 거의 남는 게 없거든요. 사람이 꽉꽉 차도 나는 힘든 거지. 단, 내가 생각했던 건 그래도 이게 좋다. 내가 지금 당장 돈은 안 되더라도, 나는 이 신촌블루스라는 거 가지고 나중에 돈을 벌 수 있어.

그런 생각을 하고 있는데, 갑자기 앨범 낸다는 얘기도 못 들었고, 자기 혼자 돌아다니면서 여기저기서 곡을 받고 그러니까 동아 사장으로서는 화가 나는 거예요. 보니까 내 이름이 하나도 없거든요. 나를 불러서 갔더니 동아 사장이, 아니 엄 박사 얘기 듣고서 내가 이 앨범을 제작한다고 그랬는데, 엄 박사가 그렇게 무심하게 할 수가 있냐? 굉장히 섭섭한 표정으로 얘기하더라고요. 그래서 난 얘가 어디서 녹음하는지도 몰랐다. 니힌데 비밀스럽게 했거든. 같이 녹음하면서 같이 공연하러 다니는 나한테도 비밀로 했단 말이에요. 그러니 나로서도 굉장히 괴씸했지. 동아 사장이 자기는 이제 김샌다고 그런 식으로 얘기를 하는 거예요.

그리고 부산에서 공연하는데 황당했던 게… 밴드는 하루 전에 갔었거든. 그리고 이정선 씨는 기차 타고 좀 일찍 왔어요. 한영애는 나중에 왔고, 김현식은 나하고 같이 하루 전에 갔고. 미리 술 마시려고. 그런데 아침에 우리 밥 먹고 있는데, 이제 밥 먹고 들어가서 리허설 하자, 리고 얘기하는데 그때 정서용이 나타난 거예요. 밴드들도 다 어저께 술 많이 마셨으니까 현식이부터 해장국 먹고 또 모닝 소주를 간단하게 먹고 있는데, 밴드 애들도 다 그렇게 술을 좋아했어요. 정선이 형도 있고, 한영애도 있고 그랬나? 내 기억에 거기 광복동 국제시장에 있는 해장국집이었어요.

그때 정서용이 뒤늦게 누구랑 들어오길래 내가 앉아서 식사해라 그랬더니, 딱 보더니, 오빠 나 이런 거 먹기 싫어, 하고 휙 나가더라고. 현식이가 그거를 굉장히 기분 나쁘게 들었나 봐. 밴드 애들도 굉장히 기분 나빴고. 그런데 공연이 딱 끝나고 나니까 오빠 나 돈 줘. 레드제플린 사장이 그때 공연기획을 할 때였어요. 그런데 돈도 세기 전에 나한테 돈 달라고 하면 내가 돈이 어디 있어요? 이미 하루 전에 와서 애들하고 밥 먹고 어쩌고 돈이 하나도 없는데. 그래서 난 너한테 줄 돈이 지금 없어. 그리고 뭐 이렇게 바쁘냐? 좀 이따가 가라고 그러면 내가 얘기해서 돈 다 계산해서 줄게. 그러니까 이제 레드제플린 형한테 가서 돈 달라고 그랬던 모양이에요. 그러니까 그 형이 나한테 오더니, 출연료 얼마 주면 되냐, 그래서 뭐, 한 얼마 정도 주면 되지 않을까? 밴드들하고 똑같이 줬으니까. 정서용이든 정경화든. 그리고 그 두 사람보다 좀 많은 게 김현식이나 한영애나 이정선 씨예요. 내 기억에 당시 하루 공연에 한 50만 원씩 줬던 거 같아. 그런데 2회를 했든 그건 어쩔 수 없는 거고. 그래도 그렇게 크게 불만 얘기하고 그런 정도는 아니었던 것 같아. 일단 관객들이 너무 많으니까. 이정선 씨도 그렇고 현식이도 그렇고 한영애도 그렇고 기분 좋잖아요.

 그리고 현식이 같은 경우는, 물론 한영애는 어땠는지 모르지만, 동아 사장한테 가서 공연 성공했다고 하면 보너스도 받고. 벌써 판 팔리는 게 다르거든, 부산이나 이런 데서 이제 오더가 들어오잖아요. 동아 사장으로서도 공연 한 번 하고 나면 그쪽 도시가 난리가 나는 거야. 신촌블루스 앨범 좀 보내 달라고. 그러면 동아 사장도 다른 앨범들도 막 끼워서 팔잖아요. 그 당시에 그랬거든요. 현식이 같은 경우는 공연을 빌미로 동아 사장한테 보너스도 더 받아오고 그랬던 것 같아요. 한영애도 그랬을 거라고 난 생각해요. 그리고 그 당시에 동이 시장이 기분파니까 공연 잘 되고 그러면 그냥 쓰라고 이렇게 좀 주고. 특히 현식이 같은 경우는 안 주면 생떼(?) 부리는데? 나 돈 좀 줘, 나 부산에서 돈도 별로 못 받았어, 뭐 이런 식으로.

박준흠 : 그럼 동아 사장님이 돈 주고, 그런 식이었던 거네요. (웃음)

엄인호 : 나도 어떤 때는 동아 사장에게 가서 공연 잘 됐다면서요? 나는 개털이에요 그랬더니, 그래요? 그럼 내가 얼마 해줄게, 우리 이제 조금 있으면 또 63빌딩에서 할 거니까 그때 내가 생각해서 돈 주겠다, 그런 식이죠. 내가 직접 공연기획 할 때 공연이 어떤 때는 펑크가 나는 경우가 있어요. 기획사가 도망갔다든가, 지방에 있는 기획하는 놈이 시켰는데 이게 돈 먹고 도망갔다든가. 그때는 내가 밴드들이고 가수들이고 돈을 다 해줘야 할 거 아니에요. 동아 사장한테 가서 실은 이러저러한 일이 있었다고 얘기를 하니까 "그래요? 하여튼 공연은 성공한 거 아니오?" 그래요. 자기는 손해날 거 없다 이거지. "공연은 어쨌든 성공한 거죠?" 딱 그러면서….

박준흠 : 지금 판이 잘 팔리고 있으니까….

엄인호 : 동아 사장이 내게 얼마가 필요하냐고 해서 얼마면 되겠다고

하니까, 그걸 자기가 주는 거야. 그런데 나중에 알고 보니까 그 돈을 딱 계산해 놓고 있었던 거예요. 내가 솔로 3집 [10년의 고독]을 그래서 내준 거예요. 내가 딴 회사로 가려고 하니까. 그때 삼성의 오렌지가 생겼을 때요. 거기에 송문상이라는 친구가 나한테 파격적인 제안을 했거든. 나하고 신촌블루스하고 오면 1억 원을 주겠다. 걔가 이제 오렌지를 좌지우지할 때니까. 그 당시에 1억 원이면 어마어마한 돈인데, 그래서 가려고 딱 마음먹었어요.

동아 사장한테 "사장님, 저 여기서 이제 그만하겠습니다." 그랬더니, "에이, 내가 소문 다 들었지. 오렌지로 간다며? 돈도 엄 박사가 많이 받는 거로 소문 들었는데?" 딱 그러면서 종이를 꺼내더라고. 이게 뭐예요? 그랬더니, "엄인호 씨가 가져다 쓴 돈. 그게 거의 2천만 원 가까이 되는 것 같아. 이렇게 저렇게 밴드 악기 사주고, 뭐 이런 거, 공연 펑크 난 거, 이렇게 사람들 출연료 준 것까지." 그래서 아니 이거를 지금도 갖고 있단 말이에요? 이거를? 나한테 그냥 준 것처럼 이야기하더니. "에이, 공짜가 어딨어." 그래서 기분이 확 나쁘더라고.

그래서 알았어요. 그러면 거기서 돈 받으면 내가 해 드릴게, 그러고서 이제 끝내려고 그랬더니, 아, 그러지 말고 솔로 앨범을 하나 내고 가래요. 그걸로 퉁 치자고. 그때 내 녹음실이 있었거든요. 내 작업실에서

녹음도 할 수 있고 그래서 거기서 [10년의 고독] 녹음을 한 거예요.

박준흠 : 아, [10년의 고독](1997년)이 그렇게 나온 앨범이군요? (웃음)

엄인호 : 동아에서 일절 돈을 안 받고 내 스튜디오에서 녹음하고, 일부는 또 다른 데, 좀 싸구려 스튜디오에 가서 믹싱하고.

박준흠 : 그런데 왜 오렌지로는 안 가신 거예요?

엄인호 : [10년의 고독] 내는 데 한참 걸렸거든요. 곡이 없는데 갑자기 동아 사장에게 판을 내주려고 그러니까. 당시 돈이 없었으니까 세션이나 이런 사람들은 잘 못 쓰잖아요. 굉장히 힘들 때인데, 완전히 돈을 탈탈 털어서 녹음실을 만든 거거든요. 그런데 판 내주고 가라고 그러니까 이거 황당한 거지. 우리 밴드를 쓰더라도 내가 돈을 줬거든요.

박준흠 : 문정동 스튜디오가 1996년 정도에 만들어졌다는 얘기네요? 그러면 솔로 3집과 같은 해에 발매된 신촌블루스 5집도 거기서 녹음하신 건가요?

엄인호 : 그거는 대방동에 있는 변대윤의 예당 녹음실. 스튜디오가 굉장히 좋았어요. 그러니까 사운드도 좋았지. 그리고 솔로 3집을 우리 스튜디오에서 내가 녹음하면서 통기타로 녹음해야겠다. 이펙터 없이 녹음하려면.

박준흠 : 그래서 솔로 3집의 콘셉트가 어쿠스틱이었네요.

엄인호 : 어쿠스틱이 많죠. 돈이 없었으니까. 또 우리 밴드 애들한테 가장 기본적인 세션비나 좀 주고, 내가 오렌지로 갈 때 돈 받으면 또 주겠다고 그랬는데.

박준흠 : [10년의 고독] 만든 문정동 스튜디오에 관해 이야기 부탁드립니다. 콘솔이나 기자재나 그런 거 어떻게 꾸미셨어요?

엄인호 : 영국제 콘솔인데, 그게 나중에 스튜더(Studer)인가 SSL로 넘어갔다고 그러던데. 히여든 괜찮았어요. 그다음에 타스캠(Tascam).

포스텍스(Fostex) 스피커 뭐 이런 거 있고. 그때 미국 가서 들어올 때 이펙터를 엄청나게 사서 온 거예요. 돈 벌면 맨날 가서 이펙터 사서 오고. 거기다 내가 좋아하는 하몬드 오르간도 사고.

박준흠 : 그러면 그때 미국을 계속 왔다 갔다 하신 건가요? 일 때문인가요?

엄인호 : 그냥 여러 가지로 쉬고도 싶고, 미국이란 나라의 어떤 매력을 내가 느껴서 공연에 간 적두 있고. 혼자 솔로로 가도 신문사나 이런 데서 나를 보고 오는 거죠. 그 당시만 해도 내가 혼자 해도 표가 잘 팔렸어요. 한 400석짜리 같은 거는 꽉꽉 채울 정도였으니까. 신문사나 이런 사람들이 나보고 팬들이 참 고급스럽다. 돈도 별로 안 들고.

박준흠 : 그러면 주로 미국 가면 LA 쪽에서 공연하시는 건가요?

엄인호 : 예. 미국에 있는 후배들 밴드들, 그때는 후배들 소재를 많이 찾았지. 내가 가고 그러면 걔네들이 반주해 주고 돈도 얼마 안 들어가고. 한국에서 밴드 불러 갖고 오려면 돈이 엄청나게 들어가는데. 나도 겸사겸사 놀러 가고 그랬으니까. 나도 별로 돈 많이 안 받고.

박준흠 : 버신 돈으로는 기자재 사서 오시고.

엄인호 : 돈 생기면, LA나 이런 데 가면 아날로그 기계 파는 데가 있어요. 쓱 가서 중고든 새것이든 이븐타이드(Eventide) 같은 거, 또 마이크도 좋은 걸로 사서 오고는 했어요. 그때 세관 통과하면서 매번 아슬아슬했죠.

2) '가요화된 블루스'와 '뽕 블루스'의 차이점

박준흠 : 신촌블루스 3집을 계속 얘기하자면, '가요화된 블루스'와 기자들이 얘기하는 '뽕 블루스'와의 차이가 뭔가요?

엄인호 : 피터 그린 등 영국 블루스 록 기타리스트들은 미국 흑인 오리지널 블루스를 자기들 나름대로 영국 스타일로 연주를 했고, 훨씬 듣기가 편하잖아요. 영국 특유의 그룹적인 분위기로 몰고 가는데, 나도 마찬가지죠. 사실 내가 좀 이정선 씨를 이해 못 하는 점은, 멜로디 라인도 우리나라 뽕짝 멜로디를 좀 차용을 하는 것 같더라고요. 그래서 나는 그건 아니다. 나는 그냥 내 가요를 하는 거지 굳이 내 곡에, 내가 쓰는 곡에 '뽕짝'을 붙인다는 건 싫다. 나는 지금도 뽕 트로트(?)에 대한 어떤 거부감이 있거든요.

박준흠 : 선생님이 말씀하신 거는, 피터 그린이 본인의 색채가 들어간 블루스를 만든 것처럼 선생님도 그런 방식으로 설명하신 거였죠?

엄인호 : 여기서 기자들에게 얘기하는 건 '차별화'죠. 음악 평론가 신현준 씨나 이런 사람들하고 얘기할 때도 "아니야, 나는 그렇게 생각 안해, 같이 몰아가지 마라"라고 그랬어요. 이정선 씨가 어떻게 얘기했든

간에 난 싫다. 그런데 가만히 생각해보니 이정선 씨가 신촌블루스 2집부터는 어떻게 보면 멜로디에 약간 뽕(?)스러운 것들이 나오기 시작했어요. 나는 그렇게 썩 좋아하지 않았거든요.

박준흠 : 3집에 있는 〈향수〉 같은 노래를, 기타 연주를, 기타 톤을 들어보면 흔히 말해서 국내 다른 기타리스트하고 연주나 톤이 다르고, 이정선 씨하고도 당연히 다릅니다. 그다음에 해외 블루스 록 기타리스트들하고도 다릅니다.

엄인호 : 내가 얘기하는 게 그거예요. 나만의 톤을 만들자. 그때부터 그 생각을 많이 한 거예요. 이건 나 밖에 이런 톤을 못 만들어. 그리고 그걸 과감하게 녹음했고. 사람들한테도 좋은 얘기를 많이 들었고요. 인후 형은 기타 톤 하나만큼은 죽인디, 잘 민든다. 진짜 특유의 기타

에서 나오는 아주 내추럴한 소리인데 앰프나 이런 데서 약간의 톤 조절을 좀 해서 엄인호 특유의 아주 맛있는 톤을 만들겠다는 욕심이 있었죠. 그래서 그때부터 기타에 대한 욕심이 생기기 시작한 거예요. 저 기타를 가지고 치면 어떤 소리가 날까? 한때 기타도 이것저것 많이 모아놨던 이유가 뭐냐 하면, 한편으로는 재즈 톤을 굉장히 좋아했었어요. 그래서 그런 기타가 있어야 할 것 같아서예요.

박준흠 : 잠깐 드는 생각이… 우리는 블루스 기타 하면 일례로 비비 킹이나 에릭 클랩튼 이런 유형의 기타리스트를 많이 생각하잖아요. 그런데 그들하고도 다른 엄인호만의 그 톤. 〈향수〉같은 곡에서의 톤을 들어보니까 엄인호 기타는 블루스 기타가 아니야, 뭐 이렇게 생각하는 게 좀 있지 않았나, 라는 생각도 얼핏 듣네요.

엄인호 : 그렇게 얘기하는 친구들도 있었겠죠. 하지만 엄인호 특유의 곡 쓰는 스타일에다가 내 기타가 딱 들어가니까, 내 곡하고 내 톤하고 어울리잖아요. 4집에서는 몇 곡을 힘들게 받아왔으니 내가 그 당시에 갖고 있던 기타로 여기에 어울리는 톤을 만들자 그런 거예요. 그러니까 곡마다 어떤 때는 톤이 다르잖아요.

박준흠 : 어쨌든 성공하셨네요.

엄인호 : 그렇죠. 지금도 그래요. 술 먹고 가끔 실수해서 그런데, 내가 볼 때 내 톤에 대해서는 아직도 굉장히 자신 있어요. 애들이 아직도 자기들은 인호 형의 그 톤을 못 따라간다고 해요. 그런데 우리 와이프는 그러더라고. 왜 기타 치고 노래하면서 계속 톤을 만지냐? 어떻게 보면 좀 불안하게 보인다는 거지. 그런데 순간순간마다 그 톤을 보여주고 싶었던 거지. 이정선 씨도 그렇게 하는 걸 내가 못 봤는데, 솔로 부분에는 갑자기 또 톤을 확 바꿔버리는 거죠. 원래는 이게 정상이에요. 그런데 대체로 그러지 않으려고 그러죠. 너무 정신없거든요. 거기다 발로 밟는 것도 여러 개 쓰다 보니까.

기타 치면서 노래하는 사람들이 그렇게 많지 않지만 그게 굉장히 힘든 거예요. 그래서 최대한으로 이펙터는 단순하게, 내가 원하는 것만 만들 수 있는 이펙터를 두 개 내지 세 개까지는 써요. 그 외에는 다 기타로 승부하고 싶은 거죠. 셀렉터(Selector) 가지고 솔로 할 때는 셀렉터를 바꿔서 조금 부드럽고 두꺼운 톤으로 만들고 싶고, 후주 같은 경우는 좀 강렬한 거를 남겨주고 싶어서 굉장히 신경질적인 소리 같은 걸 만들어내고 그러니까 바쁘죠.

박준흠 : 〈향수〉에서의 기타 톤. 이제 엄인호의 기타를 상징하는 톤으로 들리거든요? 그러니까 한마디로 말해서 다른 기타리스트가 그 톤은 못 쓰는 거잖아요. 엄인호 톤하고 똑같이 한다는 얘기 들으니까.

엄인호 : 아마 걔네들도 그런 걸 시도해 보려고 하지 않을 거예요. 순간적으로 그런 톤을 만들기가 그렇게 쉽지는 않거든요. 그런데 대체로 다른 기타들 보면, 기타 스케일들만 신경 쓰지 톤을 자꾸 바꾸려고 그러지도 않고 이펙터 가지고 다 해결하니까요. 그런 톤이 이펙터 가지고는 죽어도 안 나오거든요. 기타 자체에서 톤을 만들기 때문에요.

〈향수〉부터 완전히 내 톤을 만들기 시작한 거예요. 그전에는 여러 시도도 해보고 이런 이펙터도 써보고 저런 이펙터도 써보고 그랬는데, 3집부터는 왠지 기타 특유의 그 기타만이 가진 그 톤이 있죠? 그거를 바탕으로 기가 막히게 내 나름대로 어떤 톤을 만들기 시작한 거지. 그런데 원래 그런 데는 이펙터를 안 쓰는 기타가 매력이 있는 거예요. 3

집부터 펜더 텔레캐스터를 한창 쓸 때지. 그 기타 특유의 톤이 굉장히 좋은 톤인데 왜 이걸 이펙터 써서 다 버려놔?

박준흠 : 선생님은 이펙터를 써서 원래 그 기타가 가진 좋은 소리를 망친다고 생각하시는 것 같네요. 지난번에도 이펙터를 계속 여쭤봤는데, 이펙터를 안 쓰려는 기타리스트들이 있잖아요? 특히나 블루스 록 계열 쪽의 기타리스트들이 그런 경향이 있는 분들이 있는 것 같은데. 1960-70년대 예전 사운드에 대한 향수 같은 것이 있을까요? 그때 톤을 다시 재현하고 싶은… 아니면 진짜 본인의 기타 철학에 맞는 그런 톤을 만들고 싶은 건지?

엄인호 : 이펙터라는 것 자체가 소리를 왜곡시키거든요. 내가 그 당시에 외국 밴드들을 굉장히 좋아했던 이유가 사실은 이펙터를 쓰지 않고 앰프 자체에서 거의 다 해결해서예요. 걔네들은 앰프가 고출력이니까. 그걸 또 섞어서 일부러 살짝 찌그러뜨리고. 그걸 오버드라이브라 그러는 건데, 게인(Gain) 출력을 많이 올리면 당연히 찌그러져요. 진공관 앰프 특성상 그래요. 신촌블루스 2집 때는 거의 생 톤으로 치기 시작했는데, 그 느낌이 굉장히 좋았어요. 이게 특유의 엄인호만의 맛있는 색깔을 낼 수 있는 그 기타의 매력, 이런 걸 발산할 수 있는 게 이펙터에는 없거든요. 단지 리버브만 살짝 길어 가지고 녹음시켜서.

엄인호는 깁슨을 치든 펜더를 치든 자기 특유의 맛있는 톤이 있다. 그런 얘기를 많이 들었거든요. 어떤 누구보다 나는 특유의 내 톤이 있어서 내 감정을 기타에 실어서 보여주는 걸 굉장히 좋게 평가받았어요. 그때부터 그걸 아는 거야. 내가 왜 다른 사람들하고 똑같이 쳐야 해? 이펙터도 헤비메탈 하는 사람들처럼 이거 걸고 저거 걸고 그런 거 다 빼자. 그렇게 해서 시작된 거예요.

박준흠 : 현재 많은 젊은 기타리스트들은 이펙터를 가지고 자기가 생각하는 톤을 만들려고 하잖아요. 그런데 선생님은 다른 생각을 하고 계신 거고. 차이가 있는 것 같나요?

엄인호 : 당연하죠. 내가 지금도 쓰는 거는 약간의 톤을 찌그러뜨리는 거. 옛날에는 마샬 앰프를 많이 썼거든요. 블루스브레이커(BluesBreaker)라는 건데, 내가 그 앰프를 갖고 있었어요. 그런 향수

가 지금도 남아 있는 거예요. 그런 소리를 만들기 위해서는 이펙터 하나 정도는 써야 해요. 그게 오버드라이브라는 건데, 스티비 레이 본도 쓰는 거, 그거를 걸면 약간 피드백도 되고 내가 원하는 톤이 나오니까. 다른 여자 가수 때문에 몇 개를 쓰지만, 어떨 때는 코러스도 살짝 걸어서 티 안 나게 쓰는 거죠. 내가 주로 사용하는 이펙터는 그냥 오버드라이브 하나 아니면 부스터. 부스터라는 이펙터가 거기서 약간 힘을 좀 더 주면 앰프 자체에서 살짝 찌그러지거든요. 에릭 클랩튼 같은 톤이 나오는 거예요. 그래서 그거는 내가 어쩔 수 없이 쓰는 거죠. 그것마저 안 쓰면 완전히 날탱이거든요.

그리고 우리나라 음향 하는 사람들은 그런 톤을 잘 못 잡아요. 특히 라이브에서. 그러니까 라이브가 잘 안되는 거지. 내가 원하는 톤으로 치고 싶어도 거기서 또 스트레스받죠. 볼륨을 내렸을 때는 그래도 어느 정도 앰프 소리 비슷하게 나다가 볼륨을 올리면 약간 찌그러지는 거죠. 피드백도 되고. 음 길이가 피드백된다고 그러죠? 그러니까 여유가 생기고 좀 편하죠. 그런데 생톤 기타를 치면 여유가 하나도 없어요. 음향 하는 사람들도 그걸 제대로 못 잡아내니까 어쩔 수 없이 오버드라이브나 부스터 같은 거 써야죠. 그리고 다른 여자 가수들 것도 반주하려면 코러스라도 살짝 걸어가지고 하는 것이고.

박준흠 : (노트북에서 영상을 보여주며) 이 영상은 1969년 우드스톡 페스티벌(Wood stock Festival) 때 마운틴(Mountain)의 연주거든요. 기타리스트 레슬리 웨스트(Leslie West) 같은 경우에도 이 당시 보면 이펙터 같은 거 없이 그냥 연주했을 것 같아요. 그런데 무지하고 멋진 기타 톤이죠.

엄인호 : 앰프에서 게인을 올리면 앰프 자체에서 왜곡시키는 거지. 소리를 찌그러뜨리는 거죠. 이전에는 지미 헨드릭스도 퍼즈 쓰고 그랬잖아요. 물론 신중현 씨도 그랬지만. 그런데 그거보다는 이게 확실히 자연스러운 톤이잖아요. 이때 이펙터 없었어요. 그리고 깁슨 자체가 펜더에 비해 피드백이 잘 돼요.

박준흠 : 레슬리 웨스트가 워낙 잘 치는 기타리스트이기는 하지만 이렇게 두툼한 소리가 막 나오잖아요.

엄인호 : 깁슨 특유의 톤이죠. 이게 싱글인데도 펜더보다 출력이 훨씬

세요. 그러니 마샬하고는 잘 어울리는 거죠. 나도 굉장히 좋아했어요. 하지만 우리나라에서는 힘들거든요. 왜냐면 음향에서 해결이 잘 안되는 거예요.

박준흠 : 이 당시에는 기타 잭을 그냥 앰프에다 꽂고 바로 연주했다는 얘기잖아요.

엄인호 : 그러니까 그 당시에 앰프가, 음향도 그렇게 썩 좋을 때가 아니잖아요. 우드스톡 때만 해도. 기타 앰프에다가 마이크 하나 대고 40W짜리를 두세 개 쓰는 거예요. 그래서 무대에서 크게 올릴 수 있는 거지. 그런데 우리나라는 25W짜리 가지고도 앰프 게인을 5 이상을 못 올려요. 음향이 해결이 안 되는 거야. 이렇게 하면 다른 마이크에 타고 다 들어간다? 그건 내 잘못이 아니거든. 자기네들 잘못이거든요. 그런데 그거 가지고 많이 싸웠어요.

이번에 군산에서도 내가 일 좀 빚았죠. 아니 노래를 해야 하는데 마이크도 안 켜놓고. 그것도 두 번씩이나. 거기다 내가 맨 마지막이었는데 올라가서 연주하는 도중에 출력이 확 떨어졌다가 어느 순간에 또다시 정상으로 왔다가 이러니까 연주를 하겠냐고. 게인 몇 이상 올리면 안 된다고 하니 열이 받더라고요.

요새 허리도 아프고 또 차도 없고 해서 이제는 안 갖고 다니는데, 원 래는 내가 갖고 다니는 앰프가 있어요. 나도 마샬을 쓰거든요. 그 당시 톤이 나오는 앰프가 나한테 두 대씩이나 있었어요. 그건 내가 원하는 톤을 만들 수 있어요. 25W짜리인데, 게인을 적당히 섞거나 아니면 서로 매치시켜서 1채널 2채널을 1, 2로 이렇게 매치시켜서 쓰는 거 죠. 에릭 클랩튼도 썼던 블루스브레이커랑 똑같은 작용이거든요. 나 는 굉장히 그런 거 하고 싶은데, 우리나라는 언제까지 이러고 가야 하 나. 무대에서 내가 원하는 기타 톤이 안 나오니까 어쩔 수 없이 이펙터 를 쓰는 거예요. 오버드라이브나 부스터. 볼륨을 내리고 살살 칠 때는 별로 안 먹어요. 그냥 이쁜 소리 나요. 그런데 볼륨을 풀로 확 올리면 이런 소리가 나오죠. 찌그러지는 소리. 스티비 레이 본이 그런 식으로 치거든요.

박준흠 : 리프 칠 때하고 솔로 연주 들어갈 때 톤을 변환시키곤 하는 데, 예전에는 이거를 그냥 다 본인이 알아서 했다는 얘기잖아요.

엄인호 : 어떨 때 보면 켜다가 자기 마음에 안 들면 앰프에 가서 또 올리잖아요. 그게 주로 마샬 45W짜리예요. 지미 헨드릭스 같은 경우는 45W짜리를 세 대 네 대씩 막 쓰잖아요. 베이스도 그렇고. 그게 원하는 톤을 만들기 위해서 그런 거예요. 그러니까 그 큰 앰프 세 대에 마이크 갖다 대는 건 겨우 하나 두 개거든요. 자기네들이 기분을 내기 위해서는 무대 위에서도 그 소리가 커야 해요. 그리고 기타 자체에서 피드백이 되게끔 연주가 음이 있는 게, 계속해서 내가 손을 놓지 않는 이상은 음이 끌리거든요.

박준흠 : 마샬 앰프는 1960-70년대 당시의 소리와 지금 소리가 같은가요?

엄인호 : 아뇨. 요즘 나오는 마샬은 요즘 애들 추세에 맞췄어요. 이펙터를 쓰게끔. 뭐라 그럴까, 소리가 얇아졌다? 너무 모던한 소리가 나는 거죠.

박준흠 : 마샬 앰프도 예전 소리를 내려면 빈티지 앰프 종류를 써야 하나요?

엄인호 : 에, 그 소리 내려면요. 그러니까 최희선 같은 경우도 보면,

옛날 마샬을 자기가 갖고 있는 것도 있고, 어떻게든지 악기점 음향 하는 사람들한테 구해 오라고 해서 3대, 4대씩 쓰는 경우를 내가 봤거든요. 그게 어쩔 수 없는 거예요. 무대 위에서 자기만족을 하려면. 그런데 보통 음향 하는 사람들 보면 그렇게 못 올리게 한다니까. 노래가 마이크 타고 다 들어간다고. 선생님이 그렇게 치면 우리는 올릴 필요가 없다. 그러면 나는 싸우는 거죠. 무대에서 25W짜리인데 적어도 5에서 6 정도는 올려야 내가 원하는 소리가 나온다. 걔네들은 이해 못 하는 거지. 걔네들이 원하는 대로 하면 2 정도밖에 안 올린단 말이야. 그리고 기타 엠프랑 진공관 앰프는 이게 어느 정도 진공관이 달궈져야 제대로 기타 소리가 나거든요. 또 너무 오래 켜놓으면 이게 출력이 떨어져요. 진공관이 너무 뜨거워졌을 때 잘못하면 불도 날 수 있거든요.

박준흠 : 진공관 앰프는 주기적으로 식히나요?

엄인호 : 그게 아니라 스탠바이를 해놓지. 스탠바이가 뭐냐면, 열을 받는 게 파워관이거든요. 출력관. 그게 진공관이 크잖아요. 밑에 프리 앰프라는 거는 전구가 요만한 거예요. 그것도 너무 열 받으면 또 이상해지지. 소리가 왜곡되죠.

박준흠 : 그래서 대략 전기만 조금 들어가게끔 스탠바이로 해놓는다

는 말씀이죠?

엄인호 : 출력관은 꺼놓는 거지. 원래 소리는 요만한 앰프 있죠? 안에 진공관 요만한 것들이 다 소리를 만들어내는 거고, 큰 거는 증폭시키는 역할밖에 안 해요. 스탠바이로 내려놔야 하는데, 이번 군산 같은 경우는 엔지니어들이 대낮부터 그 햇볕 쨍쨍 내리쬐는데 앰프를 계속 켜놨으니까 내가 올라갈 때쯤 돼서는 그 앰프가 맛이 간 거죠. 어떤 때는 정상적인 소리가 나는 것 같다가, 어떤 때는 갑자기 출력이 확 떨어지고 하는 거라. 또 옆에 스페어 앰프가 있었는데 내가 급해서 그거 딱 켜서 소리를 들어보니까, 이건 진공관 안 간 지가 몇 년은 된 것 같아요. 그러니까 이상한 쥐 파먹는 소리 밖에 안 나와요.

3) 엄인호의 가사와 대표작 [신촌 Blues 4]

박준흠 : 〈향수〉의 가사는 3집의 다른 노래하고 다른데, 〈향수〉를 작사하실 때 어떤 생각을 하시면서 쓰신 건가요?

엄인호 : 부산에서 DJ 할 때인데, 아무래도 내가 부산에 떨어져서 혼자 있고 하니까 집에 대한 그리움 같은 것도 있고 그래서 그런 가사가 나온 거죠.

박준흠 : 〈향수〉의 가사는 4집의 〈기적소리〉 유형이기는 한데 좀 다르잖아요.

엄인호 : 방랑자처럼 이 도시 갔다가 저 도시 갔다가 하면서 지친 것도 있었고, 또 몇 번 고민했거든요. 형제들이 있는 집으로 갈까? 하다가도, 가면 또 이상해질 것 같고 군대 문제도 있었고. 부산에 있으면서도 갈등이 굉장히 심했어요. 그래서 그런 것들을 잊어버리려고 그냥 매일 술이나 마시고 그럴 때… 집이 흔히 얘기하듯이 내 고향이죠. 지쳐서 더 이상 힘들다, 그냥 집으로 갈까 하는 생각들을 하며 가사를 쓰기 시작한 거죠.

박준흠 : 선생님은 곡보다 가사
를 먼저 쓰시나요?

엄인호 : 아니요. 거의 동시에
같이 쓰는 편이에요. 가사를 먼
저 쓰는 경우는 거의 없는데, 가
령 〈비 오는 날의 해후〉 이런 것
들은 누가 메모를 주잖아요? 그
걸 보고 가사를 쓰다 보면 어느
새 90%를 내가 다 쓰게 되는 거죠. 예의상 내가 그 친구 이름을 작사
가로 써주기는 했지만. 그 곡을 어떤 식으로 쓰게 됐냐면, 그때 박영
미라는 여자 가수가 있었습니다. 얼굴도 못 봤는데.

박준흠 : 그 노래가 박영미 2집에 실리죠.

엄인호 : 이응수라는 친구가 나한테 곡 한번 써달라고 연락이 와서 뭔
데? 그랬더니 메모를 갖고 왔더라고. 〈비 오는 토요일의 해후〉라고
제목도 정해져 있고. 그런데 메모를 보니까 되게 단순하게 썼어요. 그
래서 어떤 스타일을 써야 하나? 그랬더니 신중현 씨 스타일로 좀 써
달라는 거야. 맨 처음에 가시에디 곡을 쓰기 시작하는데, 그걸로는 안

되겠더라고. 그다음부터 내가 살을 붙이기 시작하는 거예요. 그래서 〈봄비〉처럼 만들어보자. 둘 다 '비'니까. 그쪽에다 전화해서 〈봄비〉 같은 곡으로 만들어주면 되냐? 그랬더니, 좋다는 거지. 여자 가수 얘기를 하는데 처음 듣는 가수예요. 노래 잘한다고 그러더라고요. 그래서 곡을 써서 가니 기타를 나보고 치라고 하더라고? 그때 이응수가 세션을 거기 있는 밴드들 가지고 한 대요. 그래서 내가 기타를 친 거죠. 그런데 어쨌든 성공은 했어요. 그런데 매니저하고 박영미하고 문제가 좀 있었어요. 물론 나한테 술도 잘 사주고 그랬지만, 또 다른 곡을 받아내야 하니까 나한테는 엄청나게 잘했는데, 매니저에 대한 인식이 그때부터 점점 안 좋아지기 시작했던 거지.

박준흠 : 선생님 노래에 '비'가 많이 들어가는데….

엄인호 : '비' 관련 곡이 많죠.

박준흠 : '블루스'도 많이 들어가잖아요. 〈비의 블루스〉, 〈밤마다 블루스〉, 〈마지막 블루스〉, 〈LA 블루스〉 등. 이유가 있으세요?

엄인호 : 가사에서 제목을 찾으려고 하다 보니까 너무 머리가 아픈 거야. 그래서 그냥 뒤에다 '블루스'를 붙이기 시작하는 거죠. 〈마지막 블

루스〉같은 경우는 이런 거고… 이제 다시는 안 쓴다.

박준흠 : 그래서 '마지막 블루스'라 쓴 거예요?

엄인호 : 너무 길고, 내가 쓰는 걸 보고 사람들이 막 그러더라고요. 이런 거 쓰면 방송에서 안 틀어준대. 그래? 그러면 이렇게 긴 곡은 이제 쓰지 말자 해서 이거는 '마지막 블루스'야. 이렇게 보니까 나이트클럽 같은 데서 마지막으로 진한 블루스를 연주하는 것 같은 그런 분위기도 연상되고. 다들 제목을 폼나게 지으라고 그러는데, '블루스'라고 그러면 다 통하는데 뭐. 어떻게 보면 단순한 생각이죠.

박준흠 : 선생님의 대표작을 얘기하면 신촌블루스 3, 4집을 얘기할 수 있겠고, 개인적으로는 4집(1992년)에 있는 노래들이 가장 마음에 듭니다. 4집은 A면 B면 노래들이 모두 다 훌륭합니다. 엄인호의 음악이 제대로 나온 게 신촌블루스 3집이라서 그런 점에서 의미가 있는 것 같고, 4집은 앨범의 완성도 자체가 뛰어납니다. 레퍼토리가

굉장히 좋고, 전체적으로 연주도 굉장히 잘하셨어요.

엄인호 : 노래가 길어서 그렇지…. (웃음)

박준흠 : 편곡도 좋고, 연주 자체가 매우 훌륭합니다.

엄인호 : 그러니까 그때는 정말 '가요다운 블루스'를 한 거예요. 그래서 내가 이정선 씨가 얘기하는 '뽕 블루스'라는 건, 그건 자기 생각이다. 기자들이 이정선 씨가 지금 하는 거는 뽕 블루스라 그러는데 엄인호도 그러냐? 그래서, 거기 뽕이 왜 들어가냐고, 그냥 가요 블루스다. 나는 가요하고 있는 거지 거기다 '뽕'이라는 단어를 굳이 붙일 일이 뭐 있나. 그건 이정선 씨한테 물어봐야지. 나는 뽕 블루스가 아니라고 부정하기 시작한 거지. '뽕'이라는 그 단어 자체가 음악을 좀 비하하는 느낌이고, 자기 비하 같은 생각도 들거든요. 나로서는 자존심이 상하는 거지.

 나는 신촌블루스 3집부터는 가요 쪽으로 가까이 가면서도 기본으로 가진 건 블루스 색채를 갖고 있다고 생각해요. 정경화가 부른 〈마지막 블루스〉 같은 거는 사실 굉장히 흑인 블루스, 리듬 앤 블루스에 영향을 많이 받은 곡이에요. 〈I'd Rather Go Blind〉 같은 노래 들으면서 나도 저런 곡 쓰고 싶다. 그래서 만든 곡이거든요. 피터 그린을 흉내

내고 그런 건 아니고 약간 엄인호 특유의 스타일로 기타를 친 거죠. 뭔가 호소력 있는 기타, 이제 내 기타가 3집부터는 내가 생각해도 독특했던 거 같아. 슬로우로 했는데도. 당시 한참 속주 기타들이 막 유행할 때인데 내가 저런 걸 할 필요는 없어. 그거는 카피 기타들이나 하라 그러고. 나는 에릭 클랩튼 이런 앨범 들으면서 그래, 맞아, 기타는 저런 식으로 쳐야 해. 노래하고 같이해야지. 기타 솔로라는 건 노래하고 같이 가는 거지 노래하고 따로 기타 넣고 그건 아니다.

박준흠 : 신촌블루스 4집을 얘기하면서 또 얘기할 것 중의 하나가 가사입니다. 김미선 씨 작사인 〈거리에 서서〉가 [Super Stage]에 처음 등장하고 그다음에 4집에도 나오고, [Rainbow Bridge]에도 나옵니다. 〈서로 다른 이유 때문에〉도 그렇고. 두 곡을 많이 좋아하시는 것 같아요. 이헌숙 작사의 〈비 오는 날의 해후〉도 그런 것 같고. 혹시 김미선 씨한테 가사 쓰는 것에 영향을 받은 게 있나요?

엄인호 : 아니 그렇지는 않고, 〈거리에 서서〉는 원래 드라마 음악이거든요. 시간은 없는데, 내가 박완서 씨 소설 〈서 있는 여자〉를 읽었는데 생각이 별로 안 나는 거예요. 가사를 쓰고 있는데 마침 김미선하고 같은 동네에 살았어요. 그래서 김미선한테 가서 이거 주제곡인데, 〈서 있는 여자〉 그거 읽으면서 가사 좀 써주라. 그런데 그 PD하고 내가 싸웠지. 김새는 소리 하더라고 무식하게. 그래서 내가 좀 뭐라고 그랬거든, 여보쇼 그러면 딴 사람 거 써. 그러니까 그다음 날로 그냥 바로 바꿔버리더라고. 그리고 〈여자의 남자〉도 그렇고. 김한길이가 나보고 분명히 PD한테 얘기했으니까 아마 곧 너한테 연락할 거다. 자기가 미국 가는데 PD한테 내 얘기를 했고 PD도 같이 곡을 들어봤다. 그때 좋다고 그랬다. 그런데 연락이 안 오는 거예요. 그래서 이상하다 그랬더니 다른 뮤지션이 세션하고 곡을 써서 그걸 주제가로 썼더라고요.

박준흠 : 〈서로 다른 이유 때문에〉와 〈거리에 서서〉를 작사한 김미선 씨를 1979년에 만나셨다고 들었거든요. 김미선 씨가 카페에서 DJ를 하고 있었다고 했는데. 두 분의 작업 방식은 어떻게 되나요?

엄인호 : 내가 어떤 곡 형태를 만들고 김미선한테 이런 곡은 네가 가서 좀 마무리해 줄래? 그때 김미선이 마무리해 주고 그런 거예요. 내가 옛날에 김미선을 의식해서 작사를 김미선으로 써놨던 거 같기도 한

492

데, 어느 순간에 내가 썼던 가사가 아주 많은 부분을 차지했거든요. 그래서 지금도 헷갈리는 거예요.

박준흠 : 〈서로 다른 이유 때문에〉, 〈거리에 서서〉는 선생님 노래 중에서도 스타일이 다른 곡들입니다.

엄인호 : 그렇죠. 〈서로 다른 이유 때문에〉는 내가 쓰는데, 느낌에 이거는 내가 기타를 좀 산타나(Carlos Santana)처럼 치려고. 원래는 산타나가 아니라 퀵실버 메신저 서비스(Quicksilver Messenger Service) 스타일이에요. 둘 다 약간 라틴 맛을 집어넣은 건데, 사람들은 내가 퀵실버 얘기하면 몰라.

박준흠 : 그래서 산타나를 얘기하시는 거예요?

엄인호 : 내가 가서 세션 하는 사람들한테 이거를 산타나 스타일로 치면 돼, 라고 얘기하는 거죠. 원래 나는 산타나를 그렇게 썩 좋아하지는 않았어요. 그런데 퀵실버 얘기하면 아무도 못 알아듣더라. 그러니까 한마디로 라틴인데, 라틴 록인데, 산타나 스타일로 치면 되는 거야. 드럼도 그렇고 베이스도 그렇고. 그랬던 것 같아요.

박준흠 : 선생님 노래 중에서 신나는 노래들이죠.

엄인호 : 〈달빛 아래 춤을〉도 마찬가지로 퀵실버를 들으면서 어떤 영
감으로 그런 패턴을 내가 찾지 않았나… 그때 내가 한동안 잊고 있었
던 1960-70년대 밴드들 음악을 많이 들었어요. 마크-알몬드(Mark-
Almond)나 뭐 이런 것들. 그 밴드의 음악 형태나 이런 것들을 가만히
듣다 보니까 이런 곡을 다시 또 쓰고 싶다는 생각이 들었어요. 옛날,
다시 복고로 돌아가는 거죠. 블루스나 어떤 장르에 얽매이지 않고 내
가 쓰고 싶은 대로 써야겠다. 이게 솔로 앨범부터 그렇게 된 거예요.
그런데 〈서로 다른 이유 때문에〉는 솔로 앨범에 넣기에는 내가 부르

기에는 좀 가창력이 필요한 곡이고, 〈달빛 아래 춤을〉 같은 곡은 내 목소리 가지고도 얼마든지 멋있게 내가 만들 수 있다.

다시 옛날에 내가 정말 좋아했던 음악, 한동안 잊고 있었던, 괜히 무슨 블루스니 어쩌고저쩌고 한참 듣다 보니까 어느 순간에 확 지루해지고 그랬는데… 그래도 버디 가이(Buddy Guy)나 이런 사람들 거는 계속 들어왔어요. 비비 킹은 한동안 내가 안 들었어요. 그냥 들을 때마다 맨날 느낌이 다 똑같다는 생각 같은 게 들더라고요. 뭔가 좀 새로운 걸 다시 듣고 싶고 그랬는데 만족할 만한 곡은 안 나오니까. 이글스(Eagles)도 마찬가지고, 남들이 다 좋아할 때 나는 옛날이 더 좋았는데, 이글스도 〈Hotel California〉 하면서 질리기 시작하더라고요. 조월시가 끼면서 이상한 밴드가 돼버린 거야. 그래서 그때부터 옛날 음악을 다시 듣고 싶다. 내가 아주 어렸을 때 듣던 1970년대 음악, DJ 할 때 홍수진 씨나 이런 분들하고 교류하면서 듣던 마크-알몬드라든가 퀵실버나 그걸 다시 듣다 보니까 이제 막 악상이 떠오르는 거죠.

박준흠 : 그러면 신촌블루스 3집 녹음한 다음에 어느 정도 내 음악이 완성됐다고 생각하고, 예전 음악을 찾아 듣는 시간이었던 거네요.

엄인호 : 4집 때는 이세 완선하게 내 기타 톤이나 스케일을 찾은 거죠.

그 앞에 3집에서는 어느 정도 시도는 했는데… 포크 스타일이면서 약간 재즈 같은 그런 것도 좀 생각했었거든요. 가벼운 재즈 같은 것도 한번 시도해보고 싶었고. 이정식이나 이런 친구들 세션을 쓰면서. 그런데 내가 볼 때는 그건 좀 실패한 것 같고.

4) 신중현의 영향, 기타 연주와 작사

박준흠 : 4집에는 신중현 씨의 〈잊어야 한다면〉이 실립니다.

엄인호 : 신중현 선생님 찾아가서 그 곡을 좀 부르게 해주십시오. 그랬더니 선생이 오케이. 양주 한 병 사갖고 갔었죠.

박준흠 : 그런데 신중현 씨 노래 중에서 왜 그 노래를 선택하셨어요?

엄인호 : 나는 옛날부터 그 노래를 굉장히 좋아했었어요. 장현 씨가 불렀던 〈미련〉 이런 곡도 좋지만, 그런 것보다 〈잊어야 한다면〉은 내 스타일에 어울릴 것 같은 마이너거든요. 그게 메이저인데 사실 애드리브 같은 거는 마이너 성이 굉장히 강하지. 몇 번 이렇게 기타를 쳐보니까 굉장히 마음에 드는 거예요. 내가 노래 부를 수도 있을 것 같은… 그래서 〈잊어야 한다면〉 쓴 거고.

박준흠 : 영향받은 기타리스트로 피터 그린을 대표적으로 얘기하셨는데, 국내에서는 신중현의 영향이 크셨나요?

엄인호 : 그렇죠. 어렸을 때부터 신중현 선생님의 밴드 음악을 좋아했고,

BEAUTIFUL RIVERS AND MOUNTAINS:
THE PSYCHEDELIC ROCK SOUND
OF SOUTH KOREA'S
SHIN JOONG HYUN
1958-1974

신중현
아름다운 강산:
대한민국 신중현의 싸이키델릭 록 사운드

펄시스터즈나 김추자, 박인수 그분들 LP는 어떻게든지 구해서 들었어요. 그런데 선배 밴드 중에는 키보이스, 히식스도 있었는데, 그 당시에는 그리 좋아하지는 않았어요. 물론 우리 애들끼리 어렸을 때 〈해변으로 가요〉 같은 것도 다 치고 그랬죠. 특히 히식스의 〈초원〉 시리즈 있잖아요. 이런 거는 내 취향은 아니었던 거 같아요. 다른 애들은 모르겠지만. 그러니까 제일 많이 들은 건 어쨌든 신중현 선생님 앨범들. 그걸 들으면 신중현 선생님이 딱 그림이 그려지거든요. 머릿속으로 "신중현 선생이 이런 식으로 기타 쳤을 것이다"라는 게 그려져요.

박준흠 : 제 개인적인 생각으로 선생님이 신중현의 영향권에 있다고 느껴지는 게 두 가지인데요. 기타와 함께 가사 부분입니다. 신중현 씨가 1968년부터 1975년까지 그 전성기 당시 때 썼던 노래 가사들의 '뉘앙스'가 선생님이 쓰신 가사들에 보면 어느 정도 있는 것 같습니다.

엄인호 : 아마 그럴 거예요.

박준흠 : 저는 신촌블루스 1-4집에서 선생님 연주를 들었을 때 생각났던 거는 신중현의 1970년대 당시 연주가 아니라 1980년에 나왔던 신중현과 뮤직파워 1집에 있는 음악들입니다. 그러니까 1970년대 당시하고 많이 달라진 게 뮤직파워 1집이거든요. 신중현 기타 솔로 같은 경우도 이때 솔로가 매우 독특하죠. 선생님도 느끼셨는지 모르겠는데, 뮤직파워 1집 기타 솔로 들어보면, 신중현의 최고 연주라고 생각합니다. 그래서 신중현 기타 연주는 개인적으로는 이 음반을 제일 좋아하거든요. 창작은 예전 창작을 좋아하지만.

엄인호 : 신중현 초창기 때 앨범을 들어보면 신중현 선생님도 와와라든가 이펙터를 좀 썼고, 그 당시에는 약간 사이키델릭한 기타를 쳤죠. 그런데 뮤직파워 때부터는 신중현 선생님 특유의 주법이 묻어 있고, 그 특유의 펜더 기타 소리… 그러니까 이때가 아마 신중현 선생님 기

타의 최고 결정판이라고 볼 수 있죠.

박준흠 : 뮤직파워 1집은 1980년에 활동 해금돼서 만든 음반인데, 5년 동안 음악 쉬고 나서 만든 음반이었습니다.

엄인호 : 나도 이전 엽전들 음악도 많이 듣고 그랬는데, 신중현 선생님 특유의 기타 리프나 이런 것들이 여기서 완전히 정리된 거예요. 물론 그전에 〈아름다운 강산〉 이런 곡들 나왔을 때도 보면 이런 필이 있었지만… 그런데 이때는 이펙터를 거의 배제하고 완전 펜더 기타로, 특유의 그 기타 톤이거든요. 나는 이 당시에 가지고 계셨던 기타도 기억나요. 펜더 25주년 기념 기타. 그래서 나도 이걸 산 적이 있었죠. 얼마 전에 그냥 없애버렸는데.

박준흠 : 그런데 제가 고등학교 1학년 때 이 음반 샀으니까, 이 음반 발매되고 나서 2년 뒤에 사서 들었던 건데… 깜짝 놀랐던 게, 신중현의 예전 음악들 생각했을 때 하고 기타 연주가 너무 다른 거예요.

엄인호 : 예전 신중현 선생님 같은 경우는 사이키델릭하고, 특히 지미 헨드릭스(Jimi Hendrix) 영향도 많이 받았을 거고, 거기에 퍼즈 박스라는 것도 쓰고… 굉장히 난해하게 쳤던 걸로 기억해요. 그런데 이때부터는 완전히 신중현 선생님 특유의 가요 스타일에다가 기타가 완전히 정리된 거죠.

박준흠 : 그렇게 오래 기타를 치셨는데, 이때 정리가 된 걸까요?

엄인호 : 네. 가요 쪽으로 완전히 가면서, 기타 톤이나 이런 것들이 정리된 거죠. 그런데 내 앨범에서도 〈잊어야 한다면〉 같은 곡은, 물론 신중현 선생의 곡이지만 나도 굉장히 신 선생님 같은 그런 거를 치고 싶었어요. "아, 이게 진짜 진정한 기타 소리다." 물론 어떤 때는 깁슨 가지고도 치고 그랬지만. 펜더는 한참 뒤에 쳤어요. 마침 신촌블루스 4집 녹음할 때, 〈잊어야 한다면〉 녹음할 때 내가 텔레캐스터를 갖고 있었거든요. 그래서 그걸로 〈잊어야 한다면〉이나 〈비 오는 날의 해후〉라든가….

박준흠 : 맨 처음에 박영미 씨가 본인 2집에서 부를 때는 〈비오는 토요일의 해후〉였어요. 지구레코드 직원 이헌숙 씨가 가사를 썼죠.

엄인호 : 그 친구가 가사를 썼는데, 이응수를 통해서 나한테 왔어요. 이응수라고 있죠.

박준흠 : 예, 송골매 1집 멤버.

엄인호 : 그 친구가 지구레코드사 녹음실에 있을 땐데, 메모에 어느 정도 가사가 쓰여 있더라고요. 그래서 발전시켜서 쓰다 보니까 이헌숙이 쓴 가사보다 내가 쓴 가사가 더 많이 들어간 거지. 어떤 형식은 진짜 〈봄비〉하고 굉장히 유사해요.

박준흠 : 그런데 작사는 이헌숙으로 돼 있던데요.

엄인호 : 내가 그건 예의상. 그 모티브를 줬기 때문에 내가 그렇게 썼어요. 지금도 내가 그 곡을 사용하려면 이헌숙한테 허락받아야 해요. 당연히 해주지만. 아마 자기도 깜짝 놀랐을걸요. 자기가 어느 정도 메모를 했는데, 그거를 완전히 가사로 완성한 게 나니까. 그리고 그 당시에 내가 녹음하러 갔을 때 지구레코드에서 이응수도 그렇고 엔지니어도 그렇고 깜짝 놀란 거죠. 내가 생각할 때도 잘 쓴 곡이에요.

박준흠 : 그런데 재미있는 것은, 선생님 노래들을 들어보면 한 세 곡에

서 마지막 부분에 선생님 웃음소리 나오거든요. 〈비 오는 날의 해후〉
도 항상 마지막에 들어보면, 녹음이 다른 버전에서도 "허허허-" 하는
거 들어가요. 엄인호 솔로 2집에 있는 〈유혹하지 말아요〉 마지막에도
웃음소리가 있더라고요. 그래서 왜 그랬을까, 그 생각 많이 했어요.

엄인호 : 그게 녹음 말미에, 아니면 노래 부르다가 나도 모르게 그런
웃음소리가 나오거든요. 페이드아웃시키는데, 어디쯤에서 페이드아
웃시키는지를 나는 모르잖아요. 기타 솔로도 그렇고 노래도 그렇고.
"비가 내리네-" 하는데 어디까지 가는지 모르니까 나도 모르게 그냥 허
탈하게 웃는 거거든요. 이제 끝, 그게 마지막 말미에 웃는 거예요. 믹싱
할 때 가만히 들어보면 이 웃음소리 괜찮네, 분위기가 좋다 그랬어요.

503

박준흠 : 그래서 분명히 이 노래에 뭔가 감정이입이 되는구나, 그 생각을 많이 했어요. 신중현 씨도 뮤직파워 1집에서 〈떠나야 할 사람〉 기타 솔로 들어가기 전에 "예-" 하잖아요.

엄인호 : 그럴 수도 있어요. 그거를 굳이 하려고 그랬던 게 아닌데 녹음이 됐고, 또 들어보니까 이거 웃음소리, 신음소리 집어넣어도 괜찮다… 그래서 의도적으로 살렸을 수도 있어요. 나도 그랬으니까.

박준흠 : 제가 신준현 씨아 세 번 인터뷰했는데, 1998년에 처음 했어요. 그래서 신중현 씨한테 제가 물어봤거든요. 많은 음악 평론가들이 엽전들 1집은 얘기를 많이 하는데, 이 뮤직파워 1집은 거의 얘기를 안한다. 제 개인적으로 듣기로는 이 음반 연주가 선생님 연주에서 베스트라고 생각하는데 어떻게 생각하시냐고 물어보니까, 선생님이 하신 얘기가 있어요. 뭐였냐면, 기타 솔로 연주는 이 음반이 제일 마음에 든다고 그랬거든요.

엄인호 : 본인도요?

박준흠 : 예.

엄인호 : 나도 그렇게 생각해요.

박준흠 : 그래서 내 생각이 맞았구나, 라는 생각을 했습니다.

엄인호 : 그런데 엽전들은 그냥… 너무 뭐라 그럴까. 상업적으로 갔고, 연주도 그때부터 또다시 난해해지기 시작하는 거예요. 그런데 내가 볼 때는 신중현 선생님의 매력 포인트가 그 기타 솔로거든요. 아마 지금 애들이 들으면 이거 기타가 뭐야, 이런 식으로 얘기할 수도 있어요.

박준흠 : [Return of the Legends Vol.5 신촌블루스]에 수록된 〈거리에서 서서〉 기타 스트로크처럼 이 음반에 진짜 '손맛'이라는 게 있는 것 같아요.

엄인호 : 그런데 우리나라에서 그 당시에 기타 친 친구들이나 지금 애들도 그렇고, 아마 이런 기타를 이해 못 할 거예요.

박준흠 : 뛰어난 연주로 인정을 안 힌다고요?

엄인호 : 흔히 얘기해서, 요즘 사람들한테 이렇게 들려주고 그러면, "이거 뭐야? 이거 마구리 기타 아니야?"라는 반응을 할 수도 있어요.

박준흠 : 혹시 외국에 유학 갔다 오신 분들이 별로 인정을 안 하는 건가요? 이런 스타일을?

엄인호 : 그럴 수도 있고 그렇지 않을 수도 있고. 요즘 사람들이 들을 때는 정말 이게 말도 안 되는 기타라고 느낄 수도 있죠. 나한테도 그런 소리로 인터넷에 댓글 다는 사람들 보면 그게 뭐냐며 한마디로 얘기해서 잘 몰라서 그런 거야. 그래서 나 같은 경우는, 가령 신 선생님의 이런 음악을 들었다면, 이게 신중현 선생의 그야말로 '맛있는' 기타라고 생각하는 거죠.

박준흠 : 너무 아쉬운 게, 이 음반 하나로 이런 스타일의 연주가 끝난 겁니다. 음반이 망해서 포기하신 것 같아요.

엄인호 : 당시에, 외국에서 디스코나 그런 것들이 막 나오고 그래서 기타가 엄청나게 화려하거든요. 굉장히 기계적인 기타죠. 그런데 뮤직 파워 1집은 완전히 '날탕' 아니에요. 신중현 선생의 음악을 그 당시에 일반 대중들은 이해를 못 하는 거죠. 지금 나한테도 얘기하듯이.

박준흠 : 유튜브에서 '국내 5대 기타리스트' 연주 모아놓은 영상을 본 적이 있는데, 다 속주 연주자들만 모아놨더라고요.

엄인호 : 요즘 사람들이 들을 때는, 그런 스타일의 기타를 잘 친다고 생각하는 거죠. 감칠맛 나는 기타를 칠 수 있는 그런 나이들이 아니거든요.

박준흠 : 한국의 기타리스트에 대한 평가에서 선생님뿐만 아니라 신중현에 대한 평가도 제대로 안 됐다고 생각합니다.

엄인호 : 나도 그걸 느껴요. 한마디로 그 사람들의 사고방식에서는 외국에서 유행하는 기타 스타일만 계속 따라가느라 급급했을 거예요. 그런데 나는 그렇게 생각하지 않았거든요. 우와 이건 진짜 신중현 선생 특유의 그 리프다. 그 맛, 그거를 누가 하냐? 이거죠. 할 줄 아는 사람이 없었고, 그런 자기 특유의 맛있는 기타를 칠 줄 아는 사람이 별로 없어요. 또 누가 있냐면 전에도 말씀드렸죠, 강근식 씨 같은… 그분도 특유의 자기 손맛이 있는 기타가 있거든요. 쳇 앳킨스(Chet Atkins) 같은 컨트리뮤직 맛도 만들어내고.

박준흠 : 강근식 씨가 1970년대에 오리엔트 프로덕션에서 연주했던,

진짜 좋은 연주들이 있죠. 송창식의 〈새는〉이나 사월과 오월의 〈옛사랑〉 같은 노래들. 하여간 신중현, 엄인호 선생님 기타에 대한 평가가 이상합니다.

엄인호 : 내가 인터넷 댓글 같은 것도 읽어봤거든요. 나는 속으로 그래요. 너희들이 뭘 아니? 그러니까 내가 일부 후배들 기타를 인정 안 하듯이, 또 걔네들도 뒤에서는 "인호 형 기타는 마구리야" 그러는 거죠. 좋다 이거죠. 그래도 나는 내 스타일이 있어, 혼자 자부는 해요. 너희들은 너희 기타가 없어. 너희들은 그냥 속주하고 잘 친다는 소리는 들을지언정, 정말 그 필이 있는 기타는 나 따라오려면 멀었다고, 한편으로 약간 자부는 해요.

박준흠 : 그래서 제가 신중현, 엄인호 선생님 연주는 독보적이다, 라고 생각하는 거거든요.

엄인호 : 내가 롤모델로 삼았던 분이라서 그런지, 지금도 그 모든 것들이 다 신중현 씨 뒤따라가는 스타일이에요. 가수도 여러 명 두고, 곡 쓰는 스타일도 그렇고. 물론 기타 연주는 나름대로 내 것이 있지만.

5) 보컬리스트 선택 관점

박준흠 : 신촌블루스의 음반에는 대단히 많은 보컬리스트가 참여하는데, 보컬리스트를 선정하는 관점이 있으실 거 아니예요?

엄인호 : 일단 내가 좋아하는 취향이죠. 음색 같은 거. 사실은 경화 같은 경우는 음색을 썩 좋아하지는 않았는데 코러스로 필요하더라고요. 내가 언젠가 경화가 노래하는 걸 한 번 봤는데 자기는 그걸 부정하려고 그러더라고. 어디 지방 공연하러 갔다 오다가 기차에서 내려서 청량리역 근처에 커피집을 딱 들어갔는데, 거기서 노래하는 여자가 있었는데 그게 나중에 보니 정경화였어요. 노래를 엄청나게 맛있게 하더라고요. 그래서 쟤 노래 잘한다, 그러다가 어느 날 코러스로 왔어요. 이정선 씨가 데리고 온 거죠. 공연 때문에 여자 코러스를 찾고 있었어요. 공연할 때 현식이가 노래 부르고, 한영애가 노래 부르고 할 때 코러스가 필요한데, 정서용은 코러스 안 하려고 하고 그래서 코러스를 구했는데 그중에 한 명이 정경화예요.

그런데 이은미도 그렇고 우연히 카페나 이런 데 가서 봤어요. 이은미 같은 경우는 신촌에 가서 동네 친구들하고 술 마시는데, 세브란스병원 그 뒤쪽에 무슨 카페가 있는데 이름이… 명동에 삼일로 창고극장 바로 위를 보면 그 지하실에 이상한 술집이 하나 있었어요. 주인이 자칭 영화 감독이라고 그러고. 거기 나도 가끔 갔었거든요. 그 친구가 세브란스병원 뒤에서 라이브카페 할 때였어요. 거기서 이중산도 혼자 기타 치면서 노래 부르고 있었고, 이승환도 무명일 때 거기 있었어요. 어느 날 누구한테 이은미 얘기를 들었죠. 어떤 여자아이가 있는데 노래 잘한다, 네가 가서 한번 보면 어떠냐, 그러더라고. 그때 마침 정서용이 나갔고 경화 하나만 있을 때였어요.

박준흠 : 이중산 씨가 얘기했다는 거 아닌가요?

엄인호 : 이중산이 나한테 얘기했던 거 같아요. 그래서 일부러 갔지. 가서 보니까 이승환이가 노래 끝나고 이은미라는 애가 딱 올라왔는데, 키도 적당히 크고, 그런데 노래를 하는데 다 외국곡만 했지. 가만히 듣다 보니까 괜찮다 싶었어요. 그래서 내가 갔죠. 난 누군데 우리 팀에서 노래해 보고 싶은 생각 없냐? 그랬더니 바로 그 자리에서 오케이 하더라고. 3집 낼 때 녹음이 거의 끝난 상태였거든요. 그런데 문제가 좀 있었어요. 내게 결정적으로 실수한 게 녹음하는 날 안 온 거예

요. 서울스튜디오에서 집으로 전화했더니 받지를 않아요. 그래서 내가 기타를 정선 형한테 빌리러 갔나?… 빵꾸가 났으니까 그냥 보낼 순 없잖아요. 기타를 가지러 가서 그걸로 어쨌든 기타를 쳤어요. 통기타를 빌려다가 이것저것 치는데, 그때 얼마나 화가 나던지. 그러고서 며칠 동안 완전히 잠수 탔더라고. 화가 많이 났죠. 그래서 나랑 그만하자고 했어요. 그리고 그 애가 노래 부른 것을 내가 빼라고 그랬어요. 동아 사장이 두 번이나 녹음했던 것 같은데.

박준흠 : 3집에 이은미 씨가 부른 〈그댄 바람에 안개로 날리고〉는 남아 있는데요.

엄인호 : 내가 빼라고 그랬더니 동아 사장이 걔 노래 잘하던데 왜 빼냐고 하는데, 그렇다고 내가 무슨 딴 얘기할 수 없잖아요. 그래서 그냥 빼자고 했죠. 사장이 돈 들여서 녹음했는데, 그것도 이정식이가 곡 쓴 거잖아요. 밴드도 이정식 밴드가 와서 했거든요. 그러니 사장은 세션비도 들고 녹음 실비 들고 그랬는데 그거 빼면 뭐냐 이거지.

박준흠 : 3집은 재즈뮤지션 이정식 씨가 참여했네요.

엄인호 : 그 전에 내가 영화음악이나 이런 거 하면서 이정식을 알게 됐어요. 색소폰이 좋더라고. 그래서 3집 할 때는 이정식 브라스를 좀 써야겠다는 생각을 한 거죠. 이은미는 자기가 재즈밴드 잘하는 오빠를 아는데 같이 하고 싶다고, 이정식이래. 그래서 잘됐다 하고 이정식 밴드하고 녹음한 거죠. 그리고 한 곡은 내가 누구하고 했는지 기억 안 나지만 하여튼 이은미하고 두 곡을 녹음했어요.

박준흠 : 거기서 그냥 마무리하는 걸로.

엄인호 : 또 3집 전에 정서용을 내보냈을 때도, 동아 사장으로서는 굉장히 기분 나쁜 일이지. 솔로 앨범까지 녹음했는데. 엄 박사 오라고 해서 갔더니, 신촌블루스에서 잘랐다면서요? 물어서 나도 분위기상 데리고 있을 수가 없습니다, 했죠. 그러면 나는 이 솔로 앨범을 접죠, 그러더라고. 정서용 앨범을. 이제 막 시판을 시작하려고 그랬던

건데, 일부는 나갔어요. 그래서 뭐 그럴 필요까지는 없고요, 자기가 어떻게 잘하겠죠, 그랬어요. 그런데 동아 사장이 얘기하는 게 뭐냐면, 이 앨범 내면서 얼마나 깨졌는데 얘 PR하려면 또 얼마나 들어갈지 모른다는 거예요. 엄 박사가 같이 안 하겠다는데 그러면 난 이 앨범을 안 내는 게 더 낫다 이거지. 거기다 약간은 정경화에 대한 감정도 그때 좀 달라지기 시작했어요. 정경화 얘도 괜찮겠구나.

박준흠 : 남자 보컬리스트는 최근 김상우 씨까지 보면, 일정 부분 김현식 보컬 스타일을 계속 생각하고 남자 보컬리스트를 선택하신 건가요?

엄인호 : 꼭 그렇지는 않은데, 어쨌든 내 곡에 어울리는 그런 목소리를 갖고 있어야 해요. 김상우 같은 경우는 허스키고 아직 완숙하지는 않더라도 내가 쟤를 좀 데리고 있으면 잘할 수 있는 애구나 싶었어요. 그게 뭐냐면, 목소리 자체에서 한영애처럼 일단 어느 정도는 먹고 가는 게 있거든요. 어떻게 보면 임재범 흉내 내는 것 같기도 하지만… 좀 가다 보면 내가 쟤를 고칠 수도 있겠다고 생각했어요. 물론 자기가 스스로 느껴야지만. 그래서 더는 얘기 안 하고 가만히 옆에서 보니까 애가 허우대나 이런 걸 봤을 때, 여자들한테 인기가 되게 좋더라고요. 그래서 그냥 놔두자. 그리고 전인권의 친구인데, 정희남. 그 친구도 내가

신촌에서 우연히 알게 됐는데, 목소리가 완전히 타고난 허스키더라고. 노래도 잘하고.

박준흠 : 정희남 씨는 신촌블루스 4집에서 〈밤마다 Blues〉, 〈서로 다른 이유 때문에〉하고 [슈퍼 스테이지]에서 〈밤마다 Blues〉 한 곡 하거든요. 그런데 그걸로 끝났잖아요.

엄인호 : 사생활에 좀 문제가 있었어요. 우리 팀에 그런 친구가 있으면 피곤하기든요. 그래서 이제 그만하자 그런 거죠.

묻어버린 아픔

박준흠 : 신촌블루스 라이브 2집에 참여하는 김동환은 자기 솔로 활동 때문에 그만둔 건가요?

엄인호 : 앨범을 같이 냈었고, 현식이 죽고 나서 현식이 빈자리를 김동환이가 좀 메꿔줄 수 있을 거라고 나는 기대를 했는데, 나를 만족시키지 못하는 거죠. 김형철도 그렇고.

박준흠 : 만족시키지 못한다는 의미는?

엄인호 : 내 곡을 제대로 소화하지 못하는 거지. 내가 생각한 것하고 완전히 다르네? 김현식 같은 그런 파워가 있으면서도 뭔가 리듬을 타고 갈 수 있는 그런 스타일인 줄 알았는데, 막상 노래를 시켜보니까… 김형철은 아직은 미숙할 때고. 어쨌든 김동환을 데리고 다니면서 현식이의 빈자리를 한번 채워볼까 그렇게 생각했는데… 그래서 이것도 아니구나.

박준흠 : 김동환 씨는 4집에서 빠지고 정희남 씨가 또 들어오고 그런 거죠? 그리고 [Rainbow Bridge](2000년)에 참여했던 이정섭 씨가 한 번만 참여한 이유는?

엄인호 : 이정섭은 원래 돈이 많은데 스튜디오 엔지니어래요. 그런데 자기가 꼭 노래를 한번 부르고 싶다고 해서….

박준흠 : 〈환상〉을 잘 불렀다고 생각하는데.

엄인호 : 하여튼 그때 김현식의 빈자리가 매우 컸던 거 같아요. 한영애 자리는 그래도 정경화가 어느 정도 채워줬거든요. 한영애의 레퍼토

리는 안 했지만 자기 레퍼토리 가지고 공연할 때 보면 굉장히 열심히 부르고 그러니까. 그때 그런 얘기가 나오기 시작한 거예요. 역시 엄인호가 여자 가수를 보는 탁월한 눈이 있다. 이은미까지도 그랬으니까. 이은미도 내보내고 정경화 하나 남았는데, 그때 관객들이 엄인호 씨는 어디서 저런 가수를 찾지? 그러지 않았나.

박준흠 : 그러면, 신촌블루스 5집(1997년)에만 참여했던 여자 가수 두 분이 있겠어요. 강미희, 김은주.

엄인호 : 김은주는 동덕여대를 나왔어요. 이정선 씨 제자인데 재즈를 한다고 그러면서 다닐 때였어요. 그중에 키 큰 여자애는 내가 [10년의 고독] 할 때 코러스를 했어요. 김은주는 나하고 안 하게 됐고, 키 큰 애는 나하고 같이 활동하기를 원하는 것 같아서 같이 한 거죠. 그때가 동아에서 나왔을 때예요. 그 소리마당 얘가 나보고 앨범을 하나 내자고, 베스트앨범 정도로 해서 내자고 한 거예요. 그런데 녹음하면서 느낌이 별로 안 좋았던 거야. 어느 날부터는 녹음하면서 내가 편곡을 안 했어요. 돈 받고 나서 하려고. 당시에 11월의 조준형이라

516

는 친구가 한참 세션 다닐 때였는데, 이 사람들이 걔를 안 거야.

준형이를 만나서 구슬린 거지. 엄인호 씨가 안 하려고 하니까 네가 편곡을 좀 해보지 않겠냐고, 그러니까 조준형이 별생각 없이 편곡을 해줬나 봐요. 회사에서 붙여준 애랑 그 여자애 둘이 노래를 했는데, 걔들이 노래 잘했어요. 조준형이가 한 번은 나한테 왔더라고요. "형, 편곡 몇 곡을 나한테 하라고 그러던데?" 그래서, "야, 하지 마. 좀 사짜 같다." 내가 그랬더니 "나도 지금 생각 중이야. 형, 그런데 나 돈 다 받았어요." 그러더라고. "돈 받았으니까, 그럼 편곡해. 나는 지금 생각 좀 해보려고 그런다. 돈 안 주면 저 녹음 참여 안 하려고 그렇게 마음을 먹고 있다."라고 그랬더니 뭐 지네끼리 어쩌고저쩌고….

박준흠 : 김은주는 굉장히 힘 있게 부르는 스타일인데.

엄인호 : 그렇죠. 걔는 내가 얘기 듣기로는 무슨 가요제 같은 데 나가서 그랑프리도 먹고 그랬었나 봐요. 그래서 가수가 되고 싶었던 건데, 걔도 보니까 돈도 안 주고 분위기가 좀 이상했는지 나한테 물어보더라고요. "선생님 할 얘기가 있어요. 이 앨범 내면 나한테 돈 주시는 거예요?" 그래서 "내가 주는 게 아니지. 저쪽에서 돈 줄 텐데?" 그랬더니 "그런 얘기 안 하던데요? 너, 신촌블루스 엄인호 씨와 같이하는 깃민

으로도 감지덕지해라. 우리가 키워줄게." 그런 식으로 가는데, 자기는 돈이 필요하다 이거예요. 그래서 네 맘대로 하라고 했고, 앨범은 나왔는데 자기는 앨범 끝나고 나면 나하고 똑같이 돈이 나올 줄 알았다는 거야. 그런데 안 주니까 나한테 자기는 이런 식으로는 못 간다고 해요. 자기가 힘들대. 그러면 네 뜻대로 해라. 그건 어쩔 수 없는 거다. 지금 보니까 나도 사기당한 것 같은데 그랬지. 그때 강미희는 그래도 한동안 나하고 같이 공연하러 다녔어요. 그러다 또 내 후배 놈이 강미희를 살살 꼬셔서 미사리에서 일을 했지.

박준흠 : 이 앨범 보면 크레딧에는 정식으로 안 올라왔는데 보컬에 김능수가 있었는데요. 〈내 맘속에 내리는 비〉, 〈아쉬움〉 불렀습니다.

엄인호 : 네. 능수가 있었어요.

박준흠 : 그리고 〈환상〉 부른 미스터 김(Mr. Kim)이 있거든요.

엄인호 : 미스터 김이라는 애는… 이름은 지금 생각이 안 나는데, 엔지니어 지망생이었어요. 그런데 그 당시에 엔지니어가 나한테 부탁하더라고. 노래 한 번만 시켜 달라고. 그때 나는 그 앨범에 정떨어지니까 마음대로 해라. 그랬더니 조준형이란 친구가 아, 형 노래 곧잘 하던데

요. 그래서 앨범에 들어갔죠.

박준흠 : 김능수는요?

엄인호 : 김능수는 걔가 미사리에서 일할 땐데 나를 엄청나게 잘 따라다니던 애예요. 그런데 걔도 나중에 알고 보니까 잘 안 맞아서….

박준흠 : 그러면 지금 같이하는 제니스, 강성희, 김상우 이 셋은 다 괜찮으세요?

엄인호 : 현재로서. 제니스 같은 경우는 약간 좀 4차원적인 사고를 갖고 있는데, 엉뚱한 부분. 그걸 어떻게 보면 순진한 것 같기도 하고 어떻게 보면 머리를 엄청나게 굴리는 애고… 제니스 1집(2021년, 제니스 [Sweet & Blue]) 녹음하는 중간에도 이걸 제작해야 해? 말아야 해? 이런 마음이 있었어요. 그런데 내가 다짐은 받아야 하니까, 그래서 그 얘기를 했죠. 미안하지만 이 앨범을 내고, 적어도 몇 년 동안은 내가 하자는 대로 해라. 그렇지 않으면 지금 너 생각하는 거 가만히 들어보니까, 넌 딴생각하고 있는 거 같은데….

박준흠 : 다른 어떤 생각이요?

엄인호 : 자기 밴드를 만들고 싶은 거야. 나하고 신촌블루스를 하면서도 걔가 홍대 쪽에 있는 다른 인디 밴드들, 재즈 한다는 사람들과 앨범을 냈어요. 그건 나한테 비밀로 하고. 그때 처음 괘씸했었지. 그런데 아무래도 내가 알게 되니까 나한테 CD를 보여주더라고. 들어보시라고. 들어봤는데 연주는 외국에서 공부한 사람들 같더라고. 퓨전 스타일이고. 그런데 다른 걸 다 제쳐놓고 가사가 좀 유치한 거야.

박준흠 : 가사를 누가 썼는데요?

엄인호 : 제니스하고 걔네들이 쓰고 그랬겠죠. 전화해서 술김에 독설하기도 했어요. 지금도 가끔 푸념으로 그렇게 얘기해요. 방송국 PD들하고 작가나 이렇게 인터뷰하는 거 보면, 선생님은 자기 곡을 인정 안해줘요. 이런 식으로.

박준흠 : 신촌블루스 보컬은 아니지만, 1991년에 김현식 추모 앨범 보면 양남기 씨가 〈어둠 그 별빛〉을 부르는데 김현식 씨하고 창법이 거의 비슷하거든요.

엄인호 : 같은 나이트클럽에서 일을 했어요. 그래서 양남기가 현식이한테 영향을 많이 받았죠. 나이는 양남기가 좀 더 많을 거예요. 한두

살? 친구처럼 지냈지. 김현식이가 나이 속였으니까. 그런데 양남기는 내가 그 나이트클럽에서 봤는데 현식이 레퍼토리를 거의 똑같이 하더라고. 키도 비슷하고. 양남기하고도 내가 몇 번 만난 적 있어요. 나한테 곡 좀 달라고 그랬던 기억이 나는데.

6) 조준형 등 참여한 기타리스트들

박준흠 : 조준형은 신촌블루스 4집에 참여를 한 후 선생님 솔로 3집 (1997년)까지 계속 참여를 합니다. [Rainbow Bridge]도 그렇고 같이 연주하는 후배 기타리스트들이 있습니다. 편곡할 때 어떤 빈자리를 메꾸기 위한 것인가요?

엄인호 : 빈자리가 아니고 그때부터 내가 노래를 해야 하잖아요. 노래를 부르려면 기티를 또 이렇게 중간에 오블리가토라는가 이런 걸 주는 섹션이 필요했어요. 그래서 김목경이나 이런 친구를 생각했는데… 조준형이가 그 당시에 굉장히 매력 있는 거로 봤어요. 연주를 잘했고 또 애가 성격도 좋고 나하고 같이 술도 많이 마시고. 조준형 기타를 내가 굉장히 좋아했어요. 뭐라 그럴까, 쌈박하다 그러죠? 아주 깨끗하고. 내가 무슨 얘기 하면 잘 받아들이고.

박준흠 : 이후 조준형 대신 다른 후배 기타리스트가 참여하더라도 계속 그 스타일의 연장선으로 느껴지는 부분도 있거든요.

엄인호 : 그렇겠죠. 왜냐면 나하고 다른 기타가 들어와야 하거든요. 완전히 다르다기보다는 뭔가 나하고 좀 다른 기타가 있어야 이게 또

대비되거든요. 내가 노래 부를 때 네가 어떤 식으로 오블리가토 기타를 쳐주라. 그리고 서로 솔로 파트도 주거니 받거니 하는 것도 재미있고요. 옛날에 무대에서 이정선 씨하고 그렇게 했고. 이번에는 이제 반대죠. 내가 가는데 후배가 또 치고 들어오는 거거든요. 이게 그림 상으로 굉장히 멋있다고 난 생각해요. 공연 같은 거 해보면 굉장히 성공했어요. 내가 볼 때 만족스럽게. 걔는 진짜 내가 신경 쓸 일이 없구나. 알아서 잘 치는 애니까. 요즘 같은 경우도 또 그래요. 애들은 어떻게 생각할지 모르지만, 조은주라는 여자가 괜찮아요.

박준흠 : 조은주 씨는 엄인호 40주년 음반(2020년, [Acoustic Live/엄인호 데뷔 40주년 기념콘서트])에 참여를 했는데 지금 조은주 씨가 그런 스타일로 치는 분인가요?

엄인호 : 아직 어린애고 이정선 씨 제자죠. 동덕여대 나왔으니까. 조은주는 내가 볼 때는 나름 잘해요. 조금 정리만 해주면 될 거 같아요. 걔가 있음으로써 내가 그래도 어느 정도 여유가 생기는 거고, 내가 나

이가 있어서 혼자서 다 하기에는 솔직히 좀 힘들어요. 단, 잔재주는 있는데 파워는 없다 이거죠. 그런데 자기만의 뚜렷한 개성, 이해, 가치 이런 걸 가지려면 앞으로 한 3, 4년 뒤 정도? 한편으로 내가 상상하는 게 신촌블루스 엄인호가 사라졌을 때 쟤가 리더가 될 수도 있겠다는 생각.

박준흠 : 선생님하고는 연주 스타일이 다를 거 아니에요?

엄인호 : 그렇죠. 하지만 아직 어린애이기 때문에 내가 어떤 식으로 키우느냐에 따라서 달라질 수 있는 거죠. 너는 이런 부분에서 굉장히 좋아. 그런데 쓸데없는 잔재주 같은 거 부리지 마라.

박준흠 : 남자고 여자고 간에 기타리스트로 오래 살아남으신 분들은 결국에는 대부분이 창작이 뛰어난 분들이거든요?

엄인호 : 그렇죠. 조은주도 곡을 써요. 그런데 아직 갈피를 못 잡는 거지. 그래서 내가 충분히 쟤를 만들 수 있겠다고 생각하는 거죠.

박준흠 : 2002년 [신촌Blues 엄인호 Anthology/엄인호&박보 Rainbow Bridge] 앨범에서 세션에 참여한 기타리스트 조응수가 〈

달빛아래 춤을>에서 선생님과 짧게 벌이는 기타 배틀은 매우 마음에 듭니다. 선생님과 다른 스타일의 기타가 조화를 잘 이룹니다. 평소에 후배 기타리스트들을 눈여겨보시나요?

엄인호 : 그런 편이죠. 그런데 버릇이 좀 안 좋은 얘들도 있었어요. 내 기타를 그냥 먹어버리는 거 있잖아요. 그리고 종적을 감춰버리는 사람들이 몇 명 있었어요. 그중에 한 명이 기타를 참 맛있게 치는데, 얘가 누구였냐면 송홍섭 쪽에 세션으로 있던 애인데 누가 얘를 소개해서 내가 한번 썼거든요. 기타를 잘 치더라고. 한동안 같이 친하게 지내고 공연하고 그러고 있었는데, 내가 오냐오냐해줬더니 상당히 건방을 많이 떨어. 그래서 한번은 내가 굉장히 심하게 야단쳤어요. 리허설하는데 내가 앉으라는 소리도 안 했는데 의자에 턱 앉아서 리허설 하고 그래서 내가 안 좋은 얘기를 했거든요. 박보도 있고 그런데 감히 어디서 네가 앉아서 리허설을 하느냐, 일어서라. 선배가 피곤하면 앉아서 하라고 얘기하기 전에는 그건 예의가 아니야. 걔가 굉장히 당황한 거지. 그 뒤로 한번 찾아와서 형님 저 통기타 녹음을 해야 하는데, 통기타가 하나 필요한데 빌려달라는 거지. 그때 내가 통기타가 몇 대가 있었어요. 마틴(Martin)하고 길드(Guild)하고 있었어요. 길드를 내가 좀 선호하는 편이거든요. 마틴은 좀 여성스럽다고, 길드하고 깁슨은 좀 남성스러워요. 그래서 길드를 빌려줬어요. 나중에 갖고 오겠지, 그

랬는데, 없어졌어요. 이놈을 아는 사람들이 별로 없더라고.

나중에 보니까 누구 장례식 때 우연히 만났어요. 그래서 너 기타 어 쨌냐고 했더니 형님, 제가 어려서… 팔았다는 거지. 그때 내가 속으 로 오죽하면 팔았겠냐… 너도 엄청나게 힘들었구나. 그런데 내가 알 기로는 그렇게 사라지는 사람들은 일본에 가면 있어요. 일본이 돈이 좀 생기니까 팁을 버는 거지. 내가 그런 걸 이해하려고… 그 당시도 지 금도 내가 그런 마음이 있어요. 애들한테 좀 잘해주고 싶고 그래요. 힘 든 거 내가 다 알고 있기도요. 그러니까 한편으로는 어떤 식으로 소문 이 났냐 하면, 인호 형한테 잘 보이면 기타 줘. 그렇게 얘기하는 놈들 이 나쁜 놈들이에요. 누구 소개로 우리 팀에 왔는데 기타가 너무 거지 같은 거야. 난 그 당시 기타가 많았으니까 너 내 음악 할 때는 그런 기 타 쓰지 마라. 그래서 내가 평소에 깁슨을 많이 쓰니까 대비되게 너한 테 펜더를 하나 빌려줄게. 그러면, 나가면서 안 주고 나가는 거야. 나 중에 보면 다 팔아먹고.

박준흠: 그건 안 좋은 버릇이 아니라 문제가 있는 거잖아요?

엄인호: 조은주 얘기하다가 이런 얘기까지 나오는데 조은주는 내가 한번 멋지게 키워볼 거예요. 보컬 애들이 견제하고 그러길래 그냥 놔

둬. 내가 너무 힘들어서 누군가 옆에 있어야 한다. 너 노래할 때 내가 리듬이 끊기면 안 되는 거 아니야? 내가 충실하게 리듬을 치고 가야 너도 노래하기 편하고. 그리고 조은주가 오블리가토 정도는 충분히 칠 수 있는 애다.

박준흠 : 조은주 씨가 솔로 연주도 잘하나요?

엄인호 : 내가 볼 때는 여자애치고는 잘해요. 그리고 얘는 블루스를 아는 애야. 블루스에도 관심도 많아서 손맛이 조금만 더 해주면 충분히 가능해. 그래서 엉뚱하게도 신촌블루스를 남자애가 물려받지 않고 여자애가 물려받을 수도 있다. 이거죠.

"2008년에 미국 블루스클럽에서 연주한 사건이 동기가 되었어요. 내가 술에 취한 데다가 굉장히 공격적으로 변해서 기타를 친 거예요. LA는 유일하게 거기가 유명한 블루스클럽이에요.

에라, 이왕 올라간 거 한 번 죽이자. 그런데 굉장히 반응이 좋았어요. 술도 알딸딸하게 취한 데다가 오기가 확 붙더라고. 그래서 정말 나도 모르게 막 흥분하면서 기타를 친 거지. 그런데 관객들이 막 난리가 난 거야. 동양 놈이 올라와서 기타를 멋지게 치니까, 톤도 좋고. 연주 끝나고, 주인이 흑인 할머닌데 우리 테이블로 와서 너 매력 있다, 너는 앞으로 여기 올 때 입장료 내지 마! 그러더라고요.

사실 '신촌블루스 이제 끝!' 하고 미국 갔던 거거든요. 진짜 한국에 안 올 생각을 했어요. 그런데 그때 내가 느낀 게 뭐냐 하면, 아, 내 매력을 이 사람들이 알아주는구나. 그때부터 다시 힘이 생기기 시작하더라고요. 그래서 다시 신촌블루스를 하게 된 거예요."

1) 엄인호 솔로 앨범

박준흠 : 1990년에 솔로 1집이 나오고, 1994년에 솔로 2집이 나왔는데, 솔로 앨범을 내실 때는 신촌블루스하고 음악적인 차이점이 어떻게 되나요?

엄인호 : 신촌블루스는 어떤 틀이라는 게 있잖아요. 솔로 앨범은 그 틀을 내가 완전히 다 벗어내고 내가 하고 싶은 대로 하는 거니까 장르의 구분도 없고. 그래도 어느 정도 내 색깔이니까. 〈달빛 아래 춤을〉 이런 것들은 약간 사이키델릭하고, 그런 거는 신촌블루스에서는 안 했잖아요. 이거를 부를 사람이 없는 거죠. 걔네들이 그런 곡을 모르니까. 그다음에 좀 더 진한 블루스.

　지금 우리 애들한테도 내가 얘기하는 게 뭐냐 하면, 내가 쓰는 곡을 블루스라고 의식하고 부르지 마라, 하면서 아, 이게 블루스구나, 그걸 느껴야 한다는 거죠. 강성희는 이제 내 말뜻을 알아들은 거예요. 나는 이제야 선생님이 주신 곡을 내가 부르면서 이게 블루스구나 하고 지금 서서히 느끼는 중이라고. 내가 블루지한 반주를 해놨기 때문에 어느 순간에 내 기타 솔로라는 거 들으면 이게 블루스구나, 느낄 수 있다. 나는 외국 블루스 하는 게 아니야, 내 블루스라는 거지.

강성희는 인터뷰할 때 그런 얘기를 하더라고. 자기는 아직도 블루스에 대해서 잘 모르는데 이제야 조금씩 선생님이 얘기하는 걸 알아듣겠다고. 애들에게 내가 어떤 식으로 얘기를 하냐면, 너 아레사 프랭클린(Aretha Franklin) 알지? 그거 좀 들어봐. 소울도 하지만 가만히 들어보면 블루스를 많이 한다, 이거지. 그런 거를 좀 들어라. 그래서 아레사 프랭클린의 어떤 곡을 들으면 내가 이 곡을 썼던 어떤 필을 느낄 수 있을 거다.

솔직히 얘기해서 경겅회도 그랬고 걔네들이 블루스를 뭘 알았겠냐고. 옛날에 내가 경화한테도 그런 얘기를 했어요. 네가 정서용과 다른 이유가 뭔데? 너는 네 노래에 굉장히 솔직한 게 있어. 앙칼지고 그런 목소리가 그게 매력이야. 그다음에 강허달림도 그런 것 때문에 나한테 야단 좀 맞았어요. 노래를 잘할 생각은 안 하고 왜 멋부터 부리려고 하냐고. 맨 처음에는 쟤가 노래를 곧잘 하는데 내가 좀 고쳐주면 되겠다고 생각했는데, 스스로 자기가 편한 쪽으로만 하려고 그러는 거야. 한마디로 얘기해서 모험을 안 하려고 그러는 거죠. 자기 스타일에서 내거나 이런 스타일을 받아들이려는 생각을 안 해요. 내 곡을 부르기는 하지만 왜 엄인호의 스타일을 자기가 따라가야 해? 자기 딴에는 어디 가서 노래 잘한다는 얘기를 듣는 사람인데? 하지만 나는 딱 들으면 알거든요. 너, 누구 흉내 내는구나.

박준흠 : 빌리 홀리데이(Billie Holiday) 느낌이죠.

엄인호 : 어디 내 앞에서 일부러 목소리 막 떨리면서 불쌍하게 부르고 그래. 내 곡은 그런 게 아니야.

박준흠 : 엄인호 2집(1994년)은 음악적인 콘셉트가 어떻게 되나요?

엄인호 : 엄인호 2집은 타이틀이 [Sweet & Blue Hours]이고, 콘셉트가 '스윗 앤 블루'에요. 처음에는 블루스하고 오케스트라를 한번 해보고 싶었어요. 비비 킹이나 이런 사람들이 가끔 오케스트라하고 하는 그런 것들이 있잖아요. 그래서 나도 그걸 해보고 싶었는데 블루스는 오케스트라가 안 돼. 그때 나는 몇 번 시도를 해봤는데 우리나라 현악은 블루스가 안 돼요. 그래서 그건 포기했고 A면은 약간 발라드풍으로 간 거고. B면은 표절이라고 얘기하려면 해라. 뭐냐 하면 내가 외국 블루스 좋아했던 레퍼토리를 참고로 해서 가사를 붙이고 연주를 한 거야. 내가 가사도 괜찮게 썼던 깃 같아요. 그때는 나도 어느 정노 내 특유의 블루스 스타일이

있었거든요. 그걸 한번 보여주고 싶다는 생각에… 제목은 다 생각이 안 나는데, 외국 블루스의 곡들을 내가 가져다 쓴 게, 가령 윌리 딕슨 (Willie Dixon) 곡을 내가 참고했어요. 그 대신 멜로디는 조금 변형해서 내가 쓴 한국말 가사를 붙이고.

박준흠: A면에 〈여자의 남자〉, 〈외로운 사람들〉 같은 노래들이 실린 거네요. 원래는 오케스트라 세션을 생각한 거고.

엄인호: 그런데 오케스트라 편곡은 내가 못 하겠고 정선 형한테 편곡을 부탁하는데, 또 이게 블루스는 아닐 것 같아. 그때 내가 블루스는 포기하고 약간 발라드풍으로… 그런데 B면 블루스 쪽은 나도 괜히 나중에 이상한 소리 들을까 봐, 사람들한테 뭐 얘기도 별로 안 했던 곡들이긴 한데, 나름대로 내가 굉장히 좋아하는 그 블루스 코드 진행으로… 여기에서 엄인호의 기타를 한번 보여줄게. 표절이라 그래도 좋아. 나는 분명히 밑에 내가 참고했다고 썼으니까.

박준흠: 맨 마지막 두 곡이 인상 깊었거든요. 〈유혹하지 말아요〉, 〈거리에서〉 두 곡이요.

엄인호: 〈거리에서〉는 내가 쓴 곡이니까 그걸 연주곡으로 한번 만들

어보고 싶었죠.

박준흠 : 〈거리에서〉는 저번에도 말씀드렸다시피 형님인 엄인환의 색소폰 연주가 뛰어났습니다. 〈유혹하지 말아요〉는 기타가 굉장히 잘 나왔고.

엄인호 : 그 당시에 김목경이나 한상원이 등이 앨범 막 내고 그랬을 때, 자기네들이 최고의 블루스다 해서, "그럼 내 블루스 한번 들어볼 래?" 그런 거죠. 약간 오기가 있는 거죠.

박준흠 : 신촌블루스 4집과 엄인호 2집은 선생님 디스코그래피에서 도 특이한 음반인데, 콘셉트가 엄인호 2집은 신촌블루스 4집하고 뭐 가 다른 거지? 하는 생각이 들었습니다.

엄인호 : 그런 거 해도 사람들한테 관심도 없었어요. 솔로 2집에서 〈 여자의 남자〉는 김한길이 쓴 가사에 곡을 붙였고, 드라마 주제가로 쓴 노래인데 내가 볼 때 그쪽에서 약간 애로가 있었던 것 같은데, 그러면 오기로. 처음 도입부는 멜로디가 약간 뽕(?)스럽지 않아요? 그러니까 굉장히 대중성 있게 쓴 곡이에요.

박준흠 : 두 분이 친하신가요?

엄인호 : 친구니까. 김한길이가 나한테 드라마 음악으로 쓸 거니까 주제곡을 좀 만들어 달라고 했어요. 자기가 책을 썼으니까. 그래서 드라마 음악이니까 내가 한 번 정말 대중적인 곡을 써야겠다고 생각했어요. 내가 지금 생각해도 굉장히 잘 만든 곡이에요.

박준흠 : 가장 잘 만들었다고 생각하시는 노래는 뭔가요?

엄인호 : 내가 볼 때는 〈그대 없는 거리〉가 진짜 나의 정서하고 딱 맞지 않았나. 굉장히 멜로디도 좋고, 일본이나 이런 데서도 그 곡이 일본 프로듀서들이 얘기할 때 가장 눈에 띄는 곡이다. 일본에서 누가 불러도 이건 진짜 멋있는 곡이라고 얘기했었어요.

2) 박보와 [Rainbow Bridge]

박준흠 : 일본 얘기가 나와서 2000년 [Rainbow Bridge] 얘기하려고 하는데, 재일 교포 박보 씨는 어떻게 만나신 건가요?

엄인호 : 그게 1990년대인데, 몇 년인지는 기억은 잘 안 나요. 일본에서 주최하는 아시아인의 축제 같은 건데, 도쿄에서 각 나라의 대표급 밴드들이 나와서 공연을 했어요. 그래서 갔는데 그때 일본 프로듀서나 이런 사람들이 나한테 제의를 했던 거고. 일본에서 활동할 때 블루스 연주하는 게 굉장히 독특하다, 그런 얘기도 들었고. 자기네들은 카피하는 일본 밴드들 음악만 들었는데 한국에서 신촌블루스라는 팀이 와서 하는데 독특하다. 그때 이정선 형도 같이 갔어요. 리셉션 같은 거 할 때 서로 얘기하잖아요. 통역이 계속 따라다니면서. 물론 재일 교포들도 있었지만. 〈골목길〉 같은 곡, 그리고 정경화가 〈그대 없는 거리〉 같은 곡도 부르고 그랬거든요. 그런데 일본 프로듀서들이 나한테 하는 얘기가, 자기네가 들었을 때 너무 좋다. 〈골목길〉은 완전히 눈에 띄고 〈그대 없는 거리〉, 〈마지막 블루스〉 너무 좋다고. 그다음에 엄인호 당신의 기타 치는 스타일이 일본 사람들하고는 완전히 다르다는 얘길 하더라고.

박준흠 : 미국이나 영국의 기타리스트하고도 다르니까 그렇게 들리겠죠.

엄인호 : 그래서 나한테 그런 제의가 들어왔던 거예요. 일본으로 와서 활동할 생각 없냐. 물론 정경화 노래도 한몫했지만.

박준흠 : 선생님이 생각하실 때, 신촌블루스의 블루스하고 일본 뮤지션들의 블루스 간에 차이점이 뭘까요?

엄인호 : 걔네는 거의 카피했다고 보면 돼요. 테크닉도 그렇고. 곡은 대부분 흔히 얘기해서 외국의 블루스를 그대로 따다가 그냥 일본말

가사를 붙여서 하는 거고. 기타 테크닉도 어떤 친구는 에릭 클랩튼, 어떤 친구는… 테크닉은 뛰어나지만, 외국곡을 그냥 카피하는 정도다. 여러 밴드의 음악을 들었거든요. 내가 일본으로 가볼까 하는 생각도 한때 했으니까. 그런데 뭐 그쪽하고 그런 얘기를 하다가 밴드도 해체되고 정경화도 없어지고, 그래서 여러 생각 하다가 그냥 그걸로 끝난 거예요. 한번은 또 일본에 가서 공연하게 되었는데 도쿄에 있는 야외 공연장이에요. 그런데 일본 밴드가 나오는데 레퍼토리가 한국의 창 같은 것, 민요를 하더라고. 그래서 연주하는 걸 봤어요. 통역하는 친구한테 저 밴드가 뭐냐 그랬더니 '도쿄비빔밥'이라고 그러더라고. 저기서 누가 한국 사람이 있냐? 그랬더니 노래하는 사람이 재일 교포라는 거예요.

박준흠 : 그게 박보 씨에요?

엄인호 : 네. 기타가 트윈 기타였던 거 같은데. 팀마다 방을 따로 줬는데, 내 대기실이 바로 옆방이더라고. 그래서 내가 통역을 데리고 갔죠. 박보라는 친구가 노래를 엄청나게 잘하는 거야. 〈왜 불러〉도 했어요. 그리고 민요 〈양산박〉, 〈밀양아리랑〉 이런 거 하고. 기타에서 한 명은 우리나라에서 활동했었어요, 하찌라고. 기타를 잘 치더라고요. 그런데 그 친구는 일본 사람이고. 아무튼 내가 그 내기실에 찾아갔는

데 이 친구도 나를 관심 있게 본 거야. 한국 밴드인데 팀 이름에 블루스가 쓰여 있고, 여자 가수가 노래를 부르는데 그때 정경화예요. 이 친구가 나를 유심히 봤나 봐. 당신 기타 매력 있다고. 그래서 이제 친해진 거야. 언젠가 자기네들이 한국에 갈 때 나랑 좀 만나고 싶다고 그러더라고. 자기가 한국에서 꼭 공연을 같이하고 싶다고 그러더라고요.

1990년대 초인 것 같은데, 그때만 해도 우리나라에서는 일본 말로 노래하면 안 될 때야. 그래서 자기가 몇 번 시도했는데, 일본 말로 노래는 안 된다고 그래서 한 번도 제대로 된 공연을 못 했대요. 내가 그러냐 그럼 내가 좀 알아볼게. 그러면 너하고 나하고 같이 조인트 공연 한번 할래? 그래서 한국에서 같이 한 거였어. 내가 김한길한테 물어봤죠. 문화부 장관 했었잖아. 이런 게 있는데 내가 알기로는 법적으로는 근거가 없다. 일본 말로 노래한다고 공연을 못 하게 하는 거는 근거가 없다. 어떻게 생각하냐? 그랬더니, 자기가 좀 알아보겠다고, 그러더니 연락이 왔는데 법적으로 그건 없다 이거죠. 그러나 국민 정서상 허가를 안 내준다. 나라에서 운영하는 큰 공연장에서는 못한다 이거죠. 그래서 나는 소극장이야, 그래서 어떻게 생각해? 그랬더니, 김한길이가 연결을 시켜준 거예요. 그래서 나보고 누굴 찾아가라 그랬는데 보니까 그게 노무현 씨야. 광화문에 있는 노무현 사무실 거기 가보라고, 노무현 씨가 도와줄 거라고 그러더라고.

박준흠 : 흥미로운 얘기네요.

엄인호 : 전화하라고 해서 했더니 노무현 씨가 아, 내가 좀 다른 일이 있어서 먼저 가야 하니까 제 보좌관들하고 얘기하십시오. 도움을 드릴 겁니다. 그러더라고. 자기가 어느 정도 얘기를 들었대요. 지금 가만히 생각해보니까 보좌관이 누구였냐면 안희정이었고, 또 하나가 누구더라 이광재인가?

박준흠 : 그런 인연이 있으셨네요.

엄인호 : 그래서 가서 얘기했죠. 그랬더니 아, 그럼 선생님 걱정하지 마십시오, 자기네가 문화관광부에다 연락하겠대. 며칠 뒤에 연락이 왔는데 문화관광부에서도 관심을 가졌던 거예요. 일단은 소극장이니까 큰 문제는 없다. 다만 굳이 얘기한다면 일본 노래를 최대한 좀 줄여줬으면 좋겠다. 한국 노래를 일본 말로 번역해서 일본 말로 하는 것도 좋다. 그래서 내가 레퍼토리를 〈왜 불러〉하고 민요를 몇 개 써서 보냈어요. 그리고 〈아버지〉라는 곡을. 박보가 〈아버지〉라는 곡은 자기가 한국말로도 부를 수 있고 2절을 일본 말로 부르고 한다고.

네기 뭐라고 얘기했냐면 〈왜 불러〉 1절은 한국발이고 2절은 일본어

541

로 부른다. 왜냐? 일본 팬들도 많이 온다 이거죠. 한국에 있는 재일 교포들도 있지만, 일본에서도 여러 명이 왔었거든요. 일본 기자가 취재하러 왔으니까. 자기네들이 볼 땐 공식적으로 이런 공연을 하는 건 최초거든요. 완전히 일본 말로 노래 부른 거는 이 친구가 처음이라고 그러더라고요. 그래서 요미우리나 뭐 이런 기자들이 몇 명 온 거야. 문화관광부에서도 초대권을 좀 달라고 그러더라고. 그래서 공연을 이틀인가 할 땐데 내가 초대권을 좀 줬어요. 그랬더니 문화관광부 직원들이 쭉 온 거지. 거기다 국회의원 김홍신 씨나 최희준 씨도 왔었나….

내가 그랬거든요. 일본말로 공부한 사람이 한국말로 무슨 뜻인지도 모르고 적어준 대로 노래 부르는 게 말이 되냐. 중간에 잠깐 쉬는 시간에 내가 들어가서 그런 얘기를 했어요. 그냥 내가 책임질게. 일본 말로 다 해. 여기 국회의원들도 두 명, 세 명 와 있고 문화관광부에 직원들이 왕창 와 있는데. 물론 술 먹고 객기 부린 거지.

그랬더니 박보, 이 친구가 기분이 좋아진 거지. 이거 엄인호가 파워가 세긴 세구나. 국회의원까지 구경하러 올 정도니까, 자기네가 생각할 때 엄인호라는 사람이 대단한 사람이구나. 그런데 진짜 나가서 몇 곡 빼놓고 다 일본 말로 노래하는 거야. 그런데 문화관광부 직원들이 앉아서 다 손뼉 치거든. 얘가 영어를 잘하니까 영어로 일어나라고 그러니까 다 일어나 가지고 같이 막 난리 치고 그러니까, 이 친구는 굉장히 기분이 좋았던 거지.

그런데 공연 끝나고 나서 무슨 지방신문 기자인데 나한테 약간 협박비슷하게 하더라고. 자기가 다 녹음을 했다는 둥 뭐 어쩌고. 그래서 어쩔 건데, 뭐 나 어떡하겠다고? 해봐. 여기 문화관광부 직원들 다 와 있어 그랬더니, 놈이 꼬랑지 탁 내리고 가더라고.

박준흠 : 그 인연으로 같이 [Rainbow Bridge]를 만드신 거예요?

엄인호 : 이렇게 된 김에 아예 둘이 같이 앨범을 만들자. 너 하고 싶은 대로 해라, 나도 내가 하고 싶은 대로 해서 반반씩 나눠서 하자. 그리고 세션은 내가 할 수 있으면 내가, 네가 나를 시켜주면 내가 너희 세션에 들어가고. 너네도 내 쪽으로 오고. 그런데 그렇게 하기에는 너무 시간이 없었어.

박준흠 : [Rainbow Bridge]가 선생님이 제작자였던 건가요?

엄인호 : 예. 내가 제작하느라고 돈 엄청나게 깨졌죠.

박준흠 : 세션도 엄청나게 많이 참여했는데.

엄인호 : 박보 불러서 서울에서 공연까지 하고 호텔비에… 그러니까 그 당시에 완전히 거덜 났죠.

3) 2008년 미국 블루스 클럽에서의 연주

박준흠 : 2002년에 [신촌Blues 엄인호 Anthology/엄인호&박보 Rainbow Bridge] 가 나오고, 그다음에 2010년에 엄인호, 최이철, 주찬권의 [Super Session]이 나옵니다. 그리고 2006년에는 심지어 신촌블루스를 해체한다는 얘기를 언론에서 하셨고. 2002년부터 2010년 사이에 어떤 일이 있으셨던 겁니까? 음반은 안 나오는데, 공연 정도만 하신 거였나요?

엄인호 : 공연도 많이 하지 않았어요. 그리고 여차하면 미국으로 가겠다는 생각을 했어요. 여기가 너무 싫어서 미국에서 기회를 본 거지. 2008년에 미국에 정착해야겠다는 생각을 했었죠. 한국에 다시 들어왔지만. 그전에는 한번 미국 가면 3개월에서 어떤 때는 더 오랫동안 있다가 왔죠.

박준흠 : 2008년에 미국을 자주 가셨다고요?

엄인호 : 예. 한동안 미국을 안 갔는데, 한국에서 있기가 싫고 그래서 미국 가서 한번 자리를 잡아 볼까 하는 생각을 했어요. 선배들이 있고 친구들도 많으니까.

박준흠 : 뮤지션으로서요?

엄인호 : 클럽 차리고, 거기서 외국 사람들하고 같이 내가 직접 공연하고… 선배가 환영했으니까. 그게 누구냐 하면 부산에 있을 때 마지막으로 있었던 카페 사장이에요.

박준흠 : 아, '작은새' 사장님.

엄인호 : 니보고 미국으로 들어오라고 하면서 내 이견두 물어보고 그랬는데, 내가 이렇게 저렇게 망설이다가 결국은 같이하기로 결론을 낸 거죠. 그런데 1년 만에 우리 와이프가 나보고 들어오라고 했지. 우리 애가 결혼을 하니까. 그렇게 들어왔는데 미국에 모기지론 사태가 터진 거지. 클럽을 안 차린 게 다행이었죠. 차렸으면 박살 났을 수도 있잖아요. 그때 건물 알아보러 다니고 그랬었어요.

박준흠 : 미국 어디였어요?

엄인호 : LA죠. 이 형하고 LA에 있는 블루스클럽 이런 데 돌아다니고. 또 내 생일날에 이 선배가 마스터한테 슬쩍 돈 몇 푼 주고 나를 좀 시험해 보기도 했어요. 일종의 테스트 같은. 무대에서 진짜 얘가 어느 정도

연주하는가를 보고 싶었을 수도 있어요. 무대에서 나를 불러내더라고. 관객이 다 백인들이었거든요. 그래서 짧은 영어로 O.K! 하고 술김에 올라가긴 올라갔어요. 미국에 있을 때 옛날 여자 친구도 있었으니까. 하여튼 LA에서 유명한 블루스 클럽이에요. 관객은 다 관광객들, 백인들만 있고 밴드 말고는 흑인이 하나도 없었어요. 그래서 올라가서 연주했죠.

박준흠 : 어떤 노래를 하셨는지 기억나세요?

엄인호 : 다 블루스 연주에요. 난 키만 알려주면 치니까. 거기서 원래 기타가 일본 친구인데 동양인은 그 친구 딱 한 명이었어요. 그 친구도 내가 일본 사람인 줄 알았대요. 하고 다니는 게 한국 스타일하고 다르니까. 그 친구가 항상 기타를 두 개 놓고 다니더라고. 나한테 자기 기타를 하나 빌려줬어요. 거기에 또 스페어 앰프가 따로 있었어요. 그렇게 에라 모르겠다 하고 술김에 올라가서 했는데, 주인인 흑인 할머닌가 우리 테이블로 와서 너 매력 있다, 너는 앞으로

여기 올 때 입장료 내지 마! 그러더라고요. 그리고 하몬드 오르간 치는 사람이 마스터인데, 그 사람이 자기 비디오를 보여주길래 봤더니 어디서 많이 보던 사람들이에요. 비비 킹하고 알버트 킹. 그들이 LA에 오면 이 사람이 하몬드 오르간으로 세션을 하는 거지. 그 사람도 나에 대해서 좋게 얘기를 한 거예요.

우리 선배가 물어보니까 저 일본 친구는 여기서 공부해서 그런지 몰라도 굉장히 미국적으로 기타를 친다. 그런데 저 친구, 그러니까 나는 스타일이 굉장히 독특하다. 어떻게 보면 칭찬이겠지. 전혀 미국 스타일이 아닌데 자기가 볼 때는 둘이 멋있게 어울리거든. 일본 애는 미국에서 공부하고 있더라고요. 내가 걔한테 궁금해서 물어봤어요. 어디서 공부했냐? 그랬더니 미국에서 공부했대. 그럼 왜 일본 가서 안 하고 여기서 하냐? 그랬더니 자기는 여기서 경력을 쌓고 싶다는 거야. 일본에는 지금 자기 상태로 가봐야 아무것도 아니다. 블루스를 못 한다는 거지. 그러니까 자기는 여기서 블루스를 하고 싶다는 거지. 그래서 속으로 한국 사람들하고 다른 점이, 틀림없이 이거구나.

미국에서는 무명 기타리스트가 치는데도 블루스 특유의 그 기타 치는 맛이 있거든요. 그다음에 코드 워킹. 우리나라는 잘하는 사람은 내가 알기로는 현재로선 없어요. 진짜 그 흑인들 특유의 블루스 코드 워킹이 없다니까. 그걸 백인이 할 줄 아는 게 누구냐면 올맨 브라더스가 그걸 했어요. 듀언 올맨이나 이런 사람들이요. 〈Stormy Monday〉 같은 거 들어보면 그게 코드 워킹이거든요. 블루스 코드 워킹. 그냥 내가 가끔 시도하고 그러는데 별로 그렇게 할 만한 곡이 없지.

박준흠 : 외국 블루스 스타일의 기타는 잘 치는데 정작 자기 창작곡을 만들 때는 일반 가요 비슷하게 만드는 분들은 왜 그런 건가요?

엄인호 : 얘들이 곡 쓰는 걸 들어보면, 외국곡 연주나 이런 거 카피는 잘할지 몰라도 창작력은 없다고 봐야 해요. 그러니까 그런 연습을 안 한 거지. 작곡에 대한 나름대로 생각을 좀 하고 곡을 쓸 생각을 안 하고, 한국어 작사를 한 것조차도 미숙한 거야. 내가 볼 때는 우리나라 사람 중에 엄청나게 잘 치는 연주자들이 있어요. 내가 하고 싶은 얘기는 한국적인 블루스를 해라. 꼭 블루스라는 장르에 얽매이지 말고 뭔가 새로운, 그렇지만 바탕에 깔린 건 블루스다. 록도 결국 바닥은 블루스 아니냐.

박준흠 : 2008년 무렵에 미국 클럽에서 연주하실 때 예전 여자 친구가 있었다고 하셨는데, 예전에 신촌에서 만나신 분인가요?

엄인호 : 그중에 한 명인데… 그 친구가 미국 이민을 가기 전에 나하고 잠깐 같이 있었어요. 그 친구가 나를 좋아해서 미국 가기를 싫어했거든요. 집은 진작에 이민을 갔는데. 나하고 헤어지기 싫어서 뭐 좀 난리가 났었죠. 그쪽 집안에서 그 언니들이 나를 얼마나 미워했겠어요.

4) 엄인호, 최이철, 주찬권의 프로젝트 [Super Session]

박준흠 : 2010년에 최이철, 주찬권 씨와 [Super Session] 앨범을 만들었습니다. 2000년대 초에는 최이철 씨가 같이 무대에서 공연하기 어려운 부류의 기타리스트다, 그렇게 얘기를 하셨거든요. 그런데 결국에는 [Super Session] 앨범을 같이 만드셨는데.

엄인호 : 내가 최이철에게 다가간 것 같아요. 뭔가 좀 변화하고 싶었는데 어떤 후배 기획자가 나타나서 세 명이 같이 해보자는 얘기를 했어요. 그 기획자가 최이철하고 나하고 같이 연주하는 걸 본 거예요. 그런데 완전히 둘이 대비되는 기타거든요. 원래 세 명이면 더 좋았을 텐데 같이 어울릴 만한 기타가 없었어요. 그 당시에는 최이철하고 나하고 같이 공연을 많이 했어요. 나 혼자 가서 같이 하는 거지. 그게 경비를 아끼는 거니까. 그런데 그 기획자 친구가 그걸 보고 제의를 한 거지. 나는 그냥 편하게 생각했고 최이철도 편하게 생각했겠죠. 그런데 녹음하면서 서로가 극복을 못 한 거지.

박준흠 : 극복 못 했다는 의미는요?

엄인호 : 같이 합쳐지지를 못하는 거에요. 나는 괜찮았는데, 나는 그

551

렇지 않다고 생각했는데 최이철이 자기 스타일에 대해서 엄청나게 고집하는 거지. 가령 블루스든 이런 거 한번 해보고 싶어도 자기 스타일만 너무 고집하는 거야. 그때부터 나도 이제 성의가 없는 거예요. 어차피 돈은 받아 썼고, 좀 심한 얘기로 이걸 어떻게 해야지? 그래서 네 마음대로 해, 나는 내 할 일 다 하고 끝낼게, 이런 식이 된 거예요. 솔직히 얘기해서 실망스러운 앨범이지. 그 앨범은 그다음부터 난 들은 적이 없어요. 왜 이런 앨범을 냈지? 굉장히 실망스러워요. 내가 생각할 때도 같이 녹음하면서 얘가 나한테 너무 성의를 안 보인다는 생각을 한거예요. 그래서 한편으로는 얘가 나를 어떤 라이벌로 생각해서 너무 의식하는 것 같은 생각이 들더라고. 거기다 와이프까지 합세 되니까 나를 너무 스트레스받게 하더라고.

박준흠 : 부인이 합세하다니요?

엄인호 : 최이철 와이프가 자꾸 옆에서 같이 얘기하는 거 있잖아요. 나는 최이철하고 단둘이 얘기하고 싶은데 와이프가 또 옆에 붙어서. 마치 대리인처럼, 무슨 매니저도 아니고… 나로서는 이거 뭐 이런 식으로 가고 있나 싶더라고. 남자들끼리 얘기를 하고 싶은데, 음악적으로도 그 와이프가 옆에 끼어서 자꾸 사람 피곤하게 만드는 거예요. 방향을 이렇게 생각하지 않으세요? 엄인호 씨? 이러고… 내가 도대체 누구랑 음악 하는 건지. 공연할 때도 레퍼토리를 정해놓으면 와이프가 와서, 아 이 곡은 말이죠, 좀 안 했으면 좋겠어요. 어 그래? 오케이. 그럼, 이제 무대에 올라가자. 그래 네 말을 내가 듣자. 그래서 무대에 올라갔더니 그 와이프가 레퍼토리를 다 정하고 순서도 좀….

 이런 사건도 있었어요. 무대에 올라갔어요. 셋이 한다고 하니까, 신촌블루스 팬들도 왔고 들국화 팬들도 왔고 최이철 팬들도 왔을 거 아니에요. 그래서 나는 내 곡을 할 때는 최이철을 꼈어요. 기타 솔로도 서로 주거니 받거니 이런 식으로 했는데, 자기 올드팬들을 위해서 자기의 오리지널 레퍼토리를 할 거 아니에요. 〈어머님의 자장가〉나 〈겨울 바다〉 이런 거 하는데 아니 세상에, 옆에 나를 세워놓고 솔로를 한 번도 안 주는 거야. 그러니까 나는 무대에서 Em, A7 코드 두 개. 솔직히 그거 가장 편한 애드리브이거든요. 세상에 자기 혼자 애드리브를 하는데, 7, 8분을 혼자서 솔로를 하는 거예요. 그러면 내가 옆에서 리

553

듬 치는 사람이 아니잖아요. 나도 우리 팬들이 보고 있는데.

그래서 내가 화가 나서 어떻게 솔로를 한 번도 안 주냐. 좋다, 내가 〈한동안 뜸했었지〉 이런 거는 그냥 틀에 박힌 애드리브니까 그거는 내가 리듬 쳐주는 것까지 오케이. 그런데 〈어머님의 자장가〉라든가 〈겨울 바다〉 이거는 솔로 할 때 코드 하나 두 개 가지고 쭉 흘러가는 거예요. 그러면 서로 주거니 받거니 보기도 좋잖아. 그리고 내가 무대에 서 있는 의미도 있고. 그런데 뭐 7, 8분 동안 자기 혼자 애드리브하고 나한테는 주지 않는 거예요. 그래서 내가 하도 화가 나서 연주 중간에 기타를 내려놓고 그냥 나와버렸어요.

박준흠 : 콘서트 중간에요?

엄인호 : 예, 그랬다니까. 내가 얼마나 화가 났으면.

박준흠 : 원래 콘서트 하기 전에 서로 그런 거 정해놓고 무대에 올라가는 거 아닌가요?

엄인호 : 당연한 거예요. 내가 저한테 솔로를 주듯이. 지도 리허설 할 때는 그렇게까지 안 하니까. 내가 같이 무대에 있으면 나한테 솔로를

쥐야 하는 게 당연한 거거든요. 그런데 안 주는 거야. 그럼 내가 무대에 있을 이유가 없는 거 아니야. 그래서 기타 내려놓고 그냥 나와버렸지. 내 팬들이 봤을 때는 당연하지. 엄인호 씨는 저 성질에 당연한 거다. 말이 안 되는 거지. 무슨 둘이 친구라면서 완전히 나를 하수로 보고 있는 거 아니냐.

박준흠 : 공연 끝나고 물어보셨어요? 왜 그랬냐고요?

엄인호 : 아니, 물어볼 필요 있어요? 그걸 당연지사라고 생각하는데. 나중에 술 마시다 보면 팬들이 찾아오잖아요. 아까 화나셨죠? 그래요. 당연히 화나지. 그래서 자기네는 내가 언제 나가나, 본래 선생님 성질도 대단한 사람인데 저거를 참고 있어? 아닌 게 아니라 내가 기타 탁, 내려놓더니 휙 나가더라, 이거지. 그런 팀이 되겠냐, 이거예요. 그래도 공연 몇 번 더 하다가 그다음부터는 내가 안 한다고 그랬어요. 그냥 사랑과 평화가 진행하라고, 나는 나 혼자 할게. 주찬권한테도 내가 그랬고.

5) 다시 젊어진 기타 연주

박준흠 : 전체적으로 보면, 2014년 신촌블루스 6집 [신촌Blues Revival]부터 선생님 연주가 공격적으로 변하셨잖아요. 그리고 놀랐던 거는, 2016년 [신촌블루스 30th Anniversary Album]에서 선생님 연주가 매우 젊어지셨거든요. 〈너의 맘속에 잊혀진 나는〉 같은 곡은 기타 솔로도 두 가지 스타일로 치시고. 이전에는 그런 스타일로 안 치셨던 거 같은데.

엄인호 : 그게 뭐냐 하면, 그전에는 거의 기타 이펙터를 안 썼어요. 물론 가끔 와와도 쓰고 그랬는데, 오버드라이브나 이런 거를 거의 안 썼거든요. 기타 톤을 약간 찌그러뜨린 경우는 있었어도 이펙터라는 걸 별로 쓰지는 않았다고요. 그런데 [신촌Blues Revival]은 연습실에서 녹음한 건데, 그때부터 내가 약간 퍼지한 오버드라이브를 쓴 거예요. 그리고 기타도 좀 공격적으로 변하고. 거기서 달라지기 시작하는 거요.

박준흠 : 이유가 있으신가요?

엄인호 : 아까 얘기한 2008년에 미국 블루스클럽에서 연주한 사건이 동기가 되었어요. 내가 술에 취한 데다가 굉장히 공격적으로 변해서

기타를 친 거예요. LA는 유일하게 거기가 유명한 블루스 클럽이에요. 관광객들도 오는데, 에라 이왕 올라간 거, 한번 죽이자. 그런데 굉장히 반응이 좋았어요. 술에 알딸딸하게 취한 데다가 오기가 확 붙더라고. 그래서 정말 나도 모르게 막 흥분하면서 기타를 친 거지. 그런데 관객들이 막 난리가 난 거야. 내가 요즘 사람들 쓰는 앰프 말고 옛날 빈티지 앰프는 내가 잘 만져요. 소리 잘 잡거든. 그렇게 딱 치니까 관객들이 깜짝 놀라는 거지. 동양 놈이 올라와서 기타를 자기네들이 볼 때 멋지게 치니까, 톤도 좋고. 내 기타가 아닌데도 그렇게 멋있는 소리를 냈어요. 얘는 굉장히 동양적인 스타일이면서도 상당히 록킹하고 하여튼 묘한 매력이 있는 기타라고 그러더래요.

박준흠 : 선생님 기타 톤이나 연주 스타일은 독보적인 부분이 있으시잖아요.

엄인호 : 그런데 그걸 미국에서만 들은 게 아니라 일본에서도 그런 얘기를 들었어요. 거기 블루스 하는 사람들 보면 다 미국 거 흉내 내거든. 우리나라도 마찬가지지만. 스티브 레이 본(Stevie Ray Vaughan), 에릭 클랩튼 흉내 내는 거지 뭐 따지고 보면.

　그런데 일설에 의하면, 인터넷에 댓글 달리는 거 보면 순 엉터리 기타다, 뭐 나한테 그러지만, 그거는 걔네들 얘기고. 일본이나 이런 데 가서 내가 연주하잖아요? 그러면 걔네들이 들을 때는 와, 이거는 진짜 우리 일본 사람들이 가진 기타가 아니디, 이런 얘기를 히죠. 일본에시 블루스 밴드들이 연주하는 걸 자주 봤는데 정말 실력은 좋아요. 그런데 너무 미국 거 카피야. 또 걔네들은 카피 죽이잖아요. 레드 제플린도 그대로 카피 치는 애들이니까.

　그런데 미국에서 그분들이 나한테 얘기해준 게 대단히 큰 도움이 됐던 거야. 사실 "신촌블루스 이제 끝!" 하고 미국 갔던 거거든요. 진짜 한국에 안 올 생각을 했어요. 그런데 그때 내가 느낀 게 뭐냐 하면, 아, 이쪽에서 나를 어느 정도 인정까지는 아니더라도 내 매력을 이 사람들이 알아주는구나. 이제 보니까 나도 가진 매력이 있었네? 그때부터 다시 힘이 생기기 시작하더라고요. 다시 한번 해보자. 그래서 다시 신촌블루스를 하게 된 거예요.

박준흠 : 그래서 '리바이벌'하신 거네요?(웃음)

엄인호 : 예, '리바이벌' 타이틀을 굳이 붙일 일은 없는 건데, 연습실에서 연습하면서 뭔가… 그래서 〈골목길〉도 블루스로 바꿨고요. 굉장히 기타가 거칠잖아요. 그 전의 엄인호의 기타보다는 훨씬 거칠더라고요. 그 연장선이 그 블루스클럽에서 연주했던 〈루씰〉.

6) 2021년
[Return of the Legends Vol.5 신촌블루스]

박준흠 : 작년에 했던 '리턴 오브 더 레전드'(Return of the legends)는 조금 다른 스타일로 레퍼토리를 연주하셨던데요?

엄인호 : 왜냐면 스튜디오인데 그날 너무너무 답답했던 거예요. 드럼은 저쪽에 있고, 나는 이쪽에 따로 있었으니까 엄청나게 힘든 거지 스트레스받고. 그리고 그 몇 시간 안에 열 곡인기를 녹음하니까 왼진히 스트레스받더라고요.

박준흠 : 10곡 하는 데 얼마나 걸리셨나요?

엄인호 : 한 대여섯 시간? 그러니까 이거 뭐 다시 하고 싶어도 다시 못 하겠더라고. 뒤에 스케줄이 있어서. 그래서 엄청나게 화가 났죠. 거기다 잠도 못 자고, 전날 술을 너무 많이 마셔서. 전날 작가가 나하고 인터뷰하자고 그랬는데, 이 친구가 또 술꾼이야.

박준흠 : 전날 술을 드신 경우와 안 드신 경우, 연주가 차이가 있나요?

엄인호 : 안 먹으면 일단 피곤하지는 않잖아요. 전날 술 마시면 피곤하니까 연주하려면 결국은 술을 또 마실 수밖에 없어요.

박준흠 : 피곤해서 술을 드신다고요?

엄인호 : 네, 피곤하니까 술기운이라도 해야 하고. 옛날 밤업소 일할 때 습관이 지금까지 남은 후유증이지. 밤업소 일할 때는 하기 싫은 거 억지로 해야 하고 그러니까 술을 마시기 시작했거든요. 그래서 지금도 마찬가지예요. 무대에 올라갈 때 술 하나도 안 마시면 그때는 가슴이 답답해서.

박준흠 : 전날 술 드시면 그다음 날 피곤해서 공연하기 전에 술 드시고

공연하시는데, 전날 안 드셨을 때는요?

엄인호 : 그때도 또 마시죠. 너무 재미없으니까.

박준흠 : 그럼 항상 마신다는 거네요?(웃음)

엄인호 : 그렇죠. 조금은 마시지.

박준흠 : 이느 정도 드시고 무대에 올라가시나요?

엄인호 : 소주 한 병 정도.

박준흠 : 공연하기 한두 시간 전에 마시나요?

엄인호 : 한 시간 전이든 뭐 상관없어요. 나는 무대에 올라가기 전에도 조금 더 마시니까. 그리고 중간에.

박준흠 : 중간에도 드신다고요?

엄인호 : 대신 맥주 정도. 클럽이 제일 위험한 게 손님들이 술을 갖다

주잖아요. 특히 양주가 제일 위험한 거지. 무대에서 홀짝 마시고 놔둘 수는 없으니까 그냥 스트레이트로 확 마셔버리거든요.

박준흠 : 작년에 [Return of the Legends Vol.5 신촌블루스] 연주하기 전에도 드시고 하신 건가요?

엄인호 : 아마 거기서 술을 구하기가 힘들어서 누가 가서 맥주를 사 왔던 것 같아요. 캔으로 한 서너 캔? 그렇지 않으면 힘들어서 못 해요. 막 식은땀 나고 스트레스받고 그러니까. 이제 술을 마셨던 버릇 때문에 안 마시면 가슴이 답답해서 연주를 못 하겠어요. 그런데 알코올 중독이라고는 생각하지 않아요.

박준흠 : 스튜디오에서 녹음하기 전에는 어떤 준비를 하세요?

엄인호 : 녹음하러 갈 때는 아무 생각 없이 가요. 일단 기본 반주를 해놨잖아요. 그런데 그걸 자꾸 들으면 머릿속이 막 혼란스러워서 잠도 못 자고, 꿈속에 막 나타나니까. 그러니까 녹음실 갈 때까지 아무 생각 안 하고 가는 거죠.

박준흠 : 그러면 녹음실 가서 현장에서 듣고 그냥 바로 하시는 건가요?

엄인호 : 그렇죠, 애드리브로.

박준흠 : 그게 편하세요?

엄인호 : 네, 나는 그게 편해요. 미리 연습하자고 그러면 이게 더 스트레스받는 거예요. 어느 때부턴가 그냥 현장에 가서 딱 듣고 바로바로 하는 스타일이 되었어요.

박준흠 : 다른 사람 음반 세션도 그렇게 하세요?

엄인호 : 거의 그랬던 거 같아요. 최근에 세션은 거의 해본 적도 없지만. 며칠 전에 후배 거 세 곡을 하는데도 그날도 마찬가지였어요. 그냥 반주 녹음해놓고 아무 생각 없이 가는 거지. 그런데 그 전날에 또 술을 너무 많이 마셔서 머리가 막 너무 아파서 두 곡까지 치다가, 아이 그냥 다음에 할 게 그러고 그냥 와버렸죠.

박준흠 : [Return of the Legends Vol.5 신촌블루스]에서 맨 마지막 곡이 〈비의 블루스〉였는데, 그 곡은 강성희 씨가 부르는 게 가장 마음에 듭니다.

신촌블루스
비의 블루스
RETURN OF THE LEGENDS

엄인호 : 나도 그렇게 생각해요. 맨 처음에 얘가 겁을 좀 내더라고. 정경화 선배가 불렀던 거 자기가 들어봤는데, 너무 노래를 잘해서 자기가 겁이 난다. 〈그대 없는 거리〉도 한영애 선배가 부른 거 들어봤더니, 자신 없다고 그러더라고요. 그래서 해 봐, 내 곡이야. 그러면서 배우는 거다. 단, 카피는 하지 말고. 왜 한영애의 〈그대 없는 거리〉를 사람들이 좋다고 그러는지를 느껴보라 이거지. 그래서 네 것으로 만들어. 네 스타일은 다르니까 음색도 다르고. 〈마지막 블루스〉, 〈비의 블루스〉를 정경화가 부르고 그랬지만 네 목소리로 다시 한번 만들어 봐. 어쩔 수 없이 신촌블루스에 있으려면 앞에 했던 곡들을 불러야 하기에 그거는 피할 수가 없다. 그 대신 내가 볼 때는 넌 너 나름대로 특유의 뭔가, 또 다른 느낌을 내가 받는다 이거지.

신촌 블루스 그대 없는 거리 강성희

박준흠 : 강성희 씨가 불렀던 〈비의 블루스〉는 그냥 솔직하게 부른다는 느낌이 들었어요.

엄인호 : 그래서 자기도 그 노래를 좋아하더라고요. 부르면서 자기가 이제 느낀대요. 아, 선생님이 왜 이런 곡을 나한테 부르라고 그러는지. 자기가 점점 몰입하기 시작하더라고. 자기 스스로 얘기를 해요. 나는 전에 이전 가수를 의식하지 말고, 제목이 블루스라고 쓰여 있지만 블루스를 의식하지 마. 너는 지금 가요를 하는 거야. 독특한 가요. 김상우도 마찬가지예요. 김현식 선배가 불렀던 스타일로 부르면 자기는 굉장히 힘들데요. 괜찮아, 네 나름대로 만들어 봐. 자꾸 현식이 거를 참고해서 부르려고 그러지 마라. 너하고는 완전히 다른 사람이야. 그러니까 네 나름대로 만들어. 그게 가수가 되는 길이다.

박준흠 : 2016년 신촌블루스 30주년 앨범 [신촌블루스 30th Anniversary Album]에서 김상우 씨가 김형철의 〈니노에서〉를 불렀잖아요. 굉장히 마음에 듭니다.

엄인호 : 내가 〈니노에서〉를 골라서 주면서, 물론 김형철이가 쓴 곡이지만, 내가 볼 때 진짜 이 곡은 너무 아까운 곡이다. 형철이 곡 중에서 제일 곡답게 쓴 곡이고 이거는 그냥 묻히기에는 너무 아까운 곡이다. 굉장히 무드도 좋은 곡인데, 상우를 시켰더니 이놈이 맨 처음에는 굉장히 겁을 내더라고요. 제가 이거 할 수 있을까요? 그래서 아까도 얘기했지만, 너의 스타일로 만들어. 넌 뭐를 해도 지금은 임재범하고 음색이 비교돼. 자기도 느끼고 있더라고, 임재범 아류라는 얘기를.

박준흠 : 사실 후에 김상우 씨가 라이브에서 부른 게 더 마음에 드는

데, 음반 발표 후 발전이 있었던 건가요?

엄인호 : 당연히 발전하죠. 앨범을 내면서 가수가 크고, 공연하면서 가수가 큰 거예요. 그러니까 녹음하기 전에는 내가 평가를 잘 안 해요. 녹음하면서 가수가 크는 걸 내가 느껴요. 그래서 맨 처음에 녹음할 때는 내가 조금 참견했어요. 거기는 그렇게 부르지 말고 어떻게 하고… 그리고 공연하면서 자기 나름대로 이제 터득해 가는 거죠.

박준흠 : 보컬리스트 강성희 씨는 2016년에 들어온 건가요? 신촌블루스 30주년 앨범 녹음할 때요.

엄인호 : 예. 그런데 그 친구는 오래전에 인디 밴드 할 때 내가 봤어요. 기타 치는 친구가 지금은 부부인데, 그 밴드를 좋아했다기보다는 강성희라는 친구가 노래하는데, 굉장히 노래를 잘하더라고요. 그때는 나도 팀을 접으려 했던 상황이고 그래서, 속으로 노래 참 잘하는데 내가 곡을 주고 싶은데 그런 생각이 있었어요.

박준흠 : 그런데 왜 2014년 6집에는 참여를 안 시켰나요?

엄인호 : 그때는 그 친구를 생각 안 했을 때죠. 그런데 코러스는 했잖

아요. 〈붉은 노을〉에, 거기서부터 시작된 거예요. 아, 이거 누가 코러스를 해야 하는데 하다가 강성희 생각이 딱 나더라고. 마침 그 남편이 합정동에 조그만 스튜디오를 하고 있었거든.

박준흠 : 이 멤버가 이제 앞으로 계속 갈 건가요?

엄인호 : 그렇죠. 강성희, 제니스는 이제 솔로 앨범도 냈으니까 솔로 활동도 해라 이거죠. 나하고만 있으면 너무 힘드니까, 솔로로 갈 수 있으면 솔로로 가고. 그런데 공연을 많이 안 하고 그러니까 알려지지 않는 거예요. 그래서 방송 출연도 내가 옛날 같으면 안 했는데, 이제는 내가 적극적으로 나가는 거죠. 애들을 알려주기 위해서.

10
엄인호에 관하여 궁금한 점들

"제가 하려고 했던 음악은, 우리말, 우리 가사를 가지고도 충분히 블루스를 만들 수 있다는 걸 후배들한테 보여주고 싶은 거고, 관객들한테도 보여주고 싶은 거고요. 또 한 가지는 뭐냐면, 엄인호가 블루스라는 장르만 가지고 음악 하는 사람이 아니구나. 여러 장르를 갖고 있다는 걸 보여주고 싶었어요.

그리고 나 같은 사람으로만 끝나는 게 아니라 신촌블루스에서 같이 하는 애들이 나한테 어느 정도 영향을 받아서 음악을 계속 끌고 나갔으면 하는 거예요. 그거 때문에 내가 음악을 지금까지 하는 거 아닌가.

1) '막기타' 표현의 오류

박준흠 : 제가 선생님하고 1998년에 인터뷰를 했잖아요. 그 전에 이정선 씨 인터뷰를 했는데, 엄인호 선생님 기타에 대해서 어떻게 생각하냐고 물으니 "엄인호는 기타를 치는데 체계가 없는 것 같아, 그런데 신나잖아? 나름대로 그쪽에서는 다른 사람이 못 치는 기타를 쳐"라고 얘기했습니다. 이 얘기를 해주면서 선생님은 본인의 기타를 어떻게 생각하시냐고 물었더니, 선생님이 저한테 "후루꾸 기타의 거성巨星이야." 이렇게 얘기를 하셨어요. 그런데 출판하려고 보니까 '후루꾸'는 일본말이라고 해서 출판편집자가 그거를 '엉터리'라고 바꿨어요. 그래서 인터뷰 제목이 '나는 엉터리 기타의 거성' 이렇게 나온 건데….

엄인호 : '거성'도 내가 붙인 게 아니라, 누구 책에서 나를 그런 식으로 거성이라고….

박준흠 : 제 책입니다. 그런데 저는 그때 어떻게 받아들였냐면, 선생님이 진짜로 본인을 그 '후루꾸 기타의 거성'이라고 얘기를 한 게 아니라고 생각했습니다. 선생님은 선생님 기타에 대한 자부심이 있다고 저는 생각했거든요. 만약에 제가 선생님을 '후루꾸'로 생각했다면 인터뷰 자체를 할 이유가 없었겠죠. 저는 당시에 신촌블루스 1, 2집이

아니라 3, 4집 때문에 선생님을 인터뷰한 건데. 신촌블루스 3, 4집을 한국 최고의 블루스 록 음반이라고 생각했고, 그 생각은 지금도 변함이 없습니다. 그런데 주변에서 몇몇이 선생님 기타를 '후루꾸'로 얘기를 하니까 선생님이 이를 비아냥거리면서 그런 얘기를 했다고 저는 기억을 하거든요.

엄인호 : 그럴 수도 있어요.

박준흠 : 그 인터뷰 제목을 본 사람은, 엄인호가 진짜 자기를 '엉터리 기타 거성'으로 생각하는 건가? 이렇게 오해를 한 것 같더라고요. 그래서 그 이후에 또 나온 얘기는 뭐냐면 막 친다는 의미에서 '막기타'.

뭐 이런 얘기들이 계속 나오는데, 그 부분에 대해서 좀 얘기를 해 주세요. 저는 "아니 왜 엄인호 기타를 들으면서 막기타라고 하지?"라는 생각하거든요.

엄인호 : 1988년이나 이때는 후배 밴드 애들이 이제 막 록을 연주하기 시작할 때였거든요. 어찌 됐든 걔네들은 어느 정도까지는 체계적으로 기타를 배웠잖아요. 어디 학원이든. 신대철 같은 경우는 아버지한테 영향받고. 부활이나 이런 친구들도 외국 거를 엄청나게 많이 땄단 말이에요. 잉베이 맘스틴(Yngwie Malmsteen) 이런 거 들으면서 클래식 적으로 한때 빠진 적도 있었을 것이고. 걔네들이 몰랐던 거 하나가 뭐냐면, 자기네들이 록을 치고 있는데 거기에 '블루스'가 바닥에 깔려 있다는 걸 몰랐던 거지.

　그리고 신중현 선생이 기타 치는 게, 저 안에 블루스가 있다는 걸 몰랐던 친구들이야. 걔네들 세대들은 블루스가 뭔지 모를 텐데, 나는 어렸을 때부터 음악을 쭉 들어오면서 신 선생의 기타나 이런 거에서 블루스를 느꼈거든요. 어찌 됐든 신 선생이 기타 치는 게 블루스의 영향을 많이 받았다는 걸 내가 느꼈어요. 이미 그때 난 소울이나 이런 거로 완전히 통달했을 때니까. 그때 신중현 씨 기타 치는 걸 봤을 때 저거는 흑인 소울에 대해서는 완전히 꿰찼구나. 다른 밴드들은 그런 모습을 보여준 적이 없어요. 데블스 정도가 있었지만.

신촌블루스의 이정선 씨에 관해서 얘기해라, 그러면 걔네들로서는 굉장히 어려운 사람이고 그리고 포크에 어느 정도 위치까지 올라갔는데, 엄인호란 사람은 자기네들이 처음 들어봤거든요. 그런데 기타 치는 걸 가만히 보면 묘하거든. 내가 그 당시에 어떤 블루스의 영향 받을 거는 걔네들은 모르고 있었던 거야. 장끼들 때부터 블루스를 하고 싶었거든요. 물론 신중현 씨 같은 스타일로도 연주하고 했지만. 걔네들이 볼 때는 뭐야? 저건 무슨 기타가 마구리 같기도 하고. 신현준 씨가 나한테 그러더라고. 후배 밴드들한테 물어봤대요. 엄인호를 어떻게 생각하냐? 나에 대해서 완전히 평가절하하는 거지. 그래서 이정선 씨한테 가서 또 물어봤대요. 후배 록밴드들이 엄인호 씨 기타에 대해서는 그냥 완전히 마구리 기타라고 그러는데 어떻게 생각하냐고. 이정선 씨가 그랬대요. "엄인호보다 기타 맛있게 치는 놈이 있으면 나와 보라 그래. 걔는 자기 색깔 가진 애야." 그렇게 얘기했다고 그러더라고.

그 당시에도 지금도 나는 후배들한테 이렇게 얘기해요. 뭐냐면, 어디 가서 기타 자랑하지 마라. 외국 거 카피하면서 그거 가지고 개폼 잡고, 그리고 어디 곡을 썼다고 이렇게 하면서 자기네들이 마치 블루스에 통달한 것처럼 얘기하지 마라. 너흰 아무것도 아니다. 그리고 그렇게 무게 잡고 싶으면 진짜로 미국 가서 해. 어떻게 한국에서 앨범을 내면서 네 곡이 하나도 없냐? 그리고 설령 있다고 해도 너무 웃기는 수준 아니냐?

블루스의 가장 기본적인 열두 소절, 그 열두 소절 안에서 가사를 붙이려면요, 아무것도 아니야. 이것도 아니고 저것도 아니고. 미국 가사도 오리지널 블루스 들어보면 좀 유치하죠. 그래서 그 당시에 백인들이 생각할 때는 블루스를 유치한 애들이 하는, 그냥 흑인들이 하는 음악이라고 천하게 생각했지만, 지금은 또 그렇지도 않고. 올맨 브라더스, 자니 윈터(Johnny Winter) 같은 사람들이 블루스를 연주하고 그러니까. 듣다 보니까 이게 진짜 뿌리거든. 이거 무시할 수는 없는 음악이라.

그런데 너희들이 뭘 모르니까 나한테 막기타 그러면 오케이. 그런데 그래서 뭐. 너희 이런 거 칠 수 있어? 야 너희끼리 서로 도토리 키재기나 하고 있어라, 내가 볼 때는 가소롭다 이거지. 중요한 건 '내 기타'가 있어야 해. 이정선 씨가 어느 날 나하고 만나서 얘기하는데, 야 신현준 씨가 그렇게 얘기하더라, 그래서 자기가 그랬대요. 엄인호만큼 기타 치는 놈 있으면 나와보라 해. 속으로 그래도 같은 짬밥 먹었다고 나에 대해서 좋게는 얘기하는구나… 나는 막기타라고 생각해 본 적은 없어요.

박준흠 : 기자들은 왜 계속 그 표현을 쓸까요?

엄인호 : 신현준 씨가 그런 식으로 글을 쓰고 난 다음에 인터뷰할 때마다 다 그런 얘기를 하잖아요. "혹시 막기타라고 그렇게 얘기한다면서요?" 이번 방송(전주 KBS 백 투 더 뮤직)에서도 그런 얘기 했어요. 나는 기타를 나 혼자 배운 거고 내가 혼자 연습했지만, 그게 남들이 봤을 때 막기타라고 그러면 그럼 나는 막기타야.

박준흠 : 그렇게 띠지면 '막기타의 원조'가 한국에서는 신중현 씨인데.

엄인호 : 그렇죠.

2) 셋째 형 엄인환

박준흠 : 선생님의 셋째 형님이신 엄인환(색소폰) 씨가 세션에 처음 참여한 게 신촌블루스 라이브 1집(1989년)부터입니다. 예전에 장끼들 1집(1982년)과 엄인호 비공식 1집(1985년)에도 참여했는데, 신촌블루스 1집이나 2집에는 참여 안 한 이유가 있나요?

엄인호 : 이정선 씨가 우리 형에 대해서 잘 모르니까. 그렇다고 내가 우리 형을 추천하는 것도 좀 웃기고. 내가 신촌블루스 공연하고 다니면서 그때 처음 우리 형을 쓰기 시작했거든요. 그런데 이정선 씨가 봐도 잘하거든.

　그리고 우리 형에 관해서 얘기한다면, 정말 색소폰 톤이 좋아요. 그런데 형이 나하고는 성격이 완전히 정반대에요. 그리고 이상하게도 가끔 좀 엉뚱한 소리를 해요. 어떤 때는 내가 좀 창피한 적도 있었어요. 앞에서 제가 얘기했잖아요. 둘째 형도 그렇지만 셋째 형도 거기에 뒤질세라 공부를 안 했거든요. 밴드부에서 나팔이나 불었지. 그래서 내가 어떤 때는 싸워요. 녹음실에서 내가 엄청나게 구박하지. 그럼 자기는 악보를 그려 달라 이거야.

이정선 씨한테도 우리 셋째 형이 푸념으로 하는 얘기를 내가 들었어요. 이놈은 악보도 안 그려주면서 나보고 색소폰 불라고 그런다고. 그러면 이정선 씨는, 아니 아직도 악보 봐? 이정선 씨는 같은 나이니까. 애드리브를 무슨 악보를 그리냐? 내가 하고 싶은 얘기를 이정선 씨가 하는 거지. 형이 밴드부 음악을 했었고, 저녁 일을 했으면 애드리브를 했을 거 아니냐 이거지. 그런데 방송국이나 그냥 카바레 같은 데서 일하니까 악보 그려주는 대로 부르는 거예요. 그런데 나는, 아니 그만큼 색소폰을 불었으면 코드만 이렇게 보면 애드리브가 그냥 나와야 하는 긴데… 이정선 씨 곡이니 코드만 뵈도 나는 애드리브를 한단 말이야. 그런데 왜 그걸 굳이 악보를 그려줘야 되냐 말이야. 형한테 내가 뭐라 그러는 거죠. 아니 여태까지 색소폰 불었다면서 여태까지 그럼 뭘 한 거야? 왜 이렇게 짜증 나게 만들어. 녹음실에 가서 시간은 가는데 감을 못 잡더라고요.

박준흠 : 초기에 그러셨단 이야기죠?

엄인호 : 예. 내 다큐멘터리에도 나온 게 있잖아요. 인호는 녹음실 들어가면 자기한테 막 신경질 내고 그런다고.

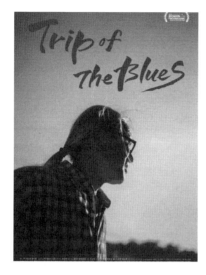

박준흠 : 저번에도 얘기하셨던 게, 엄인환 씨를 세션에 참여시킨 이유는 대체할만한 마음에 드는 색소폰 연주자가 없어서 라고 하셨거든요.

엄인호 : 맞아요. 내가 아무리 들어도 그만큼 나한테 어울릴 만한 색소폰을 부는 사람이 없었던 거야. 세션맨들 많잖아요. 김원용 그런 친구들은 당시에 보면 그냥 예쁘게만 부르지, 그 외에 다른 재즈 한다는 사람들 보면 톤이 마음에 안 드는 거야. 다만 이정식은 어느 정도 괜찮고. 그런데 이정식도 나랑 안 어울리는 게 뭐냐면, 너무 케니 지(Kenny G) 스타일이고. 한데 나는 블루지한 거를 하는데. 그런데 딱 보니까 우리 형 톤이나 연주를 들어봤을 때 잘할 수 있을 거라는 생각을 했어요. 내가 굉장히 형의 톤을 좋아했거든요. 그런데 답답한 소리를 해. 아무것도 그려져 있는 게 없냐? 코드밖에 없고. 그러면 우리도 코드만 보고 애드리브 해.

박준흠 : 녹음하러 가기 전에 좀 알려주시지 그랬어요.

엄인호 : 그것까지도 나는 생각을 안 했어요. 저 정도로 많이 불었다면 이제는 들으면 그냥 바로 나올 줄 알고 그랬는데, 결국은 형이 굉장히 스트레스를 받더라고요. 나는 또 더 스트레스받는 거고. 사람들 보는 앞에서 형이 그걸 못하고 있으면 나로서는 굉장히 갑갑한 거거든요.

박준흠 : 엄인환 연주는 선생님 솔로 2집의 마지막 곡 〈거리에서(Gray Day)〉가 마음에 듭니다. 그 음반에서는 뭔가 제 실력이 나왔다는 생각입니다.

엄인호 : 아마 그런 것 같아요. 그거 가지고도 또 한 번 왕창 싸웠거든요. 그때 녹음할 때도, 야, 나 그거를 어떻게 불어야 할지 모르겠다, 그래서 형 내 기타 그거 들어봐. 내가 솔로 들어가잖아? 그리고 김목경이가 잠깐 슬라이드치고. 그거 남이 한 거 이렇게 들으면 감이 안 와?

박준흠 : 평소에는 형님이 선생님 음악 스타일의 음악을 안 하셨던 거죠?

엄인호 : 그렇죠. 주로 그 양반이 8군 쪽보다는 카바레 쪽에 많이 했었고. 물론 카바레에서도 외국곡 하잖아요. 그런데 그건 아주 틀에 박힌 거고.

3) 술과 연주의 상관관계

박준흠 : 젊었을 때는 술을 어느 정도 드셨어요?

엄인호 : 현식이하고 고민할 때, 1980년대만 해도 소주 사 홉들이 한 병씩 마시고 무대에 올라갔었어요. 요즘은 조그만 거 한 병만 마셔도….

박준흠 : 사 홉들이면 작은 병 소주 두 배 용량.

엄인호 : 요즘에는 한 병 먹어도 갑자기 어느 순간에… 날씨 때문에 그래요. 날씨가 약간 춥거나 서늘하거나 그러면 술이 돌지 않는데, 무대가 너무 덥거나 그러면 술이 확 올라와서, 그때부터는 완전히 관객 모독이야. 내 마음대로 막 행동하고. 그런데 뭐… 클럽이야 술 마시고 하는 건 그렇게 큰 문제가 없는데.

박준흠 : 야외 공연이 문제겠죠.

엄인호 : 야외 공연에서도 공식 공연 이런 데서 내가 실수를 몇 번 했거든요. 그럼 또 한참 동안 다운이 되는 거예요. 그래서 우리 와이프도 제일 걱정하는 게 그거예요. 옛날 생각하지 말고 술 마시라고 해요.

박준흠 : 술 드시면 연주가 틀리는 건가요?

엄인호 : 적당히 마시면 기분 좋죠. 관객 의식 안 하고 내가 생각한 대로 연주도 되고 그러는데, 너무 취하면 손가락이 안 돌아가는 거지. 머리 따로 손 따로 노는 거예요. 적당히 마시면 머리하고 손하고 같이 가거든요. 요 다음에는 어떤 식으로 치겠다… 그런데 그게 오버 되면 그 다음부터는 머리로는 생각은 있는데 손은 안 따라가는 거야. 그러면 늘 하듯이 맛있는 소리가 안 나고 내 그대로의 기타가 아니고 그야말로 그냥 연주를 위한 연주가 돼버려요. 아무 생각 없는 연주 있죠?

박준흠 : 그런데 김현식 선생은 알코올 중독이었지만 선생님은 알코올 중독은 아니시잖아요. 그런데 왜 그런 습관이 생긴 거예요? 옛날에 밤무대 하실 때는 그게 싫어서 술 먹고 무대에 올라갔다는 얘기는 저는 들었어요.

엄인호 : 거기서부터 시작된 거니까. 술을 안 먹으면 가슴이 답답해요.

박준흠 : 레코딩 하실 때도 드시나요?

엄인호 : 그게 습관이 무섭다는 선네, 오늘은 진짜 녹음하기 전에 술 안

마시고 해야겠다고 했는데 막상 가면… 그리고 언제부턴가 담배를 못
피우게 하잖아요. 그 당시에는 술 마시는 것도 누가 뭐라 안 했어요. 하
다못해 이정선 씨도 알거든요. 내가 가슴 답답해하고 막 신경질적으로
변하면, 쟤 술 좀 갖다줘라! 그랬어요. 내가 술을 좀 마시면 마음이 안정
되거든요. 그렇지 않으면 녹음이나 공연 전에는 내가 굉장히 예민해요.

박준흠 : 혹시 신경질적으로 변할 때는 연주가 어떻게 달라집니까?

엄인호 : 들어보면 알죠. 내 기타가 어떤 때 보면 엄청나게 날카로울
때가 있거든요. 그럴 때는 굉장히 좋은 쪽으로 발전한 거지. 그런데 뭔
가 아주 기분 나쁘든가 그러면 뭐랄까… 좀 제멋대로죠. 정리도 안 되

고 그런 게 있어요. 물론 옛날에 밤업소 일할 때 하기 싫은 거 억지로 하면서 술 마시고 그랬던 게 결국은 김현식이나 이런 애들 만나면서 서로 통한 거예요. 현식이 역시도 마찬가지고. 그냥 술이라도 마시고 올라가야 막말로 시간을 때우죠.

그런 게 습관화돼서 신촌블루스 내내 김현식이 있을 때는 무대 올라가기 전에 소주 사 홉들이 한 병씩 다 마시고 올라가고, 술이 깨면 중간에 내려와서 또 마시고 올라가고 그러기도 했어요.

어떤 때는 물컵에 소주 따라서 마시고… 남들은 물 마시는 줄 알죠. 하지만 알 만한 사람들은 알죠. 이제 보니까 옛날에 김현식이나 엄인호가 무대 위에서 물 마시는 게 아니라 술 마시는 거다. 그런데 내가 이제는 몸이 약해진 거야. 옛날 생각만 하고 그냥 아무 생각 없이 소주 조그만 거 한 병을 다 마셨는데, 무대에 올라가서 갑자기 술에 확 치어버리는 거 있죠. 그럼 망치는 거야. 난 진짜 이것 때문에… 요새 고민이 이거예요.

박준흠 : 이미 그 순간이 되시면 이제 무대에서 수습이 안 되는 건가요?

엄인호 : 예.

4) 판권 문제

박준흠 : 그동안 만든 앨범들 판권은 누가 갖고 있나요?

엄인호 : [Rainbow Bridge](2000년)는 내가 제작했기 때문에 그건 내가 판권을 갖고 있어요.

박준흠 : 신촌블루스는 2014년 6집 [신촌Blues Revival]부터 판권을 갖고 계시는기요?

엄인호 : 아뇨. 6집도 5집도 다른 사람이 갖고 있죠. 5집은 내가 사기 당한 앨범이라 김새서 돈 하나도 못 받고 넘어간 거예요. 이상한, 신촌 블루스를 뭐라고….

박준흠 : 신촌블루스 5집 [신촌 Blues Collection - Lights](1997년)이요. 이 음반은 어떻게 나온 겁니까?

엄인호 : 기획사에 다니는 아는 후배가, 형 베스트앨범 하나 만들죠? 그러더니 앨범 나오고 나서 돈 하나도 안 주고 없어져 버렸어.

박준흠 : 음반에 보면 기획사는 소리마당으로 되어 있는데요.

엄인호 : 그 애가 나한테 사기 친 거예요. 원래 노래하던 애였어요. 무슨 듀엣이었었어요. 그런데 그 애가 자기가 뭐 한다고 어쩌고저쩌고 그러더니, 앨범 다 만들고 마스터까지 딱 줬는데 돈을 줄 생각을 안 해서 찾아갔더니 사무실이 없어져 버렸어요. 내용증명을 몇 번 보냈는데, 보니까 빈 사무실에 내용증명이 여러 개가 들어와 있더라고요. 딴 사람들한테도 그랬나 봐요. 걔네가 같이 소송을 하자 그랬는데, 걔들한테 내가 뭐라 그랬냐면, "야, 안 줄라고 튄 놈들은 방법이 없어, 그런데 나는 어디 있는지도 몰라. 소식도 없고." 그걸 복각하는데, 애는 변대윤하고 친군데 애가 또 이상하게 판권을 갖고 있더라고요.

박준흠 : 판권을 넘겼나 보네요.

엄인호 : 그렇죠. 걔한테 넘겨준 모양이에요. 그래서 어떻게 이걸 네가 갖고 있냐고 그랬더니, "어, 형, 그냥 뭐 내가 받았어요." 하더라고요. 하여튼 내가 얘기했잖아요. 사기꾼들을 너무 많이 만났다고. 그다음에 그 [Rainbow Bridge]도 매니저 한다는 애가 어느 회사에 가서 5천만 원을 미리 당겨 간 거예요. 그래서 내 마스터를 찾아올 때 2천만 원인가 주고 찾아왔다니까요. 그동안 판 팔린 건 까고.

박준흠 : 그렇게 마스터 확보하신 거예요?

엄인호 : 그 회사에 갔더니 나 모르게 5천만 원을 마이킹한 거야. 기가 막히잖아요. 나만 있는 것 같으면 내가 포기할 텐데 박보도 있고, 재일 교포들이 있을 때니까 내가 찾아갔죠. 그랬더니 지네들이 이렇게 계산하더니 2천만 원만 달라고 하더라고. 내가 깊이 생각하는 스타일이 아니었거든요. 너무 사람을 잘 믿은 거죠. 너희들이 알아서 해줘라, 이런 식.

 그래서 다시는 내가 매니저라는 사람들은 안 두려고 하다가 또 뒀더니 또 사기 치고. 하여튼 내가 매니저들한테 무지하게 당했어요. 내가 너무 순진하고, 또 내가 컴퓨터나 뭐 이런 거 잘 못하잖아요. 사람들을 내가 너무 믿는 거예요.

박준흠 : 통장 관리를 선생님이 직접 하셨으면 괜찮았을 텐데.

엄인호 : 글쎄요, 설마 마이킹을 당겨서 가리라고는 생각지도 못했거든요.

박준흠 : 그 이전에는 그런 일은 없었던 건가요?

엄인호 : 그렇죠. 이전에는 다 동아기획에서 나온 거니까요. 소리마당 거기서부터 내가 당하기 시작한 거예요. 그러니 당시에 내가 손해가 심했었죠.

박준흠 : 그러니까 1997년에 엄인호 3집 [10년의 고독]은 동아기획이고, 신촌블루스 5집은 소리마당이고 그렇게 된 거네요. 그러면 그 전까지 동아기획에서는 선생님이 직접 다 돈을 받으셨나요?

엄인호 : 신촌블루스 2집까지는 이정선 씨가 다 받았고요. 제일 고참이니까 애들 나눠주고 그러다가 3집부터 내가 직접 관리하기 시작했어요. 엄인호 솔로 3집까지요.

박준흠 : 그래서 서태지는 1992년에 데뷔할 때부터 돈 관리를 본인이 한 건데.

엄인호 : 나는 너무 사람을 잘 믿어서 그래요.(웃음) 그런데 웃기는 게 [Rainbow Bridge]도 사기 친 후배가 죽었어요. 내가 그랬잖아요. 나한테 돈 떼먹고 간 사람들은 많이 죽는다고. 지방 기획자도 그렇고, 이상하게 내 돈 떼어먹은 사람들은 어느 날, 얘기를 들어보면 죽었다고 그러더라고요. 고속도로에서 차에 치여서 죽은 사람도 있고. 나한테 그렇게 하먼 살煞이 끼는 모양이에요.

5) 향후 엄인호의 연주

박준흠 : 혹시 안 해봤는데 시도해 보고 싶은 장르나 스타일의 음악이
있으세요?

엄인호 : 꼭 그런 거는 없어요. 그런데 레드 제플린 같은 스타일은 한
번 해보고 싶어요. 블루지하면서도 굉장히 록적인, 어떤 블루스 형식
에서 벗어나도 좋다. 분명히 이거는 블루스인데 뭔가 형식이 다른…
지미 페이지(Jimmy Page)가 그걸 하거든요. 그래서 난 그게 부러워
요. 지미 페이지가 천재성을 갖고 있다는 건 뭐냐 하면 계속 자기 나
름대로 시도하거든. 차원이 굉장히 높아요. 에릭 클랩튼이든 제프 벡
(Jeff Beck)이든 누구든 앨범 낼 때 가만히 들어보면, 이들하고 지미 페
이지는 차원이 다르다. 물론 지미 페이지의 테크닉에서 사람들이 얘
기하는 건, 엉터리고 마구리고 뭐랄까 한마디로 얘기하면 제멋대로
기타라고 얘기하는데, 내가 볼 때는 그렇지 않아요. 어떤 앨범이든 곡
을 하나 녹음하기 위해서는 엄청나게 긴 시간을 갖고 연구하는 거죠.
그러니까 레드 제플린에 대해서 내가 굉장히 존경하는 건 그거예요.
지미 페이지 이 사람은 한 곡을 기타 치는데도 굉장히 생각하는 거지.
그렇다고 이게 수학적은 아니에요. 내가 볼 때는 핑크 플로이드의 데
이비드 길모어(David Gilmore)나 이런 사람처럼 수학적인 기타가 아

니고 뭐가 완전히 차원이 다른 거지. 솔직히 얘기해서, 나는 데이비드 길모어 기타를 들으면서 큰 감동을 못 느껴요. 멜로디가 대단히 아름답고 흔히 얘기해서 서정적이라고 생각하지. 대단한 기타는 아니다. 내가 볼 때는 제프 벡도 약간은 시도하다가 말았는데 지금은 그렇지 않아요.

박준흠 : 선생님은 레드 제플린의 어떤 음반을 좋아하세요?

임인호 : 진부 다. 레드 제플린 1, 2집 그건 뭐냐면, 처음 시도할 때가 굉장히 읽기가 쉽거든요. 딱 들으면 여기서 어떤 식으로 녹음을 했구나, 이런 유추가 되는데, 그 뒤에서부터는 이제 점점 오케스트라 같은 그런 느낌이 드는 거 있죠. 자기 나름대로 굉장히 파트를 나눠서… 그런데 이런 생각이 들기도 했어요. 이게 과연 맞는 건가? 이거 순 엉터리 아니야? 라고 하면서도 아니야, 이거는 자기 나름대로 특유의 스타일이고 주법도 그렇고, 이거는 진짜 엄청나게 노력 가지고 하는 거다. 나중에 보니까 지미 페이지 집에 개인 스튜디오 장비가 다 있더라고. 거기서 일단 녹음을 하고, 그리고 밴드 들어가서 또 녹음하고. 그걸 또 가져다가 집에서 자기 혼자 거기다 자꾸 쌓는 거지. 블록 쌓듯이. 그래서 이 사람은 쉽게 돈 버는 사람이 아니다.

가장 쉽게 가는 사람이 누구냐면 에릭 클랩튼이야. 나중에 점점 내가 실망하기 시작한 게, 이 사람은 어느 순간에 블루스로 점철하는데 스타일이 너무 단순한 거야. 별 노력 없이 기타 애드리브도 그냥 다 똑같고요. 그냥 블루스 애드리브. 내가 〈Wonderful tonight〉이나 〈Tears in Heaven〉 같은 것까지는 오케이. 그거는 그냥 대중적인 곡으로 썼다고. 그러니까 히트가 된 거고. 외국이나 한국이나 똑같아요. 너무 어렵게 쓰면 히트가 안 돼요. 마니아들이 좋아하는 곡이고. 에릭 클랩튼은 전에 얘기했지만, [461 Ocean Boulevard](1974년) 앨범부터 〈Tears in Heaven〉(1992년)까지가 굉장히 대중적으로 갔잖아요. 그런데도 그 앨범들은 괜찮아요. 그런데 그 뒤에서부터 블루스 앨범 이런 거 막 나오기 시작할 때부터는 나를 실망시키더라고. 이게 뭐야, 이 사람은 이제 돈맛 알았나? 너무 쉽게 녹음해버리고. 그리고 가만히 들어보면 기타 리프가 똑같아요. 어느 곡이나 다. 그래서 그다음부터 에릭 클랩튼 안 들어요.

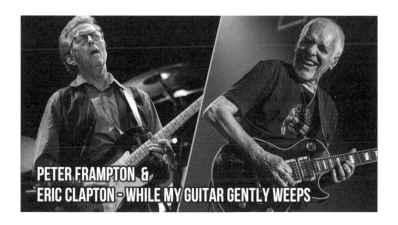

진짜 에릭 클랩튼이 맛있는 거는 데릭 앤 도미노스(Derek and The Dominos), 크림(Cream), 블라인드 페이스(Blind Faith). 블라인드 페이스하고 데릭 앤 도미노스 때가 최고인 것 같아. 델라니 앤 보니(Delaney & Bonnie) 이 사람들하고 만나면서 진짜 미국적으로 막 변할 때, 그때가 진짜 맛있는 기타였던 거 같아요. 올맨 브라더스도 듀언 올맨이 있을 때까지가 진짜 좋았고.

박준흠 : (노트북에서 영상을 보여주며) 이 영상은 에릭 클랩튼이 운영하는 크로스로드 페스디벌(Crossroads Guitar Festival) 2019년 영상입니다. 피터 프램프톤(Peter Frampton)이 에릭 클랩튼하고 〈While My Guitar Gently Weeps〉를 연주하는데, 그는 1970-80년대 활동하다가 한동안 종적을 감추었죠. 1970년대 솔로 시절 〈Show Me The Way〉로 엄청나게 인기를 얻었고. 그러다가 2010년 무렵 완전히 늙은 모습으로 다시 등장해서, 예전에는 정말 꽃미남이었는데, 미국 기타센터에서 〈Show Me The Way〉를 연주하는데 너무 훌륭했습니다. 이런 경우는 흔치 않은 것 같습니다.

엄인호 : 내가 미국에서 뉴스를 봤는데 무슨 프로인지 모르지만, 피터 프램프톤이 마약 중독이 돼서 뉴욕에서 노숙 생활을 했다고 그러더라고. 기자가 피터 프램프톤이라는 걸 알아보고 인터뷰하러 갔더니 도

596

망가는 것까지 내가 봤거든요. 자기 앨범이 실패했을 때 그때부터 마약에 빠져서….

박준흠 : 그런데 제가 궁금한 거는, 그의 기타 연주가 예전보다도 좋아졌거든요.

엄인호 : 옛날에도 굉장히 예쁘게 잘 쳤죠. 그 밴드 때….

박준흠 : 험블 파이(Humble Pie)요?

엄인호 : 험블 파이, 진짜 그때 기타는 아주 매력 있었거든요. 〈Show Me The Way〉 솔로 앨범 나오고 그럴 때는 난 또 에이 별로네… 험블 파이에서 스티브 메리어트(Steve Marriott)는 흑인적인 냄새가 굉장히 강하게 풍기고, 피터 프램프톤은 굉장히 이쁘게 기타를 쳤다고. 좀 고급스러운 스케일을 썼고, 스티브 메리어트는 굉장히 흑인적인 블루지한 기타를 쳤거든요. 그래서 그 당시에 피터 프램프톤은 블루스 기타는 아니었어요. 그냥 록 기타인데 굉장히 이쁘고 약간의 재지한 스케일도 그 당시에 쓰더라고요.

박준흠 : 여기서 제가 질문을 드렸던 건 뭐냐면, 뮤지션의 창작이 좋아

지는 경우도 드물지만, 기타리스트 연주가 좋아지는 경우는 더 드문 것 같거든요. 이 부분은 어떻게 생각하세요?

엄인호 : 그게 뭐냐 하면, 흔히 얘기해서 한마디로 안목이 넓어진다는 얘기. 자기 자신을, 옛날을 뒤돌아보고 다른 사람 기타를 또 경청하게 되고.

박준흠 : 대부분 기타리스트를 보면, 굉장히 잘 치는 사람들은 빠르면 10대 후반 아니면 20대 때 두각을 드러내잖아요. 그러다가 오히려 40-50대 정도 되면 매너리즘에도 빠지고, 그래서 어떻게 보면 연주가 옛날만도 못해지는 경우가 적지 않은데… 그런데 연주가 60대가 돼서 오히려 좋아지는 경우는 거의 못 본 거 같거든요. 저는 피터 프램프톤이 희한하게 느껴져요.

엄인호 : 나중에 자기를 뒤돌아보고 나름대로 또 노력도 많이 했을 거고. 한번 방황해서 사라졌다가 다시 나왔을 때, 연습도 많이 했겠지만, 또 다른 어떤 느끼는 게 있었겠죠. 나 같은 경우는 이제는 '못다 핀 꽃 한 송이'로 끝나지 않을까? 하는 그런 불길한 생각을 하는데, 그게 술 때문에 그러는 거예요. 이 술을 자제해야 하는데 못하는 거죠. 옛날에는 술 먹고서도 나는 얼마든지 할 수 있다고 생각했는데, 이제 점점 자신감을 잃어가는 거예요. 나 자신이 굉장히 싫고. 내가 이런 식으로 가면 안 되는데 또 막상 무대에 서게 되면 그걸 주체를 못 하는 거예요. 자제를 못 해요. 그게 지금 나한테 가장 큰 문제인 것 같아.

박준흠 : 비교하면 좀 그렇긴 한데, 이 피터 프램프톤처럼 혹시 선생님이 앞으로 지금보다 연주가 더 좋아질 가능성도 있을까요?

엄인호 : 있을 수도 있죠. 내가 술만 자제하면 돼. 술 때문에 내 몸이 지금 망가지고 있다는 건 사실 솔직히 느껴요. 애들한테도 미안하고. 이것도 일종의 중독이겠죠. 굳이 얘기한다면 술 의존증이라고 얘기하잖아요. 내가 무슨 무대 공포증도 아니고. 왠지 술을 안 마시면 무대에서 막 답답한 거예요. 그런데 여기서 고치지 못하면 끝나는 거지.

박준흠 : 조금 진에 무대 공포증 얘기를 하셨는데, 프로 연주자들도 그

런 게 있을까요?

엄인호 : 그런 사람도 있을 거예요. 다른 사람이 나를 볼 때, 저 사람은 아직도 무대 공포증이 있다고 생각할 수도 있어요. 내가 생각해도 혹시 그거 아니야? 그런 생각도 들어요. 사실 지금은 이렇게 편하게 얘기하지만, 언제부턴가 내가 그런 것 때문에 자신이 싫어질 때가 많더라고… 이건 진짜 내가 진심으로 고백하는 건데, 우리 애들한테도 내가 어떨 때는 굉장히 미안하고… 자꾸 내가 뭐 어쩌고저쩌고하면서 핑게 대는 쪽으로 기는 것 같고, 이런 게 전전 싫어지더라고요. 그래서 어떻게 하면 내가 이거를 고칠 수 있을까, 라는 생각을 하거든요. 솔직히 병원 가야 하는 상황일지도 몰라요. 오늘에야 비로서 솔직하게 얘기하는 건데, 언제부턴가 조금 두렵더라고….

박준흠 : 예전 인터뷰를 보면 젊었을 때는 남을 의식해서 연주하셨는데 나이 드셔서는 편하게 연주하기 시작했다고 하셨잖아요.

엄인호 : 그렇게 얘기했겠죠. 그런데 이제는 편한 게 아니야. 한때는 그랬는지 모르지만, 이제는 편한 게 아니라 내가 걱정되는 거야.

박준흠 : 혹시 선생님은 몇 살 때 연주가 가장 마음에 드세요?

엄인호 : 특별히 그런 건 없지만 내가 생각할 때 좋았던 때가, 그래도 연주하면서 항상 마음이 편하고 그랬던 때가 1990년대 같아요. 그때는 술을 마시고 무대에 올라가도 그렇게 큰 부담이 없었고, 실수도 안 했고요. 사람들이 보고 깜짝 놀랄 정도로요. 어떻게 술 마시고 그렇게 연주하세요? 그런데 한 10년 전부터 이제 문제가 생기기 시작하는 구나, 라고 내가 스스로 느껴요. 그래서 한편으로 어떤 생각까지 했냐면 이거 알코올 중독인가? 아니면 의존증인가? 습관성인가? 남들 마약 하는 것과 똑같다고 난 느껴요. 그래서 얼마 전에도 내가 방송 녹화하면서 허리도 안 좋고 몸도 안 좋았지만 그래도 TV고 방송이니까 내가 술 먹은 모습은 보여주지 말아야겠다고 생각했어요. 그런데 막 가슴이 답답해지고 거기다 혼란스러우니까, PD한테 미안하지만, 술을 좀… 맥주 좀 마셔가면서 하겠다고 했어요. 뒤에 감춰놓고 술 마셔 가면서 하면 되니까. 그런데 그 PD는 나를 이해하더라고.

6) 엄인호가 하려고 했던 음악은 무엇인지?

박준흠 : 마지막으로 선생님이 하려고 했던 음악은 무엇이고, 그리고 음악을 통해서 전달하고 싶었던 메시지는 무엇인지요?

엄인호 : 전부터 쭉 얘기했지만, 우리말 가사 가지고도 충분히 블루스를 만들 수 있다는 걸 후배들한테 보여주고 싶은 거고, 관객들한테도 보여주고 싶은 거고요. 또 한 가지는 뭐냐면, 엄인호가 블루스라는 장르만 가지고 음악 하는 사람이 아니구나, 여러 장르를 갖고 있다는 걸 보여주고 싶었어요. 가령 사이키델릭, 라틴 같은 그런 분위기… 이런 것도 보여주고 싶었어요. 그리고 나 같은 사람으로만 끝나는 게 아니라 신촌블루스에서 같이 하는 애들이 나한테 어느 정도 영향을 받아서 음악을 계속 끌고 나갔으면 하는 거예요. 그것 때문에 내가 음악을 지금까지 하는 거 아닌가? 그 누군가가 많으면 많을수록 좋고, 또 누군가는 신촌블루스 엄인호의 영향을 받아서 그걸 끌고 나갈 수 있는 그런 후배들을 만들고 싶었던 거, 그거예요.

나는 팀 이름에 '블루스'가 있다고 해서 블루스만 고집하는 게 아니다. 사람들이 알고 있는 것하고 다르다 이거죠. 나는 여태까지 다양한 스타일의 음악을 해왔고, 곡도 다양하게 써왔고, 그런 모습을 사람들

한테 보여주고 싶었어요. 또 후배들도 내 영향을 받아서 그걸 계속 이어갔으면 하는 거죠. 꼭 신촌블루스로서는 아니더라도 아, 저 친구는 신촌블루스에 있었는데, 엄인호 씨의 영향을 받아서 뭔가 여타 뮤지션들하고 좀 다른 모습을, 그걸 보여줬으면 하는 거.

박준흠 : 1960년대 히피 뮤지션들 다수는 "음악이 세상을 바꾸는 데 이바지할 수 있다."라는 소박한 희망을 품고 있었습니다. 혹시 선생님도 그런 유사한 생각을 하시나요?

엄인호 : 당연히 있죠. 앞으로 곡을 써도 아마 내가 그런 식으로 갈 거로 생각해요.

박준흠 : 현재 여성 아티스트 음반도 프로듀싱하고 계시잖아요. 그런 걸 포함해서 향후 계획이 뭘까요?

엄인호 : 향후 계획은 신촌블루스 활동하면서 새로운 가수를 발굴해서 프로듀싱을 해보고 싶은 거죠. 뭐 여유가 없어서 그렇게 될지는 잘 모르겠지만. 새로운 가수를 만들어서 계속 프로듀싱을 해서 멋진 노래를 만들고 싶은 거지. 남들이 들어도 이 앨범은 괜찮아, 멋있어. 만약에 내가 또 제작한다면, 이제 앞으로는 꼭 내 곡이 아니더라도 누구한테 어떤 곡을 의뢰해서 받든 뭐를 하든 독창적인 앨범을 만들고 싶어요. 연주든 편곡이든. 분명히 노래를 잘하는 애를 찾겠죠. 굉장히 품위 있는, 그러니까 품위라는 얘기를 하는 게 참 애매모호한데 적어도 대중가요에서 좀 예술적인 가치가 있는 그런 음반을 계속 만들고 싶다는 생각이 있어요. 뭔가 엄인호만의 독창적인 앨범을 내고 싶은 거죠. 사실 그게 꿈이에요.

Ⅲ　연보 / 디스코그래피

엄인호 1-19세   1952-1970년

- ● **1952년 (1세)**
- 11월 26일 서울 출생. 4남 1녀 중 막내.

- ● **1959년 (8세), 초1**
- 서울 창신초등학교 입학.
- 초등학교 입학 후 아버지가 간염으로 사망. 3개월 뒤 어머니도 사망함.

- ● **1965년 (14세), 중1**
- 이대부속중학교 입학. 그 후로 쭉 신촌에서 음악 듣고 활동함.

- ● **1968년 (17세), 고1**
- 신촌에 있는 이대부속고등학교 입학.
- 시민회관에서 신중현 콘서트를 관람한 후 큰 충격을 받음. 뮤지션에 대한 꿈을 키움.

- ● **1969년 (18세), 고2**
- '레볼루션'(혁명) 단어가 들어가는 3인조 록밴드를 결성. 기타와 보컬을 맡음.

CHRONICLE

엄인호 20대　1971-1980년

● **1974년 (23세)**
- 남포동의 음악다방에서 홍수진 DJ를 재회. 이후 DJ 진행에 관한 영향을 받음.

● **1976년 (25세)**
- 부산에서는 마지막으로 남포동에 있는 음악 카페 '작은새'에서 DJ를 함.
- 서울에서 전유성의 소개로 김현식을 만남.

● **1977년 (26세)**
- 음악 창작 시작.

● **1978년 (27세)**
- 해바라기 해체 후 '작은새' 공연에 온 이정선과 듀엣으로 공연.
- 이후 이정선에게 악보를 옮기는 사보 작업을 시작. 이정선에게 편곡을 배움.
- 신촌의 음악 카페 '츄바스코'에서 부인 정연규 씨를 만남.
- 김영배의 소개로 이광조를 만남.
- 이정선의 주도로 3인조 포크밴드 '풍선'(이정선, 엄인호, 이광조)을 결성. 풍선 1집을 녹음.

● **1979년 (28세)**
- 1월에 '풍선' 1집 [풍선](대한음반제작소)이 발매됨.
- 정연규 씨와 결혼.
- 이광조가 지구레코드와 전속계약을 맺으면서 '풍선'은 해체됨.

● **1980년 (29세)**
- 신촌의 막걸릿집 '경주집'에서 김현식, 박동률 등을 자주 만남.

엄인호 30대   1981-1990년

● **1981년 (30세)**
- 장남 엄승현(기타리스트)이 태어남.
- 오리엔트 나현구 사장 만남.
- 박동률이 만든 〈사랑사랑 누가 말했나〉(남궁옥분)가 히트.
  그의 제안으로 '장끼들' 결성됨.

● **1982년 (31세)**
- 장끼들 1집 [장끼들](대성음반) 발매.
- 대성음반에서 발매되는 이정명 1집 [Jimmy Lee Jones] 등의 세션.
- 산울림 9집(1983년)에서 〈더더더〉 세션.
- MBC '영 일레븐'에서 하우스밴드를 시작함.

● **1983년 (32세)**
- 장끼들 해체 후 박동률은 벗님들로 이적. 1984년 벗님들 3집에 참여.
- 세션 작업을 위한 엄인호 밴드를 만듦.

● **1984년 (33세)**
- 작곡가 이영훈. 엄인호 밴드에 합류.

● **1985년 (34세)**
- 〈환상〉〈골목길〉 등이 수록된 엄인호 비공식 1집(서라벌레코드)이 발매됨.
- 이후 성음과 뮤직프로듀서로 계약함.

● **1986년 (35세)**
- 성음을 나온 엄인호는 이정선을 찾아가서 밴드 결성을 제안함.
- 4월부터 신촌블루스 초기 멤버들(이정선, 엄인호, 이광조, 김현식, 한영애)과
  신촌의 카페 '레드제플린'에서 잼을 시작함.

● **1986년 (35세)**

- 6월에 대학로 샘터 파랑새극장에서
  첫 번째 신촌블루스 콘서트를 김현식과 봄·여름·가을·겨울과 함께 진행함.
- 샘터 파랑새극장 공연의 대성공으로 부산 등 전국투어를 시작함.
- 한영애 1집에 엄인호 곡 〈도시의 밤〉이 수록됨.
  이 곡은 추후 신촌블루스 1집에서 〈그대 없는 거리〉로 제목 변경됨.

● **1987년 (36세)**

- '츄바스코'에서 정서용을 만남.
- 김홍탁 작업실에서 박인수를 만남.
- 신촌블루스 1집 녹음 시작.
- 이문세와 LA 공연을 함.

● **1988년 (37세)**

- 신촌블루스 1집 [신촌 Blues](지구레코드) 발매.
- [우리노래전시회 III](동아기획)에 엄인호, 정서용이 부른 〈우리 함께〉가 수록됨.
- 한영애 2집에 엄인호 작곡의 〈루씰〉이 수록되어 인기를 얻음.
- 청량리역 근처 카페에서 노래하던 정경화를 우연히 만남.

● **1989년 (38세)**

- 신촌블루스 2집 [신촌 Blues 2](동아기획) 발매.
- 신촌블루스 [신촌 Blues Live Album](동아기획) 발매.

*● **1990년 (39세)**

- 신촌블루스 3집 [신촌 Blues 3](동아기획) 발매.
- 엄인호 1집 [Sing The Blues](동아기획) 발매.
- 11월 1일, 김현식 간경화로 사망함.

엄인호 40대   1991-2000년

● **1991년 (40세)**

- 신촌블루스 [신촌 Blues Live Vol.2](동아기획) 발매.
- OST [신촌블루스 가을 여행](뉴서울레코드) 발매.
- V.A. [김현식 추모앨범 - 하나로](뉴서울레코드) 발매.

● **1992년 (41세)**

- 신촌블루스 4집 [신촌 Blues 4](동아기획) 발매.

● **1993년 (42세)**

- 엄인호, 김목경, 정경화, 조준형 [Super Stage](현대음향) 발매.

● **1994년 (43세)**

- 엄인호 2집 [Sweet & Blue Hours](동아기획) 발매.
  발라드와 블루스가 콘셉트인 앨범임.

● **1997년 (46세)**

- 엄인호 3집 [10년의 고독](동아기획) 발매. 동아기획에서 발매된 마지막 앨범
- 신촌블루스 5집 [신촌 Blues Collection - Lights](소리마당) 발매.

● **2000년 (49세)**

- 엄인호 & 박보 [Rainbow Bridge](massmusic) 발매.
- V.A. [김현식 - Tribute To Kim Hyun Sik](wea) 발매.

CHRONICLE

● **2002년 (51세)**

- 엄인호 [신촌Blues 엄인호 Anthology /
  엄인호 & 박보 Rainbow Bridge](pony canyon) 발매.
- 최이철이 주도한 V.A. [유라시아의 아침]에 엄인호 〈꿈〉 수록.
- V.A. [Artist](드림비트)에 엄인호 〈Angie〉 수록.

● **2003년 (52세)**

- 3월에 정동극장에서 2주간 주말 공연을 하는데,
  '엄인호 & 신촌 Blues'(김동환, 강허달림 참여)와
  '선생님과 룸펜'(이정선, 한영애, 청경화, 성서용 참여)으로 진행함.

● **2006년 (55세)**

- 신촌블루스 20주년 공연 후 해체 선언.

● **2008년 (57세)**

- 미국 LA에 있는 블루스 라이브클럽에서 얼떨결에 연주.

● **2010년 (59세)**

- 엄인호(기타, 보컬), 최이철(기타, 보컬), 주찬권(드럼, 보컬)의
  프로젝트 앨범 [Super Session] (Universal Music) 발매.
- V.A. [김현식 20주년 헌정앨범 : 비처럼 음악처럼]
  (Milky Works)에 〈세월이 한참 흐른 뒤에야〉 수록.
- 서창원 1집 [고양이와 나비](서창원)에 엄인호 〈첫눈〉 수록.

엄인호 60대 2011–2020년

● **2011년 (60세)**
- 6월 25일에 올림픽홀 뮤즈라이브에
"이정선&엄인호 - The Band of Blues Brothers"로 출연함.

● **2014년 (63세)**
- 신촌블루스 6집 [신촌Blues Revival](이엔티미디어) 발매.

● **2015년 (64세)**
- 엄인호 [Anthology](SAIL MUSIC) 발매.

● **2016년 (65세)**
- 신촌블루스 [신촌블루스 30th Anniversary Album](J-Worker) 발매.
- 신촌블루스 30주년 기념공연 진행.

● **2018년 (67세)**
- 엄인호를 다룬 성승택 감독의 음악다큐 〈트립 오브 더 블루스(Trip of the Blues)〉 제작.

● **2020년 (69세)**
- 엄인호 [Acoustic Live/엄인호 데뷔 40주년 기념콘서트](신촌블루스) 발매.
  조은주(기타) 가입.

CHRONICLE

엄인호 70대　2021년 -

● **2021년 (70세)**

- 신촌블루스 [Return of the Legends Vol.5 신촌블루스] (버키나인) 발매.
- 제니스 1집 [Sweet & Blue] (신촌블루스) 발매. 엄인호 제작.
- 강성희 1집 [Rain, Woman & the Other Thing] (신촌블루스) 발매. 엄인호 제작
- 엄인호, 박완규 EP [붉은 노을, 골목길 블루스] (신촌블루스) 발매.

● **2022년 (71세)**

- KBS 전주방송국 프로그램 '백투더뮤직'에 〈한국 블루스의 전설! 신촌블루스〉 편으로 출연.

● **2023년 (72세)**

- 2월 '신촌블루스 앙코르 콘서트' 진행.
- KBS 전주방송국 '백투더뮤직'에서 제작하는 음반 발매.

● **2024년 (73세)**

- 4월 28일, 엄인호의 BLUES STORY 콘서트 (관악아트홀) 진행.

엄인호 앨범

풍선 1집
풍선
1979 / 대한음반제작소

장끼들 1집
장끼들
1982 / 대성음반

엄인호
환상 / 도시의 밤 / 골목길
1985 / 서라벌레코드

신촌블루스 1집
신촌 Blues
1988 / 지구레코드

신촌블루스 2집
신촌 Blues 2
1989 / 동아기획

신촌블루스
신촌 Blues Live Album
1989 / 동아기획

신촌블루스 3집
신촌 Blues 3
1990 / 동아기획

엄인호 1집
Sing The Blues
1990 / 동아기획

신촌블루스
신촌 Blues Live Vol.2
1991 / 동아기획

신촌블루스 4집
신촌 Blues 4
1992 / 동아기획

엄인호, 정경화, 김목경, 조준형
Super Stage
1993 / 현대음향

엄인호 2집
Sweet & Blue Hours
1994 / 동아기획

엄인호 3집
10년의 고독
1997 / 동아기획

신촌블루스 5집
신촌
Blues Collection - Lights
1997 / 소리마당

엄인호&박보
Rainbow Bridge
2000 / massmusic

엄인호
신촌Blues 엄인호 Anthology /
엄인호 & 박보 Rainbow Bridge
2002 / pony canyon

엄인호, 최이철, 주찬권
Super Session
2010 / Universal Music

신촌블루스 6집
신촌Blues Revival
2014 / 이엔티미디어

엄인호
Anthology
2015 / SAIL MUSIC

신촌블루스
신촌블루스
30th Anniversary Album
2016 / J-Worker

엄인호
Acoustic Live /
엄인호 데뷔 40주년 기념콘서트
2020 / 신촌블루스

엄인호, 박완규 EP
붉은 노을, 골목길 블루스
2021 / 신촌블루스

신촌블루스
Return of the Legends Vol.5
신촌블루스
2021 / 버키나인

신촌블루스 EP
백투더뮤직 신촌블루스
2023 / S OUNDTREE, KBS Media

DISCOGRAPHY

엄인호 주요 참여 앨범

이정명
Jimmy Lee Jones
1982 / 대성음반

OST
신촌블루스 가을여행
1991 / 뉴서울레코드

박영미 2집
박영미 2
1991 / 지구레코드

강허달림 1집
기다림, 설레임
2008 / Run Music

제니스(Janis) 1집
Sweet & Blue
2021 / 신촌블루스

강성희 1집
**Rain, Woman &
the Other Thing**
2021 / 신촌블루스

PRESET 001